U0242915

「十三五」国家重点出版物出版规划项目

中国中药资源大典

广东卷

1

黄璐琦 / 总主编
潘超美　黄海波　叶华谷 / 主　编

北京科学技术出版社

图书在版编目（CIP）数据

中国中药资源大典. 广东卷. 1 / 潘超美，黄海波，叶华谷主编. -- 北京 ：北京科学技术出版社，2024. 6.

ISBN 978-7-5714-4003-9

Ⅰ. R281.4

中国国家版本馆CIP数据核字第20245KD809号

责任编辑：侍 伟 李兆弟 王治华 庞璐璐 吕 慧
责任校对：贾 荣
图文制作：樊润琴
责任印制：李 茗
出 版 人：曾庆宇
出版发行：北京科学技术出版社
社 址：北京西直门南大街16号
邮政编码：100035
电 话：0086-10-66135495（总编室） 0086-10-66113227（发行部）
网 址：www.bkydw.cn
印 刷：北京博海升彩色印刷有限公司
开 本：889 mm × 1 194 mm 1/16
字 数：909千字
印 张：41
版 次：2024年6月第1版
印 次：2024年6月第1次印刷
审 图 号：GS京（2023）1758号
ISBN 978-7-5714-4003-9

定 价：490.00元

《中国中药资源大典·广东卷》

总编写委员会

总 主 编 黄璐琦（中国中医科学院）

主　　编 潘超美（广州中医药大学）

叶华谷（中国科学院华南植物园）

廖文波（中山大学）

夏念和（中国科学院华南植物园）

晁　志（南方医科大学）

黄海波（广州中医药大学）

严寒静（广东药科大学）

童毅华（中国科学院华南植物园）

童　毅（广州中医药大学）

赵万义（中山大学）

凡　强（中山大学）

编　　委（按姓氏笔画排序）

凡　强（中山大学）

王亚荣（中山大学）

王英强（华南师范大学）

邓旺秋（广东省科学院微生物研究所）

叶华谷（中国科学院华南植物园）

叶幸儿（广东药科大学）

付　琳（中国科学院华南植物园）

白　琳（中国科学院华南植物园）

刘基柱（广东药科大学）

严寒静（广东药科大学）

李泰辉 （广东省科学院微生物研究所）

肖凤霞 （广州中医药大学）

何春梅 （广东省林业科学研究院）

张宏伟 （南方医科大学）

陈　娟 （中国科学院华南植物园）

陈秋梅 （广州中医药大学）

林哲丽 （韶关学院）

赵万义 （中山大学）

秦新生 （华南农业大学）

夏　静 （广州白云山和记黄埔中药有限公司）

夏念和 （中国科学院华南植物园）

晁　志 （南方医科大学）

黄海波 （广州中医药大学）

梅全喜 （深圳市宝安区中医院）

彭泽通 （广州中医药大学）

童　毅 （广州中医药大学）

童家赟 （广州中医药大学）

童毅华 （中国科学院华南植物园）

曾飞燕 （中国科学院华南植物园）

楼步青 （广东省中医院）

廖文波 （中山大学）

潘超美 （广州中医药大学）

《中国中药资源大典·广东卷 1》

编写委员会

主　　编　潘超美　黄海波　叶华谷

副 主 编　邓旺秋　何春梅　梅全喜　童　毅

编　　委　（按姓氏笔画排序）

马　庆　王亚荣　邓旺秋　叶　文　叶华谷　冯　冲　冯大洲　刘四军
刘基柱　闫　冲　严寒静　李书渊　李泰辉　杨得坡　肖凤霞　吴文如
吴孟华　何春梅　但　俊　张　明　张丹雁　陈秋梅　林　励　林　慧
郑夏生　赵万义　钟慧怡　班梦梦　夏　静　晁　志　唐晓敏　黄　浩
黄凤萍　黄海波　黄煜权　黄嘉凤　梅全喜　彭泽通　彭嫣霖　韩正洲
覃挺红　程轩轩　童　毅　童毅华　曾文星　曾聪彦　廖文波　潘超美

摄　　影　潘超美　叶华谷　廖文波　何春梅　邓旺秋　彭泽通　李泰辉　赵万义

《中国中药资源大典·广东卷 1》

编辑委员会

中药资源是中医药事业传承和发展的物质基础，是关系国计民生的战略性资源。为促进中药资源保护、开发和合理利用，国家中医药管理局组织开展了第四次全国中药资源普查。广东省得天独厚的地理环境，孕育了丰富多样、具有岭南特色的中药资源。《中国中药资源大典·广东卷》对广东省中药资源现状的总结，也是广东省中药资源普查成果的集中体现。

本书分上、中、下篇，上篇介绍了广东省中药资源概况、中药资源普查工作及中药资源产业现状等，中篇介绍了广东省 23 种道地、大宗中药资源的栽培面积、分布区域、资源利用等，下篇为广东省 3 514 种中药资源的基本信息。本书充分反映了广东省中药资源的最新研究成果，内容丰富，体例新颖，图文并茂，为一部具有较高学术价值和实用价值的工具书。

相信本书的出版可为进一步开展中药品质研究与评价、推动中药产业的健康和可持续发展、为地方制定中药产业政策提供支撑，为推动区域经济社会高质量发展贡献力量。

欣闻本书即将付梓，乐之为序。

中国工程院院士
中国中医科学院院长
第四次全国中药资源普查技术指导专家组组长

2024 年 4 月

中药资源是中医药事业发展的物质基础，国家高度重视中药资源保护及其可持续利用。我国已开展了4次全国范围的中药资源普查，其中第四次全国中药资源普查工作起止时间为2011—2021年。第四次全国中药资源普查确认了我国共有18 817种药用资源，与第三次普查相比增加了6 000多种，其中，3 151种为我国特有的药用植物，464种为需要保护的物种；还发现196个新物种，其中约100种具有潜在药用价值。

广东省第四次中药资源普查工作于2014年开始、2021年11月结束，历时近8年，普查区域实现了对全省全部县级行政区域的覆盖。为推广中药资源普查成果，更好地服务于广东省中药产业发展，广东省第四次全国中药资源普查（试点）工作办公室（以下简称广东省普查办）、广东省中药资源普查（试点）工作技术专家指导委员会组织相关专家、学者和技术人员，从广东省中药资源概况、重点中药资源情况、中药资源监测体系建设、中药材种植生产区划、传统医药知识收集、种质资源圃建设等方面入手，进行了数据统计和细致的整理研究工作，汇总了广东省在中药资源保护、科研和产业等领域取得的一系列成果。一是基本摸清了广东省中药资源家底，为编制《中国中药资源大典·广东卷》提供了翔实的数据。本次普查共发现药用植物3 443种，其中涵盖栽培药用植物185种；发现新种8种，新分布记录属和新分布记录种共11种；对区域内水生和耐盐药用资源、菌类药用资源、瑶药资源等进行了专项调研，构建了广东省岭南中药资源信息管理系统。二是建立了广东省中药资源动态监测信息和技术服务体系，形成了区域内中药资源动态监测网络，与国家中药资源动态监测信息和技术服务体系实现了数据共享，形成了长效机制，可实时掌握广东省中药材的产量、流通量、价格和质量等的变化趋势，促进中药产业的健康发展。广东省中药资源普查过程中开展了区域内重点道地药材品种的标准化建设，开展了中药材产业扶贫行动，使中药材生产成为推进乡村振兴的重要抓手，为加快区域中药材产业的发展贡献了力量。三是建立了省级中药材种子种苗繁育基地、省中药药用植物重点物种保存圃和种质资源圃，保存广东省活体中药药用植物种质资源 2 639 份，从源头上保证了中药材的质量，促进了珍稀、濒危、道地药材的繁育和保护，凸显了中药资源保护和可持续利用工作的重要性。四是在汇总广东省中药资源相关传统知识调查成果的基础上，梳理了广东省岭南地区独特地理气候条件下的人群体质特点，形成了具有地域特色的岭南中医药学体系亮点，如广东凉茶、罗浮山百草油、沙溪凉茶、冯了性风湿跌打药酒、跌打万花油、乌鸡白凤丸等具有岭南特色的中药配伍应用；整理出岭南民间特色治疗验方 554 首，挖掘、传承、保护与中药资源相关的传统知识。五是汇编出版了《广东省中药资源志要》《梅州中草药图鉴》《乳源瑶医瑶药志要》《岭南采药录考释》等专著。

《中国中药资源大典·广东卷》是对广东省第四次中药资源普查工作成果的全面汇总，是全体普查人员经过多年努力，获得的广东省中药资源现状的第一手资料。《中国中药资源大典·广东卷》由广州中医药大学、中国科学院华南植物园、中山大学、南方医科大学、广东药科大学、华南农业大学等 17 个普查技术单位的 200 多位普查技术人员共同编撰完成。全书分为上篇、中篇、下篇，共 12 册。上篇全面介绍了广东省中药资源生态环境、分布概况，梳理了广东省中药资源和产业现状，对比广东省第三次中药资源普查结果，对广东省野生药用资源分布、人工种植（养殖）中药资源物种的变化、中药材市场流通情况、岭南民间用药特点等进行了分析，并提出了广东省中药资源区划和发展建议；中篇详细地介绍了广东省 23 种道地、大宗中药资源的资源情况、分布情况、栽培情况、采收应用等内容，为中药材产业的高质量发展提供了技术服务，为中药材生产布局提供了参考；下篇对广东省境内 3 514 种中药资源物种（药用植物、药用动物、药用矿物）做了图文并茂的介绍，展现了广东省中药资源领域的最新数据信息成果。《中国中药资源大典·广东卷》的出版客观真实地反映了广东省中药资源的整体情况，对广东省乃至全国中药资源的保护、合理利用、开发、科研、教学以及产业规划等将发挥重要的指导作用。

《中国中药资源大典·广东卷》编写委员会

2024年3月

广东省位于我国大陆最南端，北回归线横穿其中部。全省地势北高南低，山脉大多呈东北—西南走向。气候从北向南分别为中亚热带、南亚热带和热带气候，受海洋上的湿润气流影响，夏季高温多雨、多台风，冬季多干旱且有冷空气侵袭。广东省年平均气温为18.9 ~ 23.8 ℃，气温呈南高北低的特点，南端雷州半岛年平均气温最高，为23.8 ℃，粤北山区年平均气温最低，为18.9 ℃；历史极端最高气温为42.0 ℃，极端最低气温为 −7.3 ℃。

广东省光、热、水资源丰富，得天独厚的地理环境和气候为生物的生长创造了优越的条件，动植物种类繁多，药用植物资源非常丰富。广东省的植被类型有纬度地带性分布的北亚热带季雨林、南亚热带季风常绿阔叶林、中亚热带典型常绿阔叶林和沿海的热带红树林，还有非纬度地带性分布的常绿落叶阔叶混交林、常绿针阔叶混交林、常绿针叶林、竹林、灌丛和草坡，以及水稻、甘蔗和茶树等栽培植被。

2014 年，广东省启动了第四次中药资源普查工作，到 2021 年 11 月普查结束。广东省本次中药资源普查共记录调查信息 445 240 条、中药资源 4 692 种（已确认的药用植物 3 443 种），调查中药材栽培面积 14.3 万 hm^2，涵盖药用植物栽培品种 185 种；记录病虫害种类 351 种，调查市场主流药材品种 852 种，记录传统医药知识信息 629 条。通过统计分析现有典籍专著和文献记载的广东省药用资源种类信息，结合广东省本次中药资源普查结果，确定广东省现有中药资源种类为 3 587 种。广东省本次中药资源普查调查代表区域368个，调查样地4 056个，调查样方套20 273个，记录有蕴藏量的中药资源330种，收集药材标本4 977份、中药材种质资源2 639份。此外，本次普查还对广东省菌类和水生、耐盐等药用植物资源进行了专项调研，收载大型药用真菌217种，隶属26科46属；记录水生药用植物资源160种、耐盐药用植物资源269种。

广东省是我国南药的主产区，与第三次中药资源普查相比，其道地药材和岭南特色药材的生产现状发生了很大的变化。广东省目前生产的道地药材品种主要有春砂仁、何首乌、广藿香、巴戟天、白木香、檀香、穿心莲、肉桂、广陈皮、芡实、山柰、益智等，珍稀野生药材品种有金毛狗、桫椤、青天葵、华南龙胆、蛇足石杉、金线兰等，岭南特色药材品种有莪术、红豆蔻、草豆蔻、甘葛、广山药、猴耳环、溪黄草、凉粉草、九节茶、鸡骨草、广金钱草、牛大力、千斤拔、黑老虎、铁皮石斛等。

广东省是中成药、中药配方颗粒、凉茶的生产大省，每年消耗的中药原料达数千吨，而许多中药原料主要来源于野生资源，导致野生药用资源品种数和蕴藏量均急剧减少。为了保证国家基本药物所需中药原料的可持续利用，广东省大部分制药企业建立了配套的中成药原料基地，还建立了野生中药资源转家种的药材原料基地，主要种植品种有黑老虎、吴茱萸、猴耳环、九里香、白花蛇舌草、溪黄草、紫茉莉、岗梅、毛冬青、两面针、三桠苦、草珊瑚、南板蓝根、山银花、鸡血藤、虎杖、龙脷叶、金樱子、金毛狗、钩藤、土牛膝、佩兰、千年健、山豆根、桃金娘、五指毛桃、无花果、地胆草、紫花杜鹃、裸花紫珠等稀缺原料药材，这些药材种植基地的建立对广东省中药资源的保护和可持续利用具有重要意义。

广东省第四次中药资源普查为广东省中药材产业提供了准确的资源信息，已有的成果数据信息可以更好地服务于产业发展，同时也为区域内主管部门制定相关法规政策提供了数据支撑。我们对广东省近8年来的普查数据进行了系统、严谨的梳理和统计，这对促进区域内中药资源的保护和可持续利用、促进地方中药资源产业和国民经济的发展具有重要意义。

《中国中药资源大典·广东卷》编写委员会

2024年3月

（1）本书分为上篇、中篇、下篇，共12册。上篇内容包括广东省自然地理概况、广东省第四次中药资源普查实施情况、广东省第四次中药资源普查成果、广东省中药资源发展存在的问题与建议；中篇重点介绍广东省23种道地、大宗中药资源；下篇是各论，共收载植物、动物、矿物等药用资源3 514种，以药用资源物种为单元进行介绍。本书主要参考《中国药典》《中国药材学》《中华本草》《中国植物志》《全国中草药汇编》等，以及历代本草文献等权威著作。为检索方便，本书在第1 册正文前收录1 ～ 12册总目录，在页码前均标注了其所在册数（如“[1]”）。同时，还在第12册正文后附有1 ～ 12 册所录中药资源的中文笔画索引、拉丁学名索引。

（2）植物分类系统。蕨类植物采用秦仁昌1978年分类系统。裸子植物采用郑万钧1975年分类系统。被子植物采用哈钦松分类系统。少数类群根据最新研究成果稍作调整；属、种按拉丁学名的字母顺序排列。

（3）本书下篇各品种按照其科名及属名、物种名、药材名、形态特征、生境分布、资源情况、采收加工、药材性状、功能主治、用法用量、凭证标本号、附注依次著述，资料不全者项目从略。

1）科名及属名。该项包括科、属的中文名和拉丁学名。

2）物种名。该项包括中文名和拉丁学名。

3）药材名。该项介绍药用部位及药材的别名。未查到药材别名的则内容从略。

4）形态特征。该项简要介绍物种的形态。

5）生境分布。该项介绍物种的生存环境及其在广东省的分布区域，栽培品种则介绍其主产地及道地产区。分布中的地级市专指其城区范围，不涵盖其管辖的县域范围，正文中采用“地级市（市区）”的形式表示，如“茂名（市区）”。

6）资源情况。该项介绍物种的蕴藏量情况，野生资源以丰富、较丰富、一般、较少、稀少表示，并说明药材来源于栽培资源还是野生资源。

7）采收加工。该项简要介绍药材的采收时间、采收方式及加工方法。

8）药材性状。该项主要介绍药材的性状特征。对于民间习用的鲜草药或冷背药材，则此项内容从略。

9）功能主治。该项介绍药材的味、性、毒性、归经、功能和主治。

10）用法用量。该项介绍药材的使用方法及用量范围。

11）凭证标本号。该项为第四次全国中药资源普查收载的物种标本号或补充收录物种的馆藏标本号。依据文献记载补充的经确认广东省已有、普查未收录的物种同时附上中国科学院华南植物园标本馆（IBSC）、深圳市中国科学院仙湖植物园植物标本馆（SZG）、广东省韩山师范学院植物标本室（CZH）等的标本号。补充收录的动物和矿物药用资源的标本号引用《广东中药志》《广东省中药材标准》《中国药用动物志》等文献的记录；菌类药用资源的标本号引用广东省科学院微生物研究所标本馆（GDGM）的标本号。

12）附注。该项简述物种的品种情况、民间使用情况、资源利用情况等内容。

目录

Contents

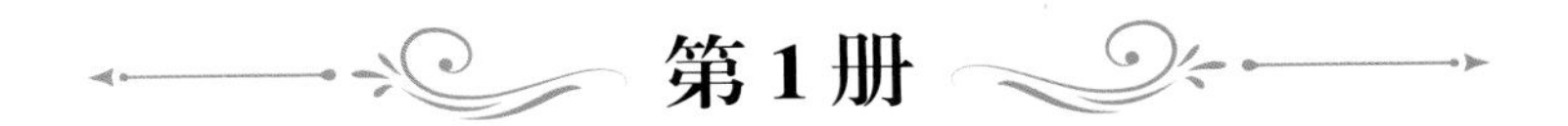

第1册

上篇

广东省中药资源概论

中篇

广东省道地、大宗中药资源

下篇

广东省中药资源各论

第 2 册

第3册

第 4 册

第 5 册

第 6 册

第 7 册

第8册

第9册

第10册

第11册

第 12 册

上篇

广东省中药资源概论

广东省自然地理概况

一、地理位置

广东省地处我国大陆最南部、欧亚大陆东南部，位于北纬20°09′～25°31′，东经109°45′～117°20′，东邻福建省，北接江西省、湖南省，西连广西壮族自治区，南临南海，珠江口东西两侧分别与香港特别行政区、澳门特别行政区接壤，西南部雷州半岛隔琼州海峡与海南省相望。广东省东起南澳县南澎列岛的赤仔屿，西至雷州市纪家镇的良坡村，东西跨度约800 km；北起乐昌市白石镇当阳村，南至徐闻县角尾乡灯楼角，南北跨度约600 km。北回归线沿南澳县—从化区—封开县一线横贯广东省。广东省陆地面积17.98万km^2，约占全国陆地面积的1.87%。海域面积41.9万km^2，是陆地面积的2.3倍左右。大陆海岸线长4 114.3 km，居全国首位。广东省拥有海岛1 963个，岛屿面积1 513.17 km^2，约占全省陆地面积的0.84%。全省面积超过500 m^2的岛屿共有759个，在全国沿海省（自治区、直辖市）中居第二位。

广东省下辖21个地级市（其中2个为副省级市），划分为珠江三角洲、粤东、粤西和粤北四个区域，下分122个县级行政区，包括65个市辖区、20个县级市、34个县、3个自治县。

二、地形地貌

广东省地貌类型复杂多样，有山地、丘陵、台地和平原，其面积分别占全省陆地面积的33.7%、24.9%、14.2%和21.7%，河流和湖泊等的面积只占全省陆地面积的5.5%。地势北高南低。北部多为山地和高丘陵，最高峰石坑崆海拔1 902 m，位于阳山县、乳源瑶族自治县与湖南省的交界处；南部则为台地和平原。全省山脉大多与地质构造的走向一致，以东北—西南走向居多，如斜贯粤西、珠江三角洲和粤东北的罗平山脉和粤东的莲花山脉。粤北的山脉多为向南拱出的弧形山脉。此外，粤东和粤西有少量西北—东南走向的山脉。山脉之间有大小谷地和盆地分布。平原以珠江三角洲平原面积最大，潮汕平原次之，此外还有高要、清远、杨村和惠阳等冲积平原。台地以雷州半岛—电白区—阳江市一带和海丰县—潮阳区一带分布较多。

构成各类地貌的基岩以花岗岩最为普遍，砂岩和变质岩也较多，粤西北还有较大片的石灰岩分布。此外，广东省局部还有景色奇特的红色岩系地貌，如丹霞山和金鸡岭等；沿海还有数量众多的优质沙滩，雷州半岛西南岸有珊瑚礁。

三、气候条件

广东省属于东亚季风区，是全国光、热和水资源最丰富的地区之一，且雨热同期，植被四

季常青，其气候从北向南分别为中亚热带、南亚热带和热带气候。广东省从北向南平均年日照时数由不足 1 500 h 增加到超过 2 300 h，年平均太阳辐射总量 4 200 ~ 5 400 MJ/m^2，年平均气温 19 ~ 24 ℃，1 月平均气温 16 ~ 19 ℃，7 月平均气温 28 ~ 29 ℃。

广东省降水充沛，平均年降水量为 1 300 ~ 2 500 mm，降水的空间分布基本呈南多北少的趋势。受地形的影响，在有利于水汽抬升形成降水的山地迎风坡有恩平市、海丰县和清远市 3 个多雨中心，其平均年降水量均大于 2 200 mm；在背风坡的罗定盆地、兴宁盆地、梅州盆地和沿海的雷州半岛、潮汕平原等少雨区，其平均年降水量小于 1 400 mm。广东省降水季节分配不均，4 ~ 9 月汛期的降水量占全年降水量的 80% 以上；降水年际变化也较大，多雨年降水量为少雨年降水量的 2 倍以上。

四、自然资源

广东省地处我国大陆的最南端，地貌类型复杂多样，植被四季常青，动植物种类繁多，物种资源非常丰富。据文献记载，全省共有维管束植物 289 科 2 051 属 7 717 种（含变种），其中野生植物 6 135 种，栽培植物 1 582 种。此外，全省还有真菌 1 959 种，其中食用菌 185 种，药用菌 97 种。广东省的国家一级保护植物有四川苏铁、南方红豆杉等 7 种，国家二级保护植物有桫椤、华南五针松、白豆杉、凹叶厚朴、土沉香、丹霞梧桐等 48 种；国家一级保护动物有华南虎、云豹、熊猴、中华白海豚、金猫、穿山甲等 59 种，国家二级保护动物有猕猴、白鹇（省鸟）等 195 种。此外，香蕉、荔枝、龙眼和菠萝是岭南四大名果，经济价值很高。

广东省成矿地质条件优越，矿产种类较多，优势矿种集中度高，被誉为“稀有金属和有色金属之乡”。广东省有矿产 116 种，探明储量的有 88 种，其中高岭土、泥炭土、冶金用脉石英、水泥用粗面岩、锗、碲的储量在全国位列第一，银、铅、铋、铊、铀、独居石、磷钇矿、玻璃用砂、油页岩、饰面用大理岩和辉绿岩的储量位列第二。

广东省大陆海岸线长，海域辽阔，海洋生物资源丰富，共有浮游植物 406 种，浮游动物 416 种，底栖生物 828 种，游泳生物 1 297 种，是全国海洋水产资源大省。

广东省第四次中药资源普查实施情况

一、任务目标

中药资源是中医药产业发展的物质基础，国家高度重视中药资源的保护及可持续利用。按照国家中医药管理局中药资源普查（试点）工作领导小组办公室（以下简称国家普查办）制订的各项工作实施方案的要求，第四次全国中药资源普查于 2011 年启动。2014 年，国家中医药管理局启动了中医药行业科研专项子课题 “我国水生、耐盐中药资源的合理利用研究”，开始开展江苏、浙江、福建、广东、山东、辽宁六省的第四次全国中药资源普查试点工作。广东省首批参加中药资源普查试点工作的有 22 个县（自治县、县级市、市辖区），随后 2017 年有 23 个县（自治县、县级市、市辖区）、2018 年有 41 个县（自治县、县级市、市辖区）、2019 年有 37 个县（自治县、县级市、市辖区）相继开展了第四次中药资源普查，实现了全省 123[①]个县（自治县、县级市、市辖区）的全覆盖。

（一）任务

广东省普查办和技术承担单位制订了各县（自治县、县级市、市辖区）野外调查方案：分 4 个批次开展 123 个县（自治县、县级市、市辖区）的一般中药资源调查，包括药用植物的标本制作、生境信息等相关资料的收集和数据填报；开展栽培基地调查，包括市场流通的主要中药材品种等相关信息的收集；开展重点中药资源调查，收集区域内重点中药材种类、蕴藏量等信息；调查搜集传统中医药知识信息。

（二）目标

通过对广东省中药资源种类、分布、生产及供需现状等的调查，摸清区域内中药资源的本底情况，建立广东省中药资源普查数据库、中药资源动态监测信息和技术服务体系，建立广东省中药药用植物重点物种保存圃，分析研究重点资源的开发和利用情况，研究探索区域内中药资源有效保护和合理利用的发展思路，提出广东省中药资源管理、保护及开发利用的总体规划建议，为促进广东省经济发展和指导中药材生产提供科学依据。

二、组织管理

按照第四次全国中药资源普查技术方案的要求，任务实施前需组建第四次中药资源普查工作省级领导小组、技术专家指导委员会和专业技术队伍。

---

① 广东省第四次中药资源普查工作开展时按国家中医药管理局中药资源普查（试点）工作领导小组办公室下达的 123 个县级行政区域（123 个县的行政代码和 GIS 地理信息）进行。由于行政区划的变化，广东省现有 122 个县（自治县、县级市、市辖区）。

（一）省级领导小组

2014年，第四次全国中药资源普查试点工作任务下达后，广东省卫生和计划生育委员会、广东省中医药局牵头成立了广东省中药资源普查工作省级领导小组，建立了广东省中药资源普查（试点）工作联席会议制度。联席会议成员单位包括广东省卫生和计划生育委员会、广东省中医药局、广东省发展和改革委员会、广东省经济和信息化委员会、广东省教育厅、广东省科学技术厅、广东省财政厅、广东省农业农村厅、广东省林业厅（现广东省林业局）、广东省食品药品监督管理局、广州中医药大学等。

（二）技术专家指导委员会

广东省组建了广东省中药资源普查（试点）工作技术专家指导委员会和广东省普查办。广东省中药资源普查（试点）工作项目办公室设在广州中医药大学。

同时，广东省成立了省级实物标本核查专家组，对全省提交的实物标本进行核查验收，以保证实物标本的质量。专家组成员均为省内各高校、科研院所中药资源学科领域中的技术骨干人才。

（三）专业技术队伍

广东省各普查县（自治县、县级市、市辖区）均成立了相应的县级普查领导小组，积极开展中药资源普查工作。各普查县（自治县、县级市、市辖区）中药资源普查领导小组由副县长（副市长、副区长）、卫生和计划生育局局长和副局长、卫生和计划生育局中医科负责人、农业局（现农业农村局）领导、林业局领导、县中医院领导等组成，县级普查队由高校和科研院所相关专业人员及县（自治县、县级市、市辖区）政府、卫生和计划生育局、食品药品监督管理局相关人员组成。

广东省第四次中药资源普查工作于2014—2019年分4个批次开展，全省共17个单位728人参与了普查工作，其中项目组织管理人员302人，各普查县（自治县、县级市、市辖区）普查人员315人。（表1-2-1）

表1-2-1　广东省各技术承担单位负责普查县（自治县、县级市、市辖区）任务分配

技术承担单位	负责普查县（自治县、县级市、市辖区）	开始实施时间
广州中医药大学	电白县（现并入电白区）、阳春市、阳东区、博罗县、平远县	2014年
	东莞市、清新区	2017年
	阳山县、惠城区、惠阳区、广宁县、连山壮族瑶族自治县	2018年
	花都区、荔湾区、越秀区、曲江区、清城区、佛冈县、禅城区、顺德区	2019年
中山大学	高要区、德庆县	2014年
	仁化县、连州市、封开县	2017年
	陆河县	2018年
	云城区、云安县（现为云安区）、阳西县、江城区、海珠区、天河区、白云区、萝岗区（现并入黄埔区）	2019年

续表

技术承担单位	负责普查县（自治县、县级市、市辖区）	开始实施时间
中国科学院华南植物园	从化区、英德市、新丰县、乳源瑶族自治县	2014 年
	怀集县、连平县	2017 年
	增城区、乐昌市、龙川县、台山市、五华县	2018 年
	鼎湖区、端州区、翁源县、蓬江区、江海区、鹤山市	2019 年
广东药科大学	普宁市、郁南县、连南瑶族自治县	2014 年
	中山市、新兴县	2017 年
华南农业大学	新会区、罗定市	2014 年
	恩平市	2017 年
	南澳县、濠江区、澄海区、潮阳区、潮南区、金平区、香洲区、斗门区、金湾区	2018 年
	黄埔区、南沙区、番禺区、城区、陆丰市、源城区、东源县、龙湖区	2019 年
南方医科大学	吴川市、信宜市	2017 年
仙湖植物园	惠东县、龙门县	2017 年
	罗湖区、南山区、盐田区、福田区、宝安区、龙岗区	2018 年
广东海洋大学	化州市、高州市	2014 年
岭南师范学院	遂溪县、徐闻县	2014 年
	雷州市、廉江市	2017 年
韩山师范学院	海丰县、饶平县	2014 年
广东省中药研究所	紫金县、和平县	2017 年
	赤坎区、麻章区、坡头区、霞山区、南海区、高明区、三水区	2018 年
	茂港区（现并入电白区）、茂南区	2019 年
揭阳职业技术学院	揭西县	2017 年
	惠来县	2018 年
	榕城区、揭东区	2019 年
韶关学院	南雄市、始兴县	2017 年
	武江区、浈江区	2018 年
嘉应学院	梅县区、蕉岭县	2017 年
	大埔县、湘桥区、潮安区	2018 年
	丰顺县、兴宁市、梅江区	2019 年

续表

技术承担单位	负责普查县（自治县、县级市、市辖区）	开始实施时间
肇庆学院	四会市	2018 年
广东江门中医药职业学院	开平市	2018 年
广东省科学院微生物研究所	8 个国家级自然保护区、14 个省级自然保护区、23 个地市级自然保护区和森林公园	2017 年

在中药资源普查过程中，广东省普查办多次举办专项技术培训会议，邀请全国中药资源普查技术专家指导组成员以及兄弟省份中药资源普查技术专家进行相关专项技术的授课。培训内容包括县级中药资源普查实施方案的编制、野外调研信息采集技术（样地样方的定位查找、GPS 定位、信息收集确认、标本号记录规范等）、数据库填报系统和实物标本数据库填报系统的使用方法、图像采集技巧、腊叶标本制作和保存等。（图 1-2-1）

图 1-2-1　广东省中药资源普查专项技术培训

项目实施过程中，国家中医药管理局、广东省中医药局、广东省普查办多次组织专家督导小组到各技术承担单位进行技术指导，并检查工作进度，确保项目有条不紊地开展，保证各普查县（自治县、县级市、市辖区）按时、按质顺利完成任务。

外业调查工作情况见图 1-2-2 ~图 1-2-3。

图 1-2-2　广东省中药资源普查县（自治县、县级市、市辖区）样地调查轨迹示意图

图 1-2-3　广东省第四次中药资源普查野外调研工作图

三、完成情况

截至 2022 年 10 月 31 日，广东省第四次中药资源普查已全面覆盖省域内 123 个县（自治县、县级市、市辖区），普查记录中药资源 4 692[①]种，其中，已确认的药用植物 3 443 种，记录蕴藏量的种类 330 种，栽培品种 185 种；记录病虫害情况种类 351 种；调查市场主流药材品种 852 种，记录传统医药知识信息 629 条；采集并制作腊叶标本 51 284 份，收集药材标本 4 977 份；记录中药材种质资源 2 639 份；拍摄照片 816 097 张。

（一）中药资源概况

据已有文献统计，广东省中药资源共约 2 645 种，其中药用植物约 255 科 1 175 属 2 500 种，药用动物 89 科 120 种，药用矿物 25 种。其中，《中华人民共和国药典》（2020 年版）收载了 616 种，

① 此数据包括药用物种及非药用物种，其中药用物种存在因拉丁学名不同（实际为同一物种）而重复计数的情况。

广东省内有野生分布和引种栽培的有 282 种。

广东省第四次中药资源普查共记录药用资源 3 587 种，其中药用植物 303 科 1 446 属 3 443 种，药用动物 70 科 126 种，药用矿物 18 种。全省中药资源主要分布于珠江三角洲、粤东至粤北地区。粤东北的梅州市，粤北的车八岭国家级自然保护区、南岭国家级自然保护区，以及珠江三角洲东部的罗浮山、象头山国家级自然保护区、中国科学院华南植物园等为广东省中药资源种类分布较丰富的区域。（图 1-2-4）

2017 年，广东省启动了菌类药用资源的专项普查，普查范围为广东省 8 个国家级自然保护区、14 个省级自然保护区、23 个地市级自然保护区和森林公园，涉及全省 25 个县（自治县、县级市、市辖区）。普查共采集并制作菌类标本 2 000 多份，明确鉴定菌类 500 多种，发现新种 5 种、我国新记录种 10 种，其中药用菌类 251 种。

图 1-2-4　野外资源调查收集的药用资源

由广东省第四次中药资源普查中药资源的科、属、种组成（表 1–2–2）可知，藻类种数占总种数的 0.36%，菌类占 1.84%，苔藓植物占 0.14%，蕨类植物占 6.38%，裸子植物占 0.92%，被子植物中的双子叶植物（2 622 种）占 73.10%、单子叶植物（475 种）占 13.24%；动物占 3.51%；矿物占 0.50%。其中，广东省植物资源特有种 32 种，中药资源特有种 2 种。

表 1–2–2　广东省第四次中药资源普查中药资源的科、属、种组成

分类群	科数	属数	种数
藻类	9	9	13
菌类	26	46	66
苔藓植物	5	5	5
蕨类植物	46	95	229
裸子植物	10	21	33
被子植物	207	1 270	3 097
动物	70	89	126
矿物	—	—	18
合计	373	1 535	3 587

广东省第四次中药资源普查数据统计结果显示，植物物种数量较多的科从多到少依次为豆科、菊科、禾本科、茜草科、大戟科、蔷薇科、唇形科、兰科、玄参科、马鞭草科、樟科、芸香科、百合科、桑科、萝藦科、荨麻科、蓼科、紫金牛科、夹竹桃科、莎草科等；植物属的数量较多的科由多到少依次为菊科、豆科、禾本科、唇形科、茜草科、兰科、大戟科、爵床科、百合科、蔷薇科、玄参科、萝藦科、葫芦科、夹竹桃科、伞形科、芸香科、天南星科、马鞭草科、水龙骨科、荨麻科等；植物物种数量较多的属从多到少依次为榕属、悬钩子属、蓼属、紫金牛属、紫珠属、冬青属、耳草属、大戟属、山矾属、铁角蕨属、薯蓣属、卷柏属、铁线莲属、茄属、花椒属、卫矛属、蒿属、冷水花属、猕猴桃属、忍冬属等。（表 1–2–3 ～表 1–2–5）

表 1-2-3　广东省第四次中药资源普查植物物种数量排名前 20 的科

排名	科名	物种数量	排名	科名	物种数量
1	豆科	232	11	樟科	52
2	菊科	187	12	芸香科	51
3	禾本科	99	13	百合科	50
4	茜草科	96	14	桑科	48
5	大戟科	95	15	萝藦科	46
6	蔷薇科	87	16	荨麻科	43
7	唇形科	84	17	蓼科	41
8	兰科	68	18	紫金牛科	41
9	玄参科	55	19	夹竹桃科	40
10	马鞭草科	53	20	莎草科	40

表 1-2-4　广东省第四次中药资源普查植物属的数量排名前 20 的科

排名	科名	属数量	排名	科名	属数量
1	菊科	89	11	玄参科	24
2	豆科	84	12	萝藦科	22
3	禾本科	57	13	葫芦科	21
4	唇形科	39	14	夹竹桃科	20
5	茜草科	37	15	伞形科	19
6	兰科	34	16	芸香科	16
7	大戟科	33	17	天南星科	16
8	爵床科	26	18	马鞭草科	15
9	百合科	25	19	水龙骨科	14
10	蔷薇科	24	20	荨麻科	14

表 1-2-5 广东省第四次中药资源普查植物物种数量排名前 20 的属

排名	属名	物种数量	排名	属名	物种数量
1	榕属	31	11	薯蓣属	16
2	悬钩子属	28	12	卷柏属	15
3	蓼属	26	13	铁线莲属	15
4	紫金牛属	23	14	茄属	15
5	紫珠属	20	15	花椒属	14
6	冬青属	18	16	卫矛属	14
7	耳草属	18	17	蒿属	14
8	大戟属	17	18	冷水花属	13
9	山矾属	17	19	猕猴桃属	13
10	铁角蕨属	16	20	忍冬属	13

（二）中药资源分布特点

广东省地域辽阔，具有复杂多样的自然条件。从低海拔到高海拔形成垂直植被带，反映出各区域综合自然条件的垂直分布状况，从季风热带季雨林带及沿海区域低海拔的滨海沙生植被向北部高海拔山区的亚热带常绿阔叶林过渡。植被水平分布从南至北形成了 3 个植被亚带，每个植被亚带内各有一个典型植被型，即季风热带季节林带—季风热带季节林亚带—热带季雨林（粤西南雷州半岛及粤西沿海地区）、亚热带植被带—南亚热带季节林亚带—亚热带常绿季雨林（珠江三角洲至粤东地区）、亚热带植被带—中亚热带常绿林亚带—亚热带山地常绿阔叶林（粤东北至粤北地区）。

粤西南雷州半岛及粤西沿海地区地形地貌主要为丘陵台地和滨海平原、滩涂，植被类型主要为热带季雨林、红树林和热带滨海沙生植物等。由于山地局部气候的影响，该地区植被垂直变化表现为山地雨林和苔藓林等。该地区植被的水平分布主要为低海拔的热带季雨林，植被资源构成以番荔枝科、苦木科、楝科、桑科、樟科、梧桐科、桃金娘科、紫金牛科、大戟科、无患子科、茜草科、芸香科、山矾科、木樨科、豆科、马鞭草科、菊科、姜科为主。常见的药用资源有紫玉盘、牛筋果、鸦胆子、楝、见血封喉、岗松、鸡骨香、珠仔树、雁婆麻、簕柊、鹊肾树、雀梅藤、冀核果、草海桐、华南忍冬、广东簕柊、苦郎树、厚藤、马鞭草、马缨丹、裸花紫珠、葛、白花灯笼、单叶蔓荆、露兜树、香附子、牛筋草、草豆蔻、淡竹叶、白茅、石菖蒲、海芋、千年健、闭鞘姜、红球姜等。该地区栽培药用资源种类主要有广藿香、高良姜、红豆蔻、穿心莲、山柰、千年健、砂仁、甘薯、栀子、广东金钱草、益智、檀香、儿茶、苏木、泰国大风子、南肉桂（大叶清化桂）、肉桂、八角、蔓荆、降香、芦荟、土沉香、龙血树、见血封喉、广州相思子、栝楼、木鳖子、香附子、香蒲、诃子、龙眼等。此外，湛江市麻章区有规模化养殖地龙的基地，茂名市电白区和茂南区有养殖乌龟、三线闭壳龟者，主要为家庭作坊式养殖。

珠江三角洲至粤东地区主要地形地貌为低山丘陵台地、冲积平原、滩涂。该地区植被具有由亚热带常绿季雨林向亚热带常绿阔叶林过渡的特点，植被种类相当丰富，优势科主要为樟科、胡椒科、蓼科、苋科、壳斗科、金缕梅科、豆科、桃金娘科、野牡丹科、锦葵科、芸香科、大戟科、桑科、梧桐科、杜英科、紫金牛科、山矾科、夹竹桃科、冬青科、菊科、茄科、唇形科、百合科、禾本科、姜科、莎草科、薯蓣科、棕榈科等。常见的药用资源有乌毛蕨、乌蕨、海金沙、井栏边草、垂穗石松、细圆藤、秤钩风、中华青牛胆、乌药、鼎湖钓樟、华南胡椒、山蒟、假蒟、水蓼、土牛膝、烟斗柯、半枫荷、三点金、桃金娘、水翁、岗松、野牡丹、金锦香、磨盘草、木芙蓉、酒饼簕、叶下珠、白背叶、飞扬草、黑面神、算盘子、鸡骨香、粗叶榕、鹊肾树、朱砂根、华山矾、络石、羊角拗、艾纳香、羊耳菊、淡竹叶、牛筋草、土茯苓、凉粉草、苦郎树、蔓荆、牡荆、鳢肠、枇杷叶紫珠、草豆蔻、红豆蔻、犁头尖、香附子、石菖蒲、小花吊兰等。该地区栽培药用资源种类有灵芝、蝉花、木耳、广藿香、肉桂、八角、益智、砂仁、红豆蔻、红鸡蛋花、木棉、龙眼、橄榄、余甘子、美丽崖豆藤、土沉香、巴豆、使君子、秤星树、九里香、三桠苦、两面针、栀子、佛手、褐苞薯蓣、食用葛、甘薯、芡实、铁皮石斛、金线兰、疣柄魔芋、板蓝、南艾蒿、五月艾、芳香万寿菊、金丝皇菊等。沿海的汕尾市、阳江市等地有小规模养殖美洲大蠊、宽体金线蛭者，中山市、佛山市等地有零散养殖东亚钳蝎者。

粤东北至粤北地区主要地形地貌是丘陵山地。该地区高山、峡谷、森林众多，拥有广东省最高的山脉（海拔 1 902 m），海拔 1 000 m 以上的山峰林立，是广东省自然药用资源最丰富的区域。从植被的构成来看，该地区植被热带区系成分逐渐减弱，以亚热带区系成分为主，其次为热带区系和山地的种类成分，温带区系成分也较多。植被以常绿阔叶树为主，间有少量落叶阔叶树。乔木层优势科主要有壳斗科、樟科、山茶科、金缕梅科、木兰科、豆科等，灌木层优势科主要有山茶科、茜草科、桑科、樟科、山矾科、蔷薇科、豆科、紫金牛科、杜鹃花科、马鞭草科、竹亚科等。针叶林的主要物种为杉科杉树和松科马尾松、湿地松。草木植物层以蕨类植物、藤本植物和草本植物为主。常见的药用资源有金毛狗脊、乌毛蕨、石韦、江南星蕨、石松、垂穗石松、槲蕨、笔管草、粪箕笃、鸭儿芹、虎杖、金耳环、九头狮子草、草胡椒、草珊瑚、短萼黄连、黑老虎、华中五味子、异形南五味子、大血藤、青牛胆、毛花猕猴桃、钩藤、忍冬、樟、甜槠、假苹婆、瓜馥木、鹅掌柴、皂荚、半枫荷、幌伞枫、扭肚藤、朱砂根、及己、白木通、山石榴、大管（野黄皮）、九里香、扁担藤、藤黄檀、小叶买麻藤、石仙桃、土茯苓、魔芋等。该地区栽培药用资源种类有厚朴、银杏、杜仲、吴茱萸、荸荠、枳、野山楂、南方红豆杉、龙脑樟、草珊瑚、板蓝、淫羊藿、

七叶一枝花、栝楼、美丽崖豆藤、巴戟天、魔芋、忍冬、密花豆、广东金钱草、砂仁、连州玉竹、黄精、黑老虎、秤星树、粗叶榕、褐苞薯蓣、茯苓、灵芝、溪黄草、参薯、酸枣、山白前（养肝草）、铁皮石斛、金线兰等。北部山区有小规模养殖林麝者，清远市清新区有养殖广地龙基地，清远市山区县有零散的尖吻蝮、滑鼠蛇养殖场。

（三）新种及新记录属、种

广东省第四次中药资源普查发现新种 8 种（表 1-2-6），新记录属、种 11 种（表 1-2-7），新资源的发现丰富了广东省植物资源的生物多样性。

表 1-2-6 广东省第四次中药资源普查发现新种

中文名	拉丁学名
阳山费菜（阳山）	*Phedimus yangshanicus* Z. Chao
黄进报春苣苔（丹霞山）	*Primulina huangjiniana* W. B. Liao, Q. Fan & C. Y. Huang
彭华柿（丹霞山）	*Diospyros penghuae* W. B. Liao, Q. Fan et W. Y. Zhao
惠州堇菜	*Viola huizhouensis* Y. S. Huang & Q. Fan
良智簕竹	*Bambusa liangzhiana* N. H. Xia, J. B. Ni & Y. H. Tong
丹霞铁马鞭	*Lespedeza danxiaensis* Q. Fan, W. Y. Zhao & K. W. Jiang
台山含笑	*Michelia taishanensis* Y. H. Tong, X. E. Ye, X. H. Ye & Y. Q. Chen
南粤古柯	*Erythroxylum austroguangdongense* C. M. He, X. X. Zhou & Y. H. Tong

表 1-2-7 广东省第四次中药资源普查新记录属、种

中文名	拉丁学名
短舌花金钮扣	*Acmella brachyglossa* Cass.
黄花紫背草	*Emilia praetermissa* Milne-Redh.
紫花苣苔	*Loxostigma griffithii* (Wight) Clarke
东兴紫花苣苔	*Loxostigma dongxingensis* (Chun ex K. Y. Pan) Möller & Y. M. Shui
轮叶离药草	*Stemodia verticillata* (Mill.) Hassl.
裸冠菊	*Gymnocoronis spilanthoides* (D. Don ex Hooker & Arnott) Candolle
双唇兰属	*Didymoplexis* Griff.
双唇兰	*Didymoplexis pallens* Griff.
腐生齿唇兰	*Odontochilus saprophyticus* (Aver.) Ormerod
甜茅	*Glyceria acutiflora* Torr. subsp. *japonica* (Steud.) T. Koyama et Kawano
锦鸡儿	*Caragana sinica* (Buc'hoz) Rehd.

（四）资源种类的变化

1. 野生资源

第四次全国中药资源普查数据主要由各县（自治县、县级市、市辖区）在全国中药资源普查信息填报数据库和实物标本数据库中填报上传，经导出物种名录数据并剔除重复物种后的结果可知，广东省本次普查收载中药资源 3 587 种，较第三次普查增加了 2 464 种，其中，1 123 种是第三次和第四次中药资源普查共同收载的存续种类，156 种是第三次中药资源普查收载而第四次未收载的品种，2 464 种是第三次中药资源普查未收载而第四次新增的物种（含藻类、菌类、苔藓植物、被子植物、动物、矿物等）。（图 1-2-5）

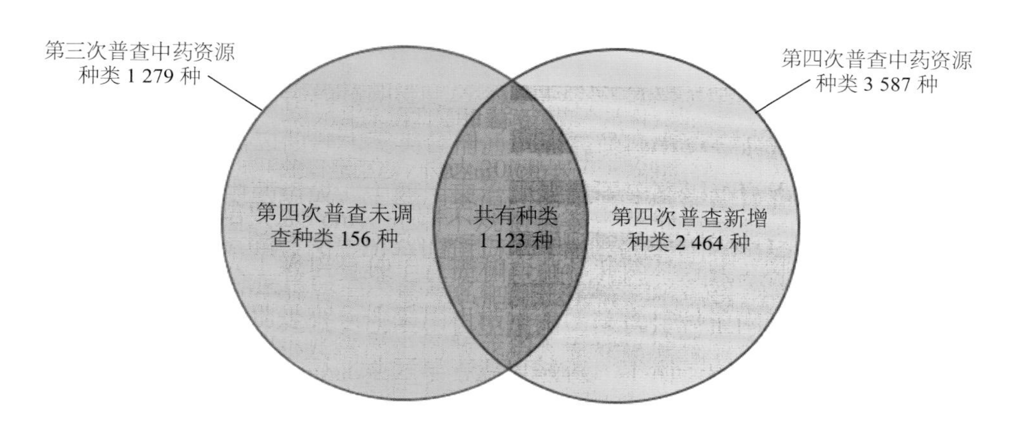

图 1-2-5 广东省第三次和第四次中药资源普查物种变化情况

本次普查结果显示广东省中药资源物种总数明显增加，部分物种是存续的，部分物种是新增的，也有部分物种未普查到，可能的原因如下。

（1）物种数量增加的原因。①普查技术方案的优化。广东省第四次中药资源普查对普查区域采用随机布点、全面覆盖的方案，比第三次人为选择调研路线更加全面准确。②普查技术方法的提升。第四次中药资源普查采用了建设基础数据库系统的方法，中药资源信息化水平大大提高，获得的信息更为准确、可靠。③广东省国家级自然保护区和省级自然保护区生态环境保护较好，丰富的野生物种资源得以保留。

（2）物种数量减少的原因。①第三次全国中药资源普查发现许多原是华中地区或华北地区的药用资源种类被引种到广东部分地区栽培，如人参、当归、党参、白芷、川芎、白术、芍药等，但多年的实践证明上述物种在广东省的栽培不可行，已被淘汰，故第四次中药资源普查未收录上述物种。②农村城镇化的发展，山林土地资源的减少、生态环境的恶化，导致部分区域原有的特色野生资源接近枯竭，如穗花杉、蛇足石杉、丁公藤、独脚金、金线兰、美丽崖豆藤、密花豆及

多种石斛属植物、重楼属植物等。③在普查区域的 GPS 随机定位和样线调查中，部分地方普查队未能到达，导致部分物种被遗漏而未收载。④药材市场中药材价格的波动对中药材产业产生一定的影响，过去规模化引种的药材品种，现在种植规模逐步缩小或不再生产。广东道地药材高良姜的产区在徐闻县，2014—2017 年调研时发现，徐闻县高良姜的种植面积不到 600 亩[①]，而在过去鼎盛时期徐闻县高良姜的种植面积超过 4 万亩。2017 年，广东省广佛手、香附、广西莪术等单品种的种植总面积均不足 1 000 亩。由于市场价格的波动及产地初加工条件的限制，药农的种植品种及其种植面积变化较大。粤北南雄市、乐昌市和粤西电白区、信宜市、廉江市及清远市等地既往大面积栽培广郁金、白术、泽泻、半夏、三七、壳砂仁、北沙参等药材，现在均无种植。

关于动物药，普查队仅调研了部分地区人工养殖的品种，因此广东省第四次中药资源普查仅收载了省内有养殖的动物药种类。

2. 栽培资源

广东省第三次中药资源普查结果显示，1984 年广东省（此时行政区域范围包括海南行政区）中药材种植面积仅 35.9 万亩，家种（养）主要中药材品种有 101 种，其中有 20 多种药材为省外引种药材品种，如桔梗、地黄、川芎、党参、白术、麦冬、白芷、玄参、菊花、厚朴、杜仲、黄柏、柏树、枳壳、白芍、黄连、半夏、罗汉果、泽泻、三七、薄荷、牛膝、紫菀、板蓝根等。广东省第四次中药资源普查结果显示，全省中药材种植面积已达 330 万亩，栽培品种 185 种，种植规模扩大了近 10 倍，品种数增加了近 1 倍。

20 世纪 70—80 年代，粤北地区引种的银杏、厚朴、杜仲等药材现零散存留于村边、林缘等地，未形成规模种植。粤北地区目前主要栽培的木本药用资源品种有阴香（当地人称“梅片树”）、南方红豆杉、龙脑樟（阴香栽培型印尼引种）、吴茱萸、茶枝柑、枳、美丽崖豆藤、半枫荷等，林下较大规模生态种植的品种主要有草珊瑚等，淫羊藿、黄精、七叶一枝花也有少量种植。

粤西至粤西南地区是广东省道地药材和南药主产区，广东省第三次中药资源普查时，该区域的信宜市、罗定市等地普遍规模化种植三七、罗汉果、木鳖子、巴戟天、大果山楂（台湾林檎）等药材品种。近 20 年来，受粤西南地区土地租赁成本增加的影响，部分品种出现主产地迁移现象，主产地主要迁往广西壮族自治区玉林市、贵港市、梧州市等地，主要迁移品种有八角、穿心莲、鸡骨草、广金钱草、化橘红、千年健、广陈皮等。目前粤西至粤西南地区主要种植传统道地药材品种，包括广陈皮、化橘红、巴戟天、广佛手、广藿香、何首乌、阳春砂仁、穿心莲、沉香、广金钱草、益智、高良姜、香附子、牛大力、山柰等。南部雷州半岛还有部分引种的热带药材品种，如苏木、檀香、降香（海南黄檀）、儿茶、藤黄、泰国大风子、诃子、胖大海、木蝴蝶（千层纸）等，但规模和产量均不大。

---

① 亩为中国传统土地面积单位，1 亩约等于 667 m^2。在生产实践中，亩为常用面积单位，本书未做换算。

据调查统计，广东省菌类药用资源产业已形成一定规模，中药材市场流通的药用真菌共有27种，香菇、草菇、木耳、猴头菌、灵芝、茯苓等品种均有规模化栽培生产，尤其是灵芝。广东省的灵芝栽培产业在全国食药用菌栽培产业中所占比重最大，栽培灵芝产量占全国栽培灵芝总产量的1/4，产值达2亿元。

由于国家对水产养殖海域实行行政许可养殖证制度，对野生动物驯养繁殖实行行政许可证制度，广东省内沿海养殖海马的规模大大缩小，动物药材中涉及国家保护动物种类的品种目前也无人养殖，养殖种类多为昆虫类或蚯蚓等。部分地区人工养殖的品种，除了和中药企业建立了合作关系的以外，大部分品种的产量和产值都不太稳定。本次普查仅收载了广东省内有养殖的动物药种类，如参环毛蚓（湛江及台山、广宁、清新、英德）、东亚钳蝎（佛山）、美洲大蠊（普宁）、宽体金线蛭（五华、阳东）、林麝（从化）、中华蟾蜍（五华）、蜈蚣（五华）、海马（海丰、雷州）等。在广东省第三次中药资源普查期间曾发现养殖的土鳖虫、金钱白花蛇、水鹿、珍珠、蛤蚧等，第四次中药资源普查均未见其养殖基地。

广东省第四次中药资源普查成果

一、广东省中药资源区划

中药资源属于自然资源，其分布具有明显的地理特性。中药资源区划是指根据自然资源的分布规律以及药材生产的地域特点，按照区内相似性和区间差异性原则将道地药材资源分区，目的在于揭示中药资源的自然地域分布规律。通过对区域内中药资源区划的分析研究，可以因地制宜地指导和规划中药材生产实践，明确中药材区域间的差异性和分布规律等，了解和掌握区域内中药材生产面临的困难、存在的问题和发展潜力，确定中药材产业发展的方向和途径。

中药资源区划是在区域植物资源的基础上，结合区域经济社会属性，对区域中药资源充分合理利用的一种有效形式。广东省遵循可持续性和综合性的原则，针对中药资源供需矛盾不断加剧、盲目引种导致药材品质下降等问题，结合广东省中药材产业的发展需求，合理地对区域内的中药资源进行区域划分，以促进中药资源的合理开发与利用，促进广东省中医药事业的协调发展和长远发展，避免盲目发展带来的环境破坏。

广东省地处我国大陆的最南端，具有地貌类型复杂多样、药用资源分布广且类型多、大宗道地药材产区和特色南药主产区相对集中的特点，综合考虑各方面因素，在明确药用资源空间分布的差异性和相似性，尽量保持地域的完整性以及行政关系的统一性的前提下，对中药资源的自然分布及其主产区生产优势条件进行全面的分析与把握，从经济、社会及药用资源生长特点等角度出发，将全省中药资源划分为粤北—粤东北山地、丘陵药材区，粤东南丘陵台地药材区，珠江三角洲药材区，粤西丘陵、山地药材区和雷州半岛热带药材区五个区域，各区药用资源特征分述如下。

（一）粤北—粤东北山地、丘陵药材区

该区位于广东北部和东北部的山地、丘陵地区，粤北包括乐昌、仁化、南雄、始兴、乳源、连山、连州、连南、阳山、英德、翁源、曲江、佛冈、新丰 14 个县（自治县、县级市、市辖区）；粤东北包括梅县、兴宁、五华、平远、蕉岭、大埔、丰顺、龙川、和平、连平、紫金、龙门 12 个县（自治县、县级市、市辖区）。该区土地总面积约 6.58 万 km^2，瑶族、壮族、回族、满族、蒙古族、苗族、京族、土家族等少数民族人口共 12.76 万人。

粤北—粤东北中药资源及生产条件具有明显的特点和独特的优势。该区地形复杂多变，药用资源丰富且种类繁多，是广东省传统民族药应用的主要区域，也是广东省野生中药资源最丰富的地区之一。该区除佛冈、英德、翁源南部外，大部分区域属中亚热带，气候温和，雨量充沛，山地广阔，群峰连绵，云多雾大，相对湿度高，土壤肥沃，林木生长迅速。该区海拔 500 m 以下的区域的植被以常绿阔叶林为主。乔木层的优势科为壳斗科、樟科、山茶科、金缕梅科、木

兰科等，灌木层的优势科为山茶科、茜草科、樟科、山矾科、紫金牛科、杜鹃花科、竹亚科等。此区域除了有被子植物外，蕨类植物资源也很丰富。粤北—粤东北山地、丘陵药材区植被优势科主要为菊科、蔷薇科、豆科、唇形科、芸香科、毛茛科、百合科、禾本科、伞形科、葫芦科、兰科、姜科、茜草科、大戟科、天南星科、安息香科、山茶科、木兰科、山矾科、金缕梅科、樟科等，以及裸子植物的某些南方属种，如买麻藤、南方红豆杉等。该区林下植物以冬青科、紫金牛科、竹亚科及山茶科柃属植物占优势。

野生药用植物有海金沙、槲蕨、石韦、马尾松、黑老虎、风藤、乌药、南五味子、青牛胆、山木通、九头狮子草、短萼黄连、乌头、络石、石松、蛇足石杉、枫香树、南酸枣、华重楼、七叶一枝花、淫羊藿、石仙桃、大血藤、木防己、蛇床、野木瓜、白木通、巴戟天、石斛、常山、博落回、红豆蔻、金毛狗脊、黄精、玉竹、山慈菇、铁皮石斛、土茯苓等。一些温带地区的物种也常可在该区遇见。

栽培植物品种主要有凹叶厚朴、银杏、女贞、铁冬青、吴茱萸、杜仲、红豆杉、龙脑樟、秤星树、三桠苦、美丽崖豆藤、巴戟天、茶枝柑、山鸡椒、粗叶榕、褐苞薯蓣、忍冬、土茯苓、地黄、石斛、青蒿、草珊瑚、白术、百合、玉竹、酸枣等。该区的连州玉竹和黄精是地方特色药材，栽培历史悠久，驰名中外，也是广东省出口的优质品种。

（二）粤东南丘陵台地药材区

粤东南丘陵台地药材区包括汕头、潮州、揭阳、汕尾、惠州等的20余个县（自治县、县级市、市辖区）的滨海丘陵、台地，土地面积1.03万km^2。该区地理环境特点是北高南低，背山面海，台地广布，平原和浅海滩涂也占有一定的面积。该区地貌多样，光热充足，冲积平原与各种地形配合，有利于发展多种药材生产。但是，该区发展药材生产存在一定的自然障碍。潮汕平原土地资源贫匮，滨海台地雨季暴雨集中且强度大，洪涝侵害严重，但缺乏水利设施的地方易发生干旱，这对中药材生产带来一定的影响。既往潮安、澄海、潮阳、饶平等县（自治县、县级市、市辖区）已有多年种植党参、川芎、地黄的经验，但广东省第四次中药资源普查结果显示，现已无人在这些地方种植这些传统的品种。山柰在揭阳的种植历史悠久，在惠东也有一定的种植基础，但近年来在这些地方仅有零散种植。此外，广东省第三次中药资源普查记录了该区有人种植北沙参，目前已无人种植。

广东省第四次中药资源普查显示，该区野生药用植物资源丰富，常见的品种有马鞭草、单叶蔓荆、海刀豆、芦荟、天门冬、露兜树、海金沙、骨碎补、石韦、马尾松、黑老虎、风藤、乌药、南五味子、山鸡椒、山慈菇、蕺菜、火炭母、土荆芥、土牛膝、多须公、青葙、酢浆草、凤仙花、了哥王、水翁、桃金娘、使君子、田基黄、山芝麻、半枫荷、巴豆、枇杷、金樱子、望江南、决明、刀豆、扁豆、千斤拔、密花豆、葛、葫芦茶、薜荔、粗叶榕、构棘、络石、栀子、白花蛇舌草、青蒿、忍冬、鬼针草、六耳铃、鳢肠、石胡荽、千里光、豨莶、苍耳等。

该区传统较大规模种植的白木香、降香、檀香、青果、青梅、佛手、余甘子等木本药材，至今还有保留。近年来，汕头、揭阳、潮州、汕尾、惠州等地方政府因地制宜推进中药材标准化、规模化种植，全力打造岭南特色中药原料产业基地和产业园，现已建成一定规模的医药企业生产中成药所需的龙脑樟、鸡血藤、溪黄草、铁皮石斛、凉粉草、岗梅、三椏苦、广金钱草、麦冬、鱼腥草、灵芝等原料药材的生产基地。汕尾农垦因地制宜，在 1 300 多亩橡胶林下套种、间种岗梅及益智等中药材，提高了整体土地利用率；惠州重点打造博罗南药产业园，种植中药材 3.6 万亩，药用植物品种有美丽崖豆藤、土沉香、巴戟天、猴耳环、辣木、艾、铁皮石斛、草珊瑚、粗叶榕等。

（三）珠江三角洲药材区

珠江三角洲位于广东省中南部珠江口两侧，地处全省中心。珠江三角洲药材区范围包括珠江三角洲平原及其外围部分丘陵地带，包括广州市、佛山市、中山市、江门市、珠海市、深圳市和东莞市的 22 个县（自治县、县级市、市辖区），土地总面积 2.7 万 km^2。该区地处南亚热带地区，受海洋季风气候的影响，气候温和，水源充足，平原广阔，土壤肥沃，自然条件好。

珠江三角洲药材区野生中药资源比较丰富，重点野生药用植物有枇杷叶紫珠、大叶紫珠、紫花杜鹃、金毛狗脊、密花豆、骨碎补、黄精、千斤拔、枇杷、白茅、破布叶、广防己、淡竹叶、土茯苓、山芝麻、秤星树、两面针、毛冬青、大叶冬青等。常绿季雨林的乔木层主要以岭南山竹子、鹅掌柴、油桐、乌药、樟、杉树、马尾松、桉树等占优势，村边林缘及大部分丘陵台地广布岗松、鹧鸪草、桃金娘、野牡丹、毛稔、草珊瑚、无根藤、牡荆、望江南、决明、田菁、地桃花、梵天花、蛇婆子等药用植物群落。

该区自然气候条件优越，许多药材品种均适宜种植，如历史悠久的广藿香、新会陈皮以及民间习用草药九节茶、紫苏、龙脷叶、南板蓝根、紫茉莉、溪黄草、穿心莲、益智、阳春砂仁等，至今仍具有较大种植规模。

（四）粤西丘陵、山地药材区

粤西丘陵、山地药材区位于广东省的西部和西南部，包括肇庆市、茂名市、江门市、阳江市、云浮市，土地总面积 4.16 万 km^2。该区海拔在 1 000 m 左右，地形地貌主要为丘陵缓坡台地，其中云开山、云雾山、鹅凰嶂等自然保护区地形地貌多属低山和丘陵。该区山间有石灰岩盆地和红色岩层盆地，如阳春、罗定、怀集等盆地。该区南部为花岗岩风化残丘，绵延直抵海岸，成为以石英砂为主的沙荒地。

粤西丘陵、山地药材区是广东省最大且分布较集中的中药材主产区，丘陵、山地占该区土地总面积的比例较大，山地则以云开大山山脉为主体。由于地形地貌多变，故该区植被具有多样性和特殊性。该区山地森林植被大体上是南部山地以偏热带山地雨林为主，北部山地以常绿林为主，

而中部山地则呈明显过渡的混合分布，南部沟谷中有热带山地雨林的林段。丘陵山地的植被除小面积针阔叶混交林外，主要为桉树林和松树林。人工植被以杉树、桉树、松树较多。此外，木本药材肉桂、檀香、降香、八角、油茶、油桐、广佛手、白木香、化橘红、茶枝柑的栽培非常普遍，林下套种药用植物主要有益智、砂仁、海南砂、草珊瑚、巴戟天、板蓝等。全省 50% 的药材种植集中在该区。

粤西丘陵、山地药材区地处南亚热带，自然条件优越，中药资源较丰富，栽培品种也较多。广陈皮、化橘红、肉桂、阳春砂仁、巴戟天、山银花、八角、益智等是该区岭南道地药材的代表品种。该区的德庆何首乌，高要巴戟天、广藿香，化州化橘红，罗定西江肉桂，信宜南肉桂、八角，阳东大八益智，电白白木香，阳春砂仁及湛江广藿香、栀子、穿心莲等道地南药更是历史悠久，驰名国内外。

（五）雷州半岛热带药材区

雷州半岛是广东省西南部的热带半岛，是受浅海堆积、侵蚀形成的玄武岩台地，海拔在 100 m 以下，地表起伏和缓。雷州半岛热带药材区包括湛江市及其所辖的徐闻、雷州、遂溪、廉江、吴川 5 个县（自治县、县级市、市辖区），土地总面积为 1.21 万 km^2。该区地处热带北缘，属热带季风气候区，主要土壤类型为砖红壤性土，植被类型为热带雨林、热带季雨林、红树林、热带湿地和热带滨海沙生植物等。该区常见的药用植物有两面针、水蓑衣、裸花紫珠、大叶紫珠、海刀豆、厚藤、蛇婆子、蔓荆、草豆蔻、马兜铃、中华青牛胆、海芋、淡竹叶、山麦冬、天门冬、百部、刺篱木、鹊肾树、鸦胆子、刺果苏木、鸡骨香、破布叶、桃金娘、海金沙、乌毛蕨、土牛膝、马鞭草、白茅、大管（野黄皮）、厚皮树、倒吊笔、草海桐、白叶藤、酸叶胶藤、牡荆、黄荆、毛蒟、葛、栝楼、木鳖子、独脚金、笔管草、球花毛麝香、毛麝香、酒饼簕、黑面神、算盘子、叶下珠、牛筋草、马唐、白叶藤、匙羹藤等，野生资源十分丰富。

沿海耐盐特色药用植物资源有水黄皮、草海桐、鹊肾树、牛筋果、土坛树、香附子、厚藤、海刀豆、白子菜、芦荟、单叶蔓荆、地杨桃、阔苞菊、刺葵、刺篱木、仙人掌群落、露兜树、白茅群落等。

雷州半岛热带药材区热量资源丰富，日平均气温 ≥ 10 ℃的年积温为 8 100 ~ 8 400 ℃，全年基本无霜，适宜发展多种热带药材，也是我国重要的南药生产基地。20 世纪 70 年代初，该区的南药试验场已成功试引种了檀香、南肉桂、苏木、儿茶、大风子、马钱子、藤黄、苏合香、白豆蔻、香茅、依兰等一批进口南药品种。高良姜是徐闻当地传统的道地药材，具有一定的人工种植规模。该区传统种植的中药材品种主要有穿心莲、广藿香、广金钱草、栀子、鸡骨草、龙脷叶、千斤拔、香附、山柰等，该区是广藿香、穿心莲、高良姜等道地药材的主产区。

二、广东省中药资源信息管理系统的构建

按照国家普查办的统一部署，根据岭南中药材生产的特色，广东省建立起具有岭南特色的省级中药资源信息管理系统，该系统是针对区域内生产的道地药材信息建立的中药资源信息管理系统（图 1-3-1）。此外，广东省还对省内立法保护的 8 种重点岭南药材开展了质量动态监测。广东省中药资源普查（试点）工作技术专家指导委员会根据《广东省人民政府关于培育发展战略性支柱产业集群和战略性新兴产业集群的意见》（粤府函〔2020〕82 号）、《广东省发展生物医药与健康战略性支柱产业集群行动计划（2021—2025 年）》（粤科社字〔2020〕218 号）、《广东省工业和信息化厅关于印发广东省生物医药产业园区培育建设实施方案的通知》（粤工信消费函〔2019〕1691 号）、《广东省人民政府办公厅印发关于支持省级现代农业产业园建设政策措施的通知》（粤办函〔2019〕289 号）等文件的精神，在制定地方中药产业发展相关政策与指南的过程中，为地方政府主管部门提供专业的指导，以中药资源普查数据和信息，协助地方开展生物医药产业园区建设、南药产业园总体规划制订等工作。

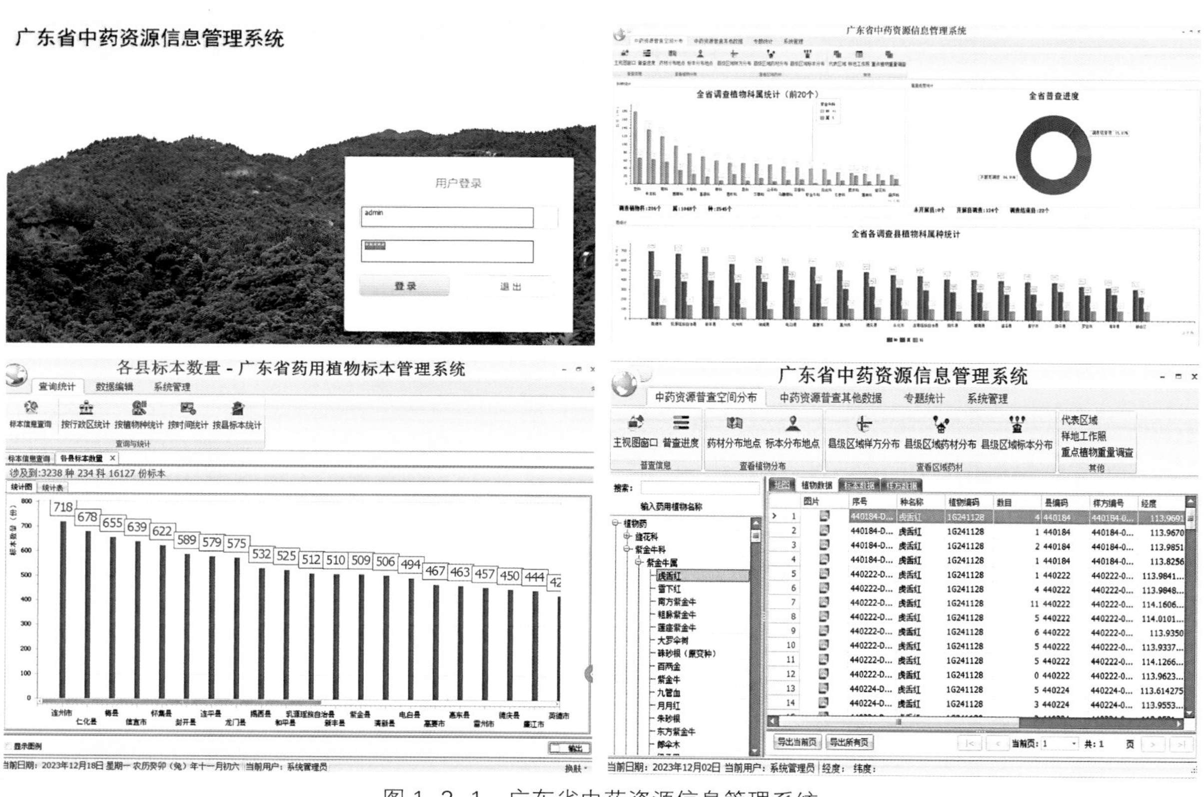

图 1-3-1　广东省中药资源信息管理系统

三、药用植物重点物种保存圃的建设

为了更好地宣传和推广全国中药资源普查工作成果、培养中药资源相关工作人才、服务科学研究和大众科普，也为了保存广东省道地药材种质资源、具有岭南特色的药用植物种质资源，促进区域内中药资源学科建设，提高广东省中药资源保护和可持续利用能力，广东省在第四次全国中药资源普查广东省工作暨“我国水生、耐盐中药资源的合理利用研究”项目的基础上，建设了广东省中药药用植物重点物种保存圃（药用植物活体标本园）（图 1-3-2）。广东省中药药用植物重点物种保存圃成为区域内开展中药学科相关的教学、科研工作和传播中药文化的重要场所。

图 1-3-2　广东省中药药用植物重点物种保存圃

在开展第四次全国中药资源普查工作过程中，广东省项目组分别从全省各地的自然保护区等处收集岭南地区药用植物种质——苗木植株、繁殖枝条、叶片、块根、种子、组培苗或其他繁殖材料，将其引种到广东省中药资源种质保存圃和中药药用植物重点物种保存圃中。通过8年的收集和培育，广东省共收集活体中药药用植物种质资源2 639份，保存中药药用植物物种717种。广东省中药药用植物重点物种保存圃除了收集本省区域和华南地区的药用植物资源，收集国内外热带地区的药用植物资源，还引种部分国外重点药物原植物。如从广西、江西等地引种苦木、冬青（苦丁茶）、越南槐（广豆根）、酸橙（枳实）、广东紫珠等；从缅甸引进我国东部种植成功的厚叶沉香；通过与印度尼西亚高校的学术交流和药用资源考察，从印度尼西亚引进的印度尼西亚广藿香、印度尼西亚莪术目前已经保育种植成功。目前广东省中药药用植物重点物种保存圃中引种的药用植物包括蕨类植物27种、裸子植物10种、被子植物680种、水生植物8种，且收集的活体中药药用植物种质资源数目还在动态地增加。

广东省中药药用植物重点物种保存圃免费对公众开放，承担科普教育和宣传传统中医药文化的工作，为公众提供药用植物鉴定和种植栽培技术咨询服务。同时，它也作为中医中药教学实习基地，为国内外相关专业在校学生免费提供见习场所，广州高校每年都会组织学生前来见习。除了服务于教学、科学研究以外，广东省中药药用植物重点物种保存圃还多次接待国内外团体参观访问，如贵州省农业科学院的专家学者、印度尼西亚迪波内戈罗大学等。除此以外，结合第四次全国中药资源普查工作的开展，广东省中药药用植物重点物种保存圃多次组织在校学生和中药爱好者举办中草药识别活动，这对促进广东省中药资源相关学科建设、展示第四次全国中药资源普查成果、普及中医药知识发挥了重大作用。

四、转化成果应用及社会化服务成效

在广东省中药资源普查工作获得的一系列成果的基础上，广东省普查办积极协助各级地方政府主管部门开展地方中药资源产业规划制订工作，协助地方政府制定相应的政策法规，促进成果转化和地方中药资源产业发展。广东省普查办为各县（自治县、县级市、市辖区）提供地方中药资源区划建议共91份，组织专家论证和起草地方南药产业发展规划、南药产业园规划、中医药文化科普园设计规划、中药生态农业科普园设计规划等20多项。广东省中药原料质量监测技术服务中心（以下简称省级中心）针对广东省特色南药资源的自然属性、药用属性、社会属性、经济属性及普查获得的新种，开展潜在药效功能的研究。此外，各科研机构、高校科研团队等联合大型医药企业积极对九节茶、淫羊藿、铁皮石斛、牛大力、广寄生、岗梅、两面针、三桠苦、肉桂、广陈皮、阳春砂仁、化橘红、广佛手、广金钱草、余甘子、巴戟天、广藿香、穿心莲、溪黄草、沉香、高良姜、何首乌、紫花杜鹃等岭南特色南药和道地药材进行全方位的深入研究，详细分析

各地中药资源分布特色与优势，合理布局各地中药材生产，为岭南中药资源的保护、合理利用和可持续利用严格把关，解决医药企业实际生产中的关键技术问题，促进区域内中药资源产业的高速发展和国家战略的落地实施。截至 2020 年 11 月，广东省共建设省级中药现代农业南药产业园区 12 个。各地政府积极推动南药种植标准化、生产规模化的落实，加快南药高新技术研发，促进大健康产业创新资源集聚，进一步推进南药全产业链的建设与发展。

广东省普查办和广东省中药原料质量监测技术服务中心协助地方政府主管部门开展系列社会活动。从 2016 年起，连续 5 年在广东省中药材生产的主产区，联合地方政府主管部门，为中药材生产企业、农户等举办了 50 多场岭南中药材规范化生产技术培训会，每场次参加培训人员不少于 60 人，为区域内培养了一批熟悉中药材规范化生产的专业技术人员。在配合广东省药品监督管理局开展《广东省中药材标准》修订工作的过程中，分别在珠江三角洲和粤西地区举办了药材鉴别和凭证标本制作培训班。积极开展中药资源的保护和可持续利用研究工作，参与《广东省岭南中药材保护条例》的起草和技术指导，与广东省人民代表大会常务委员会调研组深入中药材主产区实地考察调研，解答企业和个体种植农户在生产中遇到的问题。组织编写了化橘红等 20 种广东省常见南药规范化种植培训教材并免费发放。国家现代中药资源动态监测信息和技术服务体系茂名站（简称粤西监测站或茂名站）免费为信宜市发放 20 万棵益智药材种苗并提供技术服务。省级中心举办多场中药材规范化生产技术推广与动态监测技术培训活动，加快了普查成果的集成整合与转化，推动了广东省中药产业的快速发展。

在推动广东省中药资源普查成果转化过程中，普查队积极配合省委、省政府相关主管部门，参与起草和制定地方性政策，促进区域内中医药产业的可持续发展。如广东省工业和信息化厅先后推出了《广东省工业和信息化厅关于加快推进生物医药产业发展的实施意见》《广东省中药材产业化基地建设方案》《中药材种子种苗繁育产业化基地建设验收标准》《广东省中药材产业化基地培育建设管理办法（试行）》等指导性文件，大大提升了中药材产业建设水平，为中医药产业链上游的发展指明了方向。《广东省工业和信息化厅关于加快推进生物医药产业发展的实施意见》提出："建设岭南特色的中药材种植基地。鼓励粤东、粤西、粤北地区借助区域资源优势，开展中药材尤其岭南特色中药材种植养殖基地建设及中药饮片加工一体化，推广中药材无公害种植，加强南药深加工产业集群和中成药产业集群建设。重点建设新会陈皮、化州橘红、广藿香、肉桂、穿心莲、鸡血藤、三桠苦等岭南特色中药材，鼓励中药骨干企业在省内外发展中药材的产业化、规模化、规范化种植基地，保障重点大品种的原材料供应。提高中药材废渣等固体废物资源综合利用水平。引导生物医药企业与四川、云南、黑龙江等中药材生产基地开展互赢合作。"

五、广东省中药资源动态监测体系建设

国家基本药物中药原料资源动态监测和信息服务体系是为适应国家"创新驱动发展战略"

的要求而建的，是中医药科技创新体系的重要组成部分。广东省在第四次全国中药资源普查工作的基础上，根据《国家中医药管理局办公室关于建立国家基本药物中药原料资源动态监测和信息服务体系的通知》（国中医药办科技发〔2012〕44号）、《国家中医药管理局办公室关于成立基本药物中药原料资源动态监测和信息服务体系技术专家委员会的通知》（国中医药办科技发〔2013〕20号）、《财政部 国家中医药管理局关于下达2015年公共卫生服务补助资金的通知》（财社〔2015〕78号）文件精神，为巩固好广东省第四次中药资源普查工作的成果，建立了长效、动态的中药资源监督和质量管控机制，并于2015年在广东省中医药局的支持下，完成了广东省中药原料质量监测技术服务中心和省级监测站的建设工作。

（一）组织架构

省级中心由中药原料质量监测技术专家委员会、中药资源种质鉴定研究室、中药材GAP种植技术研究室、中药材质量分析研究室及人员培训和技术推广服务部5个部分构成（图1-3-3）。

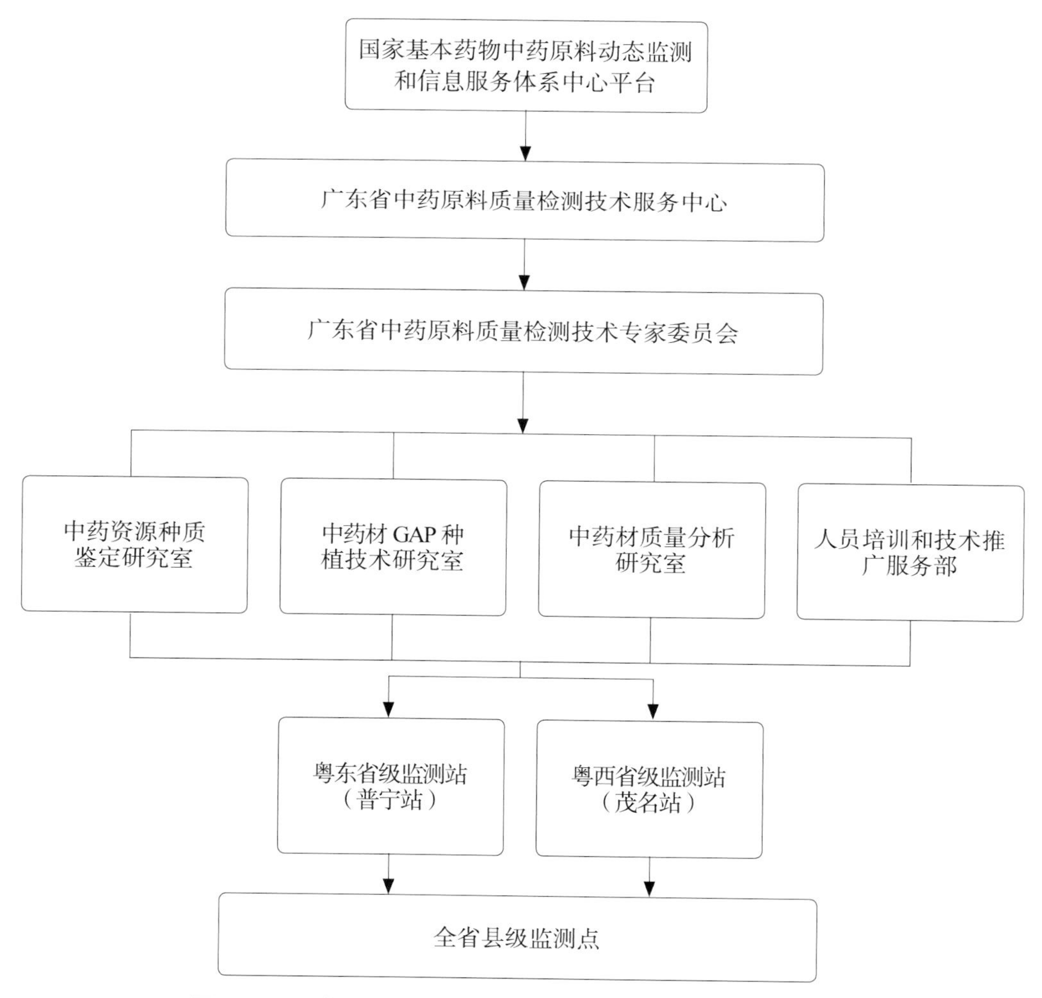

图1-3-3 广东省中药原料质量监测技术服务中心组织结构图

通过监测分析全省中药资源动态变化趋势，可以从省级层面掌握主要中药材的产量、流通量、质量和价格等信息，提升广东省中药材产业发展的信息化程度。

为了更好地服务社会和长期有效地对区域内中药资源进行动态监测，更好地满足区域内中药材产业发展的需求，广东省省级监测站的建设采用高校与区域内龙头企业合作的模式，如日常运营、信息收集、数据上传等工作由企业负责，技术支撑由广东省中药原料质量监测技术专家委员会及高校技术人员提供。

省级监测站分别设在广东省中药材主产区粤西茂名市（茂名站）和粤东普宁市（普宁站），茂名站由广东天恩药业股份有限公司承建，普宁站由康美药业股份有限公司承建。

（二）动态监测信息和技术服务内容

（1）对区域内中药资源相关信息进行收集、统计，监测分析中药资源动态变化趋势，按品种要求进行整理，并对岭南特色药材进行重点宣传。

（2）收集、汇总并分析区域内中药材的产量、流通量、质量和价格信息，并每周（月）将信息数据报送中药资源动态监测与信息服务系统。

（3）负责区域内监测点的组织协调工作。

（4）拓展贸易信息服务，介绍并宣传区域内中药材产业的信息，收集、整理其他地区的相关信息，为当地药农、药商及中药企业提供咨询服务，积极鼓励建立服务产区的中药材种植技术标准化示范区，提高药材产量与质量，从而提升市场竞争力。

（5）监测站负责社会化服务和公益性服务工作，例如举办南药种植技术培训班、邀请专家到药材主产区进行技术指导等。

（6）向省级中心递交监测站年度报告和下一年度的工作计划。

（7）接受国家平台交办的其他任务，监测系统的问题反馈。

省级中心与省级监测站对广东省特色南药品种沉香（白木香和国外引种沉香）、肉桂、穿心莲、广藿香、广金钱草、益智、阳春砂仁、牛大力、化橘红、广陈皮（茶枝柑）、巴戟天、凉粉草、广佛手、何首乌14个大宗药材品种开展动态监测，采集有关药材基原的物种、种苗来源、物候期、病虫害发生规律和防治措施、采收时间、采收周期等的信息，组织省内具有中药材种植技术优势的单位和专家，编写20个常见南药品种的规范化种植适宜技术单行本，免费发放到各个产区，为区域内中药材生产企业提供技术支撑。

省级中心同时对广东省特色南药牛大力、岗梅的资源现状展开了调查。通过文献查阅、野外样线调查、产地走访调查等方式，省级中心完成了上述2种岭南特色药用资源的自然分布情况收集、调查地区样方分析、群落结构分析、蕴藏量估算等工作，对2种岭南特色药用资源品种的利用提出了建议。

广东省第十二届人民代表大会常务委员会第二十九次会议于2016年12月1日通过了地方性

法规《广东省岭南中药材保护条例》，该条例于 2017 年 3 月 1 日起正式施行。该条例的施行对于加强岭南中药材保护，规范利用岭南中药材资源，促进中医药产业持续健康发展具有重要意义。首批被列入保护的中药材种类有化橘红、广陈皮、阳春砂仁、广藿香、巴戟天、沉香、广佛手、何首乌 8 种。广东省中药原料质量监测技术服务中心组织全省的技术力量，进行了区域内上述道地南药的生产技术规范制定和质量标准研究，完成了化橘红药材地方标准制定和申报，并对 20 多种常见岭南中药材的生产信息进行了监测，及时收集、审核广东省各监测点的监测数据，及时向社会反馈，使中药材生产从种植、采收到加工整个过程更加规范化，发挥了省级中药原料质量监测技术服务作用。该中心通过收集、整理各地中药材产业信息，为药农、药商、中药企业提供技术和信息服务，促进了区域内中药材产业的良性发展。

六、广东省水生、耐盐药用植物资源调研

水生、耐盐药用植物是一类特殊环境下的中药资源，在我国分布广泛，蕴藏量大，种类多且复杂，药用价值高，开发潜力大，环境效益显著，具有重要的生态和经济价值。广东省水生、耐盐类中药资源在区系组成、群落外貌结构、生境分布与演替等方面极具特色。广东省第四次中药资源普查工作在实施的过程中，针对省内水生、耐盐类中药资源展开了调研，旨在为省内此类药用资源的合理开发和利用提供科学依据。

（一）广东省湿地资源概况

广东省湿地资源由珠江流域（东江、西江、北江和珠江三角洲）、独流入海的韩江流域及粤东沿海诸河、粤西沿海诸河构成，集水面积占全省面积的 99.8%。广东省现有湿地面积 186.4 万 hm^2，占全省土地面积的 10.36%。广东省湿地资源在省内各地均有分布，集中分布于珠江三角洲区域水网地带及低海拔平原及丘陵缓坡台地的湖泊、湿地区域。如东莞、中山、佛山、肇庆及从化、花都等地水资源丰富，为水生植物提供了优良的栖息环境。湿地资源类型主要有海岛（岛礁）滨海湿地、近海与海岸湿地、河流湿地、湖泊湿地、沼泽湿地、人工湿地及海涂围垦湿地。海岛（岛礁）滨海湿地区域主要位于粤东、珠江三角洲、粤西沿海地区、雷州半岛及周边海岛。

（二）水生、耐盐药用植物资源

1. 水生药用植物资源

调查结果显示，广东省水生药用植物资源共有 160 种，隶属 54 科 90 属，其中药食同源水生药用植物 18 种，国家重点药材品种 12 种。广东省水生药用植物优势种群有莎草科 22 种植物（占 13.75%）、蓼科 14 种植物（占 8.75%）、鸭跖草科 9 种植物（占 5.63%）、天南星科 9 种植物（占 5.63%）、兰科 7 种植物（占 4.38%）。广东省水生药用植物资源可分为湿生植物、挺水植物、浮水植物、沉水植物 4 类。湿生植物占大部分，共 117 种，隶属 26 科 56 属，常见的药用湿生植物

有蕺菜（鱼腥草）*Houttuynia cordata*[①]、三白草 *Saururus chinensis*、锦地罗 *Drosera burmanni*、毛蓼 *Polygonum barbatum*、红蓼 *Polygonum orientale*、水芹 *Oenanthe javanica*、风箱树 *Cephalanthus tetrandrus*、大叶石龙尾 *Limnophila rugosa*、矮慈姑 *Sagittaria pygmaea*、野慈姑 *Sagittaria trifolia*、谷精草 *Eriocaulon buergerianum*、石菖蒲 *Acorus tatarinowii*、刺芋 *Lasia spinosa*、滴水珠 *Pinellia cordata*、半夏 *Pinellia ternata*、鞭檐犁头尖 *Typhonium flagelliforme*、鸭跖草 *Commelina communis*、茳芏 *Cyperus malaccensis*、短叶茳芏 *Cyperus malaccensis* var. *brevifolius* 等；挺水植物 24 种，隶属 16 科 16 属，常见的药用挺水植物有水蕨 *Ceratopteris thalictroides*、水苋菜 *Ammannia baccifera*、水龙 *Ludwigia adscendens*、草龙 *Ludwigia hyssopifolia*、毛草龙 *Ludwigia octovalvis*、丁香蓼 *Ludwigia prostrata*、泽泻 *Alisma plantago-aquatica*、菖蒲 *Acorus calamus*、水烛 *Typha angustifolia*、香蒲 *Typha orientalis*、灯心草 *Juncus effusus*、风车草 *Cyperus involucratus*、芦苇 *Phragmites australis* 等；浮水植物 15 种，隶属 9 科 15 属，常见的药用浮水植物有睡莲 *Nymphaea tetragona*、莼菜 *Brasenia schreberi*、芡实 *Euryale ferox*、萍蓬草 *Nuphar pumilum*、莲 *Nelumbo nucifera*、槐叶苹 *Salvinia natans*、满江红 *Azolla imbricata*、大薸 *Pistia stratiotes*、浮萍 *Lemna minor*、凤眼蓝 *Eichhornia crassipes* 等；沉水植物 4 种，隶属 3 科 4 属，常见的药用沉水植物有金鱼藻 *Ceratophyllum demersum*、穗状狐尾藻 *Myriophyllum spicatum*、黑藻 *Hydrilla verticillata*、眼子菜 *Potamogeton distinctus* 等。

水生药用植物按药用部位划分，药用部位为全草的有 109 种，药用部位为根及根茎的有 33 种，药用部位为花的有 7 种，药用部位为种子的有 5 种，药用部位为果实的有 4 种，药用部位为其他的有 2 种（图 1-3-4）。按药用功效划分，清热类水生药用植物有 88 种，常见的有苹 *Marsilea quadrifolia*、莼菜 *Brasenia schreberi*、三白草 *Saururus chinensis*、锦地罗 *Drosera burmanni*、节节菜 *Rotala indica*、水龙 *Ludwigia adscendens*、水芹 *Oenanthe javanica*、谷精草 *Eriocaulon buergerianum*、菰 *Zizania latifolia* 等；解表类水生药用植物有 8 种，常见的有满江红 *Azolla imbricata*、长鬃蓼 *Polygonum longisetum*、矮慈姑 *Sagittaria pygmaea*、浮萍 *Lemna minor*、紫萍 *Spirodela polyrhiza*、滴水珠 *Pinellia cordata* 等；祛风类水生药用植物有 15 种，常见的有铜锤玉带草 *Lobelia nummularia*、毛谷精草 *Eriocaulon australe*、白药谷精草 *Eriocaulon cinereum*、华南谷精草 *Eriocaulon sexangulare*、大薸 *Pistia stratiotes*、香花羊耳蒜 *Liparis odorata*、裸蒴 *Gymnotheca chinensis*、落羽杉 *Taxodium distichum*、水黄皮 *Pongamia pinnata*、毛蓼 *Polygonum barbatum*、水蓼 *Polygonum hydropiper* 等；止血类水生药用植物有 8 种，常见的有金鱼藻 *Ceratophyllum demersum*、红蓼 *Polygonum orientale*、掌叶蓼 *Polygonum palmatum*、秋茄树 *Kandelia obovata*、水烛 *Typha angustifolia*、香蒲 *Typha orientalis*、见血青 *Liparis nervosa*、䅟穗莎草 *Cyperus eleusinoides*

---

① 在局部统一的情况下，上篇的拉丁名命名人可省略。

等；止咳化痰类水生药用植物有 10 种，常见的有水蕨 *Ceratopteris thalictroides*、萍蓬草 *Nuphar pumilum*、紫苏草 *Limnophila aromatica*、野慈姑 *Sagittaria trifolia*、慈姑 *Sagittaria trifolia* var. *sinensis*、结壮飘拂草 *Fimbristylis rigidula*、大苞水竹叶 *Murdannia bracteata*、菖蒲 *Acorus calamus*、半夏 *Pinellia ternata*、牛毛毡 *Eleocharis yokoscensis* 等；其他芳香化湿类、安神温里类、补虚类水生药用植物有 31 种。（图 1-3-5）

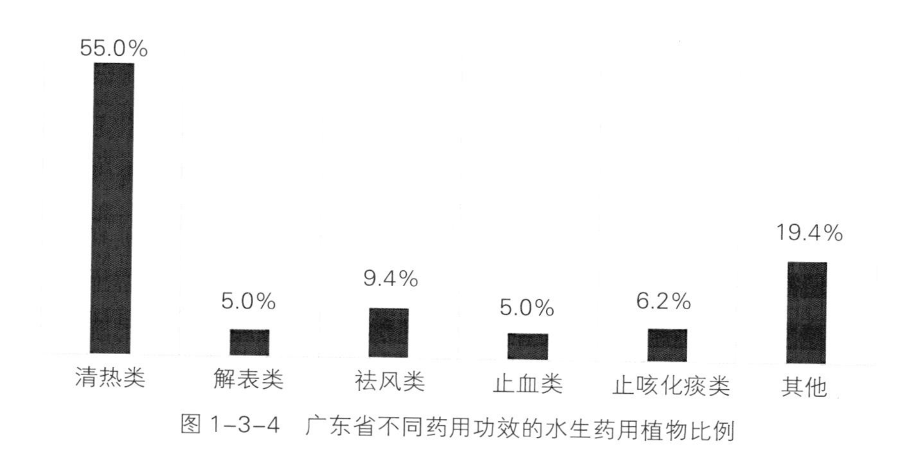

图 1-3-4　广东省不同药用功效的水生药用植物比例

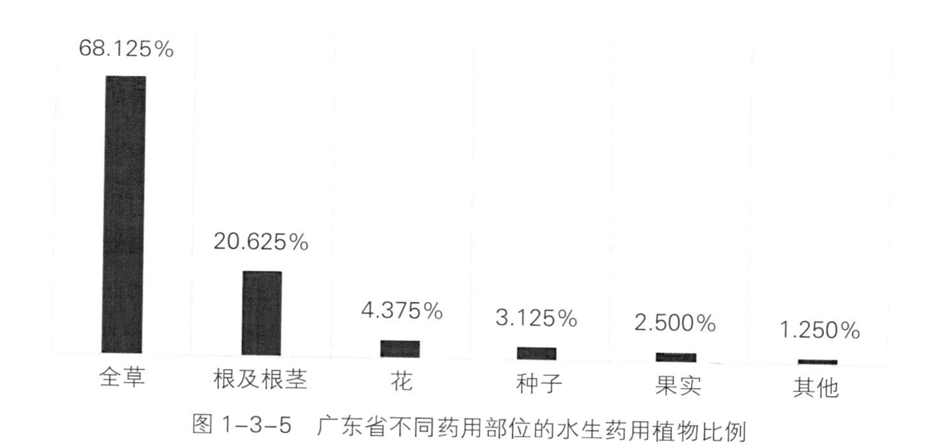

图 1-3-5　广东省不同药用部位的水生药用植物比例

2. 耐盐药用植物资源

广东省耐盐药用植物主要有海滨红树林植物、半红树林植物、海岸滩涂植被类群以及沿海区域和海岛耐盐植物等。调研结果显示，广东省耐盐药用植物资源共 269 种，分属 63 科 197 属，其中大戟科 26 种、豆科 25 种、菊科 17 种、爵床科 14 种、夹竹桃科 13 种、芸香科 11 种，其他科 163 种，国家重点药用植物 22 种（图 1-3-6）。

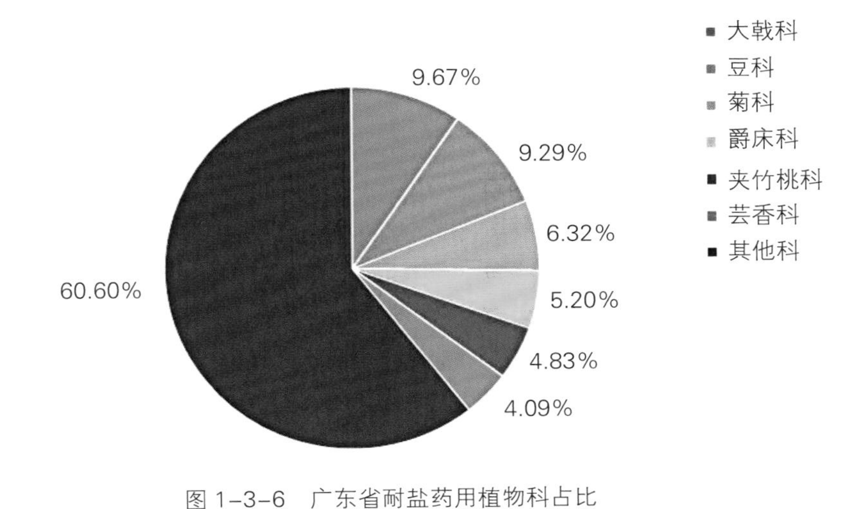

图 1-3-6　广东省耐盐药用植物科占比

耐盐药用植物按药用部位划分，药用部位为全株（草）的有 125 种，药用部位为根及根茎的有 106 种，药用部位为叶的有 91 种，药用部位为果实和种子的有 27 种，药用部位为花的有 11 种，其他的有 31 种。

按药用功效划分，清热类耐盐药用植物有 107 种，优势科依次为大戟科、菊科、爵床科、豆科、锦葵科、夹竹桃科，常见的有番荔枝 *Annona squamosa*、鹰爪花 *Artabotrys hexapetalus*、无根藤 *Cassytha filiformis*、弯曲碎米荠 *Cardamine flexuosa*、土牛膝 *Achyranthes aspera*、飞扬草 *Euphorbia hirta*、余甘子 *Phyllanthus emblica*；圆叶野扁豆 *Dunbaria rotundifolia*、鸦胆子 *Brucea javanica*、积雪草 *Centella asiatica*、鬼针草 *Bidens pilosa*、一点红 *Emilia sonchifolia*、大尾摇 *Heliotropium indicum*、土丁桂 *Evolvulus alsinoides* 等；祛风类耐盐药用植物有 38 种，常见的有瓜馥木 *Fissistigma oldhamii*、紫玉盘 *Uvaria microcarpa*、阴香 *Cinnamomum burmanni*、樟 *Cinnamomum camphora*、假蒟 *Piper sarmentosum*、海南蒟 *Piper hainanense*、青葙 *Celosia argentea*、梵天花 *Urena procumbens*、石岩枫 *Mallotus repandus*、帘子藤 *Pottsia laxiflora* 等；活血化瘀类耐盐药用植物有 34 种，常见的有华南胡椒 *Piper austrosinense*、黄花草 *Arivela viscosa*、齿果草 *Salomonia cantoniensis*、竹节蓼 *Homalocladium platycladum* 等；解表类耐盐药用植物有 26 种，常见的有刺芹 *Eryngium foetidum*、大花马齿苋 *Portulaca grandiflora*、白千层 *Melaleuca leucadendron*、竹节树 *Carallia brachiata*、黄牛木 *Cratoxylum ligustrinum*、刺蒴麻 *Triumfetta rhomboidea* 等；化痰类耐盐药用植物有 14 种，常见的有春云实 *Caesalpinia vernalis*、变叶美登木 *Maytenus diversifolius*、酒饼簕 *Atalantia buxifolia* 等；止血类耐盐药用植物有 14 种，常见的有马利筋 *Asclepias curassavica*、红凤菜 *Gynura bicolor*、锈毛莓 *Rubus reflexus* 等；其他化湿类、止咳类、安神类、止痛类、止泻类、杀虫类等耐盐药用植物有 36 种。（图 1-3-7）

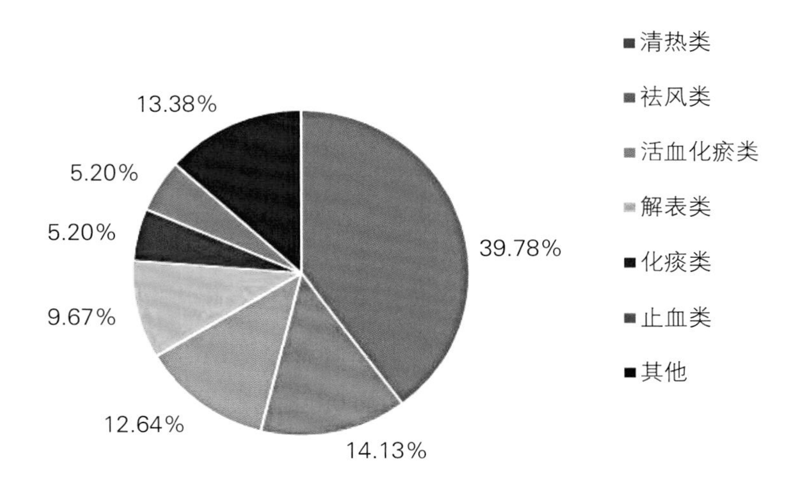

图 1-3-7 广东省不同药用功效的耐盐药用植物比例

（三）广东省水生、耐盐药用植物资源情况

1. 广东省水生、耐盐药用植物资源特点

广东省地势明显北高南低，地貌类型复杂，山地、丘陵、台地、平原兼有，中部、东部、西部以及南部低海拔区域地势相对平缓，池塘、河流星罗棋布，沼泽、小河支流汇合连成水网地带，沿海滨海滩涂湿地资源丰富，多样的自然条件形成了物种多样性和生态多样性。除水杉 *Metasequoia glyptostroboides* 和落羽杉 *Taxodium distichum* 是乔木外，其余水生药用植物均为草本植物。水生药用植物广布于湖泊、水田、沼泽湿地、溪边和林下等区域，常见物种有蕺菜 *Houttuynia cordata*、莲 *Nelumbo nucifera*、芡实 *Euryale ferox*、慈姑 *Sagittaria trifolia* var. *sinensis*、水烛 *Typha angustifolia*、石菖蒲 *Acorus tatarinowii*、三白草 *Saururus chinensis*、水蓼 *Polygonum hydropiper* 等。耐盐药用植物习性多样，包括乔木、灌木、藤本（含攀缘状灌木）和草本等多种植物类型，其中乔木有 22 种，灌木有 83 种，草本有 131 种，其余草质藤本、木质藤本、亚灌木等有 33 种。耐盐药用植物分布于海岛、沿海滩涂以及沿海地区的山脉、缓坡台地等区域，沿海区域常有成片的耐盐物种优势群落，如单叶蔓荆 *Vitex rotundifolia*、苦郎树 *Clerodendrum inerme*、露兜树 *Pandanus tectorius*、磨盘草 *Abutilon indicum*、阔苞菊 *Pluchea indica*、岗松 *Baeckea frutescens*、海刀豆 *Canavalia maritima*、厚藤 *Ipomoea pes-caprae*、沙苦荬菜 *Ixeris repens*、蟛蜞菊 *Sphagneticola calendulacea*、卤地菊 *Melanthera prostrata*、匐枝栓果菊 *Launaea sarmentosa*、假臭草 *Praxelis clematidea*、白花鬼针草 *Bidens alba*、龙爪茅 *Dactyloctenium aegyptium*、老鼠簕 *Acanthus ilicifolius*、白茅 *Imperata cylindrica*、蛇婆子 *Waltheria indica* 等。广东省水生、耐盐药用植物资源具有种类丰富、分布广泛、蕴藏量大、生态价值高、开发潜力大等特点，水生、耐盐药用植物资源在净化区域环境、调节小气候条件、维持生物多样性、调蓄洪水以减轻自然灾害等方面具有重

要的生态学意义。

2. 广东省水生、耐盐药用植物资源利用现状

随着工业化和城镇化的发展，以及农村产业升级，目前广东省的湿地和滩涂被大面积围垦用于农业种植、水产养殖、城镇建设等，这对湿地生态环境造成很大的破坏。在调查过程中课题组发现有将未经有效处理的工业废水和生活污水直接排入珠江流域或海域的现象，这种不法行为造成河岸或海岸湿地污染物超标，整体环境质量恶化，物种资源减少。尤其是粤中、粤东的经济发达地区，人多地少，大量湿地被开挖建成淡水养殖鱼池或虾池，粤西、粤东沿海滩涂被围垦建造成海产养殖基地，原来大面积的红树林湿地被改建成鱼、虾及其他海产品的养殖池，严重破坏了原有的湿地生态环境，造成了非常严重的环境污染。以上种种现象造成沿海地区大面积的水产动物天然栖息地丧失，进而导致耐盐植物种群和数量锐减，给沿海区域的海洋生物资源造成长期的不良影响。

据初步统计，广东省水生、耐盐药用植物中传统人工栽培的品种有穿心莲、阴香、龙脑樟、广藿香、芡实、何首乌、巴戟天、鸦胆子、两面针、广东金钱草、食用葛、檀香、土沉香（白木香）、桑、蕺菜、高良姜、红豆蔻、益智、美丽崖豆藤、粗叶榕等 30 多种，种植规模超过 22 000 hm^2，占全省中药材种植总面积的 10.5%。阴香、龙脑樟、粗叶榕、两面针等主要集中在粤东沿海区域和山区缓坡台地，其余的种类多集中在粤西沿海冲积平原或台地。药食同源的品种如芡实、荸荠、莲、慈姑、广山药、龙眼、橄榄等植物的种植规模达 9 000 hm^2。随着中药材产业的发展，广东省因地制宜，充分利用闲置山林，采用生态种植等模式种植中药材，滩涂海岸、湿地草甸、林下套种中药材已取得较好的综合效益。此外，有些水生药用植物也是打造水体景观的常用材料，如水烛 *Typha angustifolia*、菖蒲 *Acorus calamus*、雨久花 *Monochoria Rorsakowii*、风车草 *Cyperus involucratus*、水葱 *Schoenoplectus tabernaemontani* 等。常见的野生水生药用植物有三白草 *Saururus chinensis*、石菖蒲 *Acorus tatarinowii*、水烛 *Typha angustifolia*、香蒲 *Typha orientalis* C. Presl、水芹 *Oenanthe javanica*、灯心草 *Juncus effusus*、鸭跖草 *Commelina communis*、半边莲 *Lobelia chinensis*、谷精草 *Eriocaulon buergerianum* 等。野生耐盐药用植物目前未见大规模栽培。

（四）问题与展望

1. 问题

由于生存环境的特殊性及资源的有限性，水生、耐盐药用植物未能引起人们的重视。但由于其他陆生药用植物资源被大量开发，市场对天然药物的需求与日俱增，合理开发利用这些特殊环境生长的水生、耐盐药用植物资源势在必行。在探索水生、耐盐药用植物资源开发利用的同时，也存在着许多问题：①传统的水生、耐盐道地药材栽培技术比较落后，产值不高，如肇庆芡实、荸荠、穿心莲、高良姜、鱼腥草、益智、沉香等大宗药材品种的附加值不高，仍有待提升；②水生、耐盐药材采收和加工成本较高，特色精加工产品种类较少，如石菖蒲、沉香、牛大力、高良姜、龙脑樟、广藿香、益智等；③道地药材品牌的创建以及大规模产业的形成还需要地方政府系统规划。

2. 展望

（1）南亚热带气候湿生环境对岭南道地南药资源品质的影响。广东省有丰富的光、水、热资源，曲折漫长的海岸线，星罗棋布的岛屿，为本区域乡土植被及水生、耐盐药用植物资源的多样性提供了特殊的生长环境。相对于其他正常生长环境的植物而言，本土水生、耐盐药用植物对区域内的风沙、盐雾、强紫外线及夏、秋季频繁的台风等逆境具有更好的耐受性和适生性。长期在这些高湿、含盐的环境里生长的特色南药资源物种必定与其他环境生长的物种在个体特征和药效活性成分组成等方面有较大的差异。珠江三角洲、粤东到粤西的沿海区域以滩涂冲积平原和缓坡台地居多，该区域是广东省道地药材的主产区。该区域中药材种植品种繁多，种植规模较大，种植面积占全省中药材种植面积的 60% 以上。因此，有必要针对在这一特殊环境生长的传统道地药材和岭南特色南药资源类群进行系统、深入的研究，发掘其在长期生存竞争中与环境相适应的形态和药物化学特征，以及道地性形成的机制等，为传统道地药材高精产品的研发与附加值的提高提供依据。这些道地药材品种有肇庆芡实、高良姜、益智、土沉香、龙脷叶、广金钱草、穿心莲、广藿香、牛大力、五指毛桃等。

（2）水生、耐盐药用植物资源开发前景的评估。第四次全国中药资源普查结果显示，广东省水生、耐盐药用植物资源非常丰富，许多品种的功效在长期的临床应用中已经得到了证实，如香附子 *Cyperus rotundus*、水烛 *Typha angustifolia*、香蒲 *Typha orientalis*、白茅 *Imperata cylindrica*、单叶蔓荆 *Vitex rotundifolia*、华南胡椒 *Piper austrosinense*、簕欓花椒 *Zanthoxylum avicennae*、楝 *Melia azedarach*、鸦胆子 *Brucea javanica*、两面针 *Zanthoxylum nitidum*、裸花紫珠 *Callicarpa nudiflora*、大叶紫珠 *Callicarpa macrophylla*、露兜树 *Pandanus tectorius*、海芋（广东狼毒）*Alocasia odora* 等。目前，这类野生资源仍未得到引种、驯化和研究，需要有针对性地对这些临床应用广泛的野生药用植物资源进行引种、驯化和开发利用研究，减少这类野生药材资源的市场需求压力。加强对水生、耐盐药用植物资源的深度开发与合理利用，可以更好地利用资源，实现药用资源的可持续发展。

（3）水生、耐盐药用植物资源在环境生态改良与景观建设中的作用。广东沿海部分地区通过开发利用湿地和滨海湿地等边缘性土地来实现城市空间的拓展和城市环境的优化，创建绿色休闲空间。目前不少景观资源已被开发建设为知名旅游景区或景点，如肇庆星湖旅游景区、湛江湖光岩风景区、惠州西湖国家风景名胜区、连州湟川三峡、清远飞来峡、深圳大鹏湾大梅沙海滨公园、珠海海滨公园、阳江海陵岛闸坡大角湾、电白放鸡岛、湛江东海岛中国第一长滩、河源万绿湖风景区、广州海珠国家湿地公园等，这些景区或景点广受游客欢迎，逐渐成为广东湿地生态旅游的名片。目前，广东省还有多处湿地公园正在开发建设中。结合相关园林景观建设造景配植的

需求，采用本土滨海水生、耐盐植物应用策略，可以解决滨海地区盐碱地园林造景过程中引种外来绿化物种成活率低的问题，这也是改良环境生态的较好的途径。将本土水生、耐盐药用植物合理应用于滨海地区相关园林绿化工程中，可提高配植物种的成活率和适生性，起到更好的生态改良、降低人工成本的作用。据有关资料报道，广东省已有30多种耐盐乡土植物被应用于滨海地区园林绿化工程中，占耐盐乡土植物总种数的13%。其中大部分耐盐乡土植物属于药用植物，如楝 *Melia azedarach*、海杧果 *Cerbera manghas*、黄槿 *Hibiscus tiliaceus*、假槟榔 *Archontophoenix alexandrae*、蒲葵 *Livistona chinensis*、波罗蜜 *Artocarpus heterophyllus*、桂木 *Artocarpus nitidus subsp.* lingnanensis 等。另外，可以通过制定扶持政策，鼓励企业和个人建设市场发展前景好的水生、耐盐中药材种植示范基地，开展种植技术研究，制定规范化种植技术规程；加快水生、耐盐中药材种植与中医药养生产业、休闲旅游产业等第三产业的融合发展，充分利用生态环境、旅游业等优势，鼓励企业和个人建立中医药文化养生旅游示范基地，在发展经济的同时，保护水生、耐盐药用植物资源。

此外，耐盐湿地植物资源在净化环境、处理废水中发挥了重要的作用。广东省内不少处理污水的地方的周边均设置了净化水质的湿地水体，其中配植的植物有很多药用资源物种，如污水处理厂、造纸厂、化工厂周边的湿地景观建设常常配有香蒲 *Typha orientalis*、灯心草 *Juncus effusus*、芦苇 *Phragmites australis*、睡莲 *Nymphaea tetragona*、水葱 *Schoenoplectus tabernaemontani*、美人蕉 *Canna indica*、千屈菜 *Lythrum salicaria*、短叶茳芏 *Cyperus malaccensis* var. *brevifolius*、秋茄树 *Kandelia obovata* 等药用植物。

（4）开展水生、耐盐适生药用植物适生机制研究。对生长于典型湿生盐地环境和滨海生态条件下的药用植物的种类、数量、蕴藏量等基本特征进行专题调查，为其他同类地区生态恢复提供数据支持。深入进行湿生盐地适生药用植物研究，如探讨物种在特殊环境下的形态特征表达，从细胞水平、分子生物学水平揭示湿生盐地适生药用植物的生长机制及其活性有效成分的形成机制，为此类药用资源的合理开发和利用奠定基础。

七、广东省传统医药知识调查

（一）传统医药知识调查总体情况

广东省第四次中药资源普查对广东省岭南传统医药知识进行了收集汇总。广东省独特的地理气候和高温多湿气候环境导致的人群体质特点，造就了具有地域特色的岭南中医药学体系。体现岭南特色中药应用和配伍的产品有广东凉茶、罗浮山百草油、廿四味凉茶、沙溪凉茶、冯了性风湿跌打药酒、跌打万花油、乌鸡白凤丸等，岭南特色疗法有靳三针疗法、陈氏飞针疗法、蜂疗、蜡疗等。本次普查广东省收集岭南民间特色治疗验方554首，其中具有潜在价值和独特功效的传统验方包括妇科类 5 首、各种癌症类 13 首、毒蛇咬伤类 11 首、骨伤痛症类 31 首、消化炎症类 35 首、呼吸炎症类 15 首。针对粤北过山瑶族医药的现状和用药情况，收集整理了常用瑶药 420 种。

（二）传统医药知识涉及物种基原情况

广东省第四次中药资源普查收载的传统知识涉及中药资源 121 科 338 属 437 种，其中，矿物 2 种，为朱砂、雄黄；动物 4 种，为蜂蜜、阿胶、鸡内金、禾虫；菌类 4 种，常见的有灵芝、茯苓、竹黄；藻类和苔藓植物 2 种，为昆布、泽藓；高等植物有 425 种，其中草本植物 232 种，灌木植物 62 种，乔木植物 72 种，藤本植物（含草质藤本）59 种。使用数量排前五名的是豆科 37 种（草本、灌木、藤本）、菊科 34 种（小灌木和草本）、唇形科 21 种（草本）、百合科 15 种（草本）、芸香科 14 种（灌木和草本）；科内属的数量排前五名的有豆科（27 属）、菊科（23 属）、唇形科（19 属）、伞形科（10 属）、百合科（10 属）；属内物种数量大于 3 种的有菊科蒿属（5 种）、蓼科蓼属（5 种）、樟科樟属（5 种）、冬青科冬青属（4 种）、桑科榕属（4 种）、芸香科柑橘属（4 种）、芸香科花椒属（4 种）、紫金牛科紫金牛属（4 种）。

这些植物可以按照入药部位分类，其中以根及根茎入药者 181 种（草本 105 种、灌木 33 种、乔木 14 种、藤本 29 种），以全草入药者 114 种（草本 90 种、草质藤本 12 种、小灌木 12 种），以果实及种子入药者 67 种（草本 22 种、灌木 9 种、乔木 30 种、藤本 6 种），以茎木入药者 29 种（草本 8 种、灌木 5 种、乔木 8 种、藤本 8 种），以叶入药者 31 种，以皮入药者 19 种，以花入药者 15 种，以乔木树脂入药者 1 种，以其他部位入药者 13 种。

（三）广东省岭南地区传统用药特色及应用情况

岭南地区地理气候独特，雨水丰富，霜冻少，适合动植物生存，有不少地产药材，这类地产药材通过当地特色炮制加工后广泛应用于疾病的治疗。岭南地区中医药文化氛围浓厚，当地百姓素来相信中医中药，除习惯使用中药治病外，还喜用中药来防病、强身。如岭南地区沿海一带人民喜饮药酒；珠江三角洲一带人民喜饮消暑清热祛湿的凉茶，喜用药材烹调药膳，喜互送滋补性药材。历代岭南医家基于南方多发、特有疾病的防治，勇于吸取民间经验和外来医学新知，充分利用本地药材资源，逐渐形成了以研究岭南地区常见多发病种为主要对象的岭南医药学独特体系。该体系既有传统医药学的共性，又有地方特性，其传统用药特色主要表现在以下几个方面。

1. 重视清热化湿，扶正祛邪

岭南地区潮湿而多雨，雾气大，因此岭南医药比较重视清热化湿，扶正祛邪，在多发病、疑难病、传染病的治疗方面有独特的疗法。例如，在 2003 年严重急性呼吸综合征（“非典”）暴发期间，医疗工作者应用岭南中医的清热化湿、宣肺止咳方药治愈了许多病人，以邓铁涛教授为首的广州中医药大学医疗队在治疗中实现了零死亡、零转院、零感染、零后遗症的“四个零”奇迹。在 2020 年新型冠状病毒感染暴发期间，广东省第二批国家援助湖北中医医疗队借鉴上述治疗经验，

应用岭南中医扶正祛邪的疗法，取得了显著疗效。

2. 药膳化、民俗化

岭南民众长期以来就有应用草药煲凉茶和煲汤的习惯，做到了“中医生活化，中药膳食化”，这体现了中医学“未病先防”“药食同源”的思想。

凉茶、汤品、糖水、药膳等普遍见于岭南人的日常生活中，承载了祛湿、降火、养胃、清补等中医学养生防病思想，使用的中草药不仅讲究药性功效，还利用炮制矫味以便于服用。其中凉茶包括广东凉茶、王老吉凉茶、石岐凉茶、黄振龙凉茶、溪黄茶、甘和茶等，汤品包括鸡骨草龙骨汤、龙脷叶润肺汤、五指毛桃健脾汤、石黄皮瘦肉汤、葛粉清毒汤、湿热肝炎马齿苋汤等，糖水包括姜撞奶、海带绿豆糖水、冬瓜薏米糖水等，药膳包括荷叶茯苓粥、木棉花陈皮瘦肉粥、薏米芡实山药粥等。

3. 善用岭南特色草药

岭南医家善于运用岭南特有的中草药治疗本地区疾病，并积累了大量的经验。在治疗疾病时，医家往往经方、时方并重，多用药性平和、轻清灵巧的药物，喜用花、叶，且所用剂量也多偏小，如木棉花、鸡蛋花、素馨花、溪黄草、凉粉草、鸡骨草、叶下珠、龙脷叶、大金牛草、蚌花和独脚金等南药。医家在祛风除湿、舒筋活络时，多会选用藤茎和根类药材，如大高良姜、山姜、五指毛桃、山白前、巴戟天、鸡血藤、桃金娘等；在疏风解表、清热解毒时则会选用地胆草、广地丁、白花蛇舌草、杠板归、三桠苦、两面针、火炭母等。南药在民间百姓的日常生活中也十分常见。在一些多山的县（自治县、县级市、市辖区），如从化区、新丰县、乐昌市、乳源瑶族自治县等地，有收集当地的原生药材果实或根制成具有不同功效的药酒服用的习惯，如金樱子酒、桃金娘酒、梅子酒等。

4. 多选用药性平和的药物

岭南医家在药物的选用上，讲究清而不寒（破布叶和火炭母）等、滋而不腻（龙脷叶和石斛）、温而不燥（巴戟天和海马等）、补而不滞（五指毛桃和千斤拔等），这也体现在炮制品的选择与运用上。国医大师邓铁涛喜用五指毛桃，五指毛桃补而不燥，益气而不作火，补气而不提气，扶正而不碍邪，兼能祛痰平喘、化湿行气、舒筋活络，适合岭南多湿热的气候特点，故有“南芪”之称。

5. 拥有岭南特色中药炮制工艺——蒸制

蒸制是岭南中药最具特色、应用最普遍的炮制方式，包括清蒸、盐蒸、酒蒸、醋蒸等。其他地区生用的药物，岭南地区均蒸制后使用，如肉苁蓉、佛手、巴戟天、黄精、仙茅、白术、厚朴花、杜仲、丁公藤等均清蒸后使用。此外，岭南地区的蒸陈皮、熟党参、蒸五味子、制川芎、制山萸肉、盐金樱子、盐狗脊、盐桑螵蛸、盐桑椹、盐锁阳、醋郁金、醋白薇等采取了不同蒸制方法的特色中药品种，在其他地区应用较少，但在岭南地区临床应用广泛。

（1）清蒸法。岭南地区气候湿热，人的体质的湿热偏盛、气阴两虚，治疗以祛湿、清热养阴为主，以免伤脾胃，故在其他地区生用的药物，在岭南地区多清蒸后使用。

（2）盐蒸法。盐制药物可引药下行，增强补肾固精、利尿清热、滋阴降火凉血等作用，并能缓和药物辛燥之性。蒸制能缓和药物燥性，增强药物补益作用。盐蒸法和岭南医学的益气生津、清热养阴的治则相符合，在岭南地区应用广泛。盐沙苑子、盐菟丝子和盐杜仲在《中华人民共和国药典》（2020 年版）中的炮制方法为盐炙法，而在岭南地区的炮制方法则为盐蒸法或盐炙法；盐巴戟天在岭南地区的炮制方法与《中华人民共和国药典》（2020 年版）所载相同，均为盐蒸法。

（3）酒蒸法。岭南人体质偏湿，多患有风湿性关节炎，酒作为一种辅料在岭南地区的中药炮制中尤为突出。同时，酒蒸结合，既能祛风散寒，活血通络，又可降低辛燥之气，免伤阴气，缓和药性。酒狗脊、制仙茅、制川芎、酒玉竹为岭南地区特色品种，《中华人民共和国药典》（2020 年版）未收载，一般酒蒸药物在《中华人民共和国药典》（2020 年版）中的炮制方法均为酒炖或酒蒸。岭南地区鹿茸片的炮制方法和《中华人民共和国药典》（2020 年版）所载鹿茸片炮制方法均为酒蒸法，但两者具体工艺不同，前者工艺为用 30 度米酒润软反复多次地扎、蒸，后者工艺则为用热白酒润透或稍蒸。岭南地区鹿茸片炮制技术已被纳入广东省岭南中药文化遗产保护名录，鹿茸片在岭南鹿茸市场上占主导地位。

（4）醋蒸法。醋蒸法能引药入肝，增强疗效，缓和药性。岭南地区有 5 个用醋蒸法加工的特色品种。醋延胡索和醋香附在《中华人民共和国药典》（2020 年版）中有收载，但其所载炮制方法为醋炙法或醋煮法，与岭南地区所用醋蒸法不同。

除了以上几种蒸制方法外，岭南中药炮制方法还有黑豆汁蒸、发酵后蒸制、蒸后炒制、四制蒸法、姜汤蒸法、复制法中的蒸法等，这充分体现了岭南地区特色炮制方法的多样性，不同的蒸制方法均达到了增强药效、缓和辛燥峻烈之性、降低毒性的目的。

6. 在防治传染性疾病方面具有独特经验

吴宣崇所著《治鼠疫法》一书是我国最早的鼠疫专著，该书从源起、避法、医法、生药几个方面对鼠疫进行了全面论述，在病原学、流行性和防治方面有先进正确的认识。罗汝兰所著《鼠疫汇编》对分三焦辨证鼠疫，将病情分为 5 级，善用各家经验方，创造性地将《医林改错》中的活血化瘀类方药应用于鼠疫的治疗中，取得了很好的疗效。鼠疫在我国乃至世界曾多次暴发，病死率极高，清末时曾在岭南地区暴发。《鼠疫汇编》效验俱佳，曾多次翻刻，是岭南医学乃至中医学防治鼠疫的代表作，影响深远。

（四）传统医药知识涉及民族情况

广东省世居少数民族有壮族、瑶族、畲族、回族、满族 5 个民族。壮族分布在全省 6 个县（自治县、市辖区），瑶族分布在全省 13 个县（自治县、市辖区），畲族主要分布在全省 14 个县（县级市、市辖区），回族主要分布在全省 7 个县（县级市），满族主要分布在广州市。广东省有 2

个瑶族自治县和1个壮族瑶族自治县，7个瑶族、壮族、畲族民族乡。瑶族人数占优势，壮族、畲族、回族、满族人数占比较小。广东省普查办对粤北山区瑶医瑶药的应用现状做了专题调研，结果显示：广东省内瑶族常用老班药基原植物共86种，其中以全草（全株）入药物者34种，以根及根茎入药者39种，以茎和茎叶入药者41种，以花、果实和种子入药者9种（上述物种入药部位有交叉，如少花海桐既以根入药，又以茎皮和枝叶入药，故统计时有重复，下同）；且这些植物中具有2个药用部位的物种有21种、占总种数的24.42%，具有3个药用部位的物种有8种，占总种数的9.30%。

粤北瑶医虽大部分文化水平不高，不懂医学理论，但在长期的生产生活实践中，却积累了整套用青草药治疗和预防疾病的经验。瑶族用药以生药或鲜药为主，根据各种植物药和矿物药的特性在不同的季节进行采集，即采即用，具有简便、廉价的特点。瑶医用药形式也较为多样，草药除了鲜用以外，也制成便于携带和使用的各种剂型。剂型主要有煎剂、膏剂、散剂、酒剂、鲜药捣汁内服、鲜药含服、外敷剂、烟熏剂、熏洗剂、沐浴剂等。瑶医常用的草药，有很多也是中医常用的药材，但瑶医与中医所用药物的药用部位不同，其功用亦不完全一致。如海金沙，中医用孢子，瑶医用全草；山鸡椒、樟、巴豆、金樱子、栀子、苍耳、砂仁、薏苡等，中医主要用果实或种仁，瑶医除了用果实和种仁外，还用根或全草；钩藤，中药主要用带钩茎板，瑶医除用带钩茎枝（鹰爪风）外，还用根（双钩钻），认为鹰爪风镇惊息风效果好，双钩钻的降血压作用强；月季花（月月红）、羊踯躅（毛老虎）、凌霄（白狗肠）等，中医用花，瑶医除用花外，还用根，虽然花与根的功效相似，但瑶医扩大了药用部位。

（五）传统医药知识相关知识产权保护情况

1. 非物质文化遗产

（1）广东凉茶。广东凉茶是最具岭南地方特色的功能性饮料，随着2006年凉茶被列入第一批国家级非物质文化遗产名录，广东凉茶已成为“红遍全国、走向世界”的饮料。广东凉茶所用主要原料药材为岭南地产药材，岭南地产药材为岭南医家广泛使用。广东凉茶是岭南特色药用品种使用的典范。

凉茶起源于岭南地区。从气候来看，岭南地区属于亚热带气候区，夏季炎热且时间长，多雨潮湿，水质偏燥热，多瘴疠。从地理位置而言，岭南地区地处南方，多火热之气，又地处沿海地区，气候潮湿，故疾病以湿温、湿热所致为多见。从饮食习惯来说，南方人喜食辛辣肥甘厚味、海鲜山珍野味，烹调方法多用煎、炒、炆、炸、焗、烧、烤等，烹调配料多用姜、葱、蒜、椒盐、胡椒、花椒、八角等辛温燥热之品，易生“热气”，因此先民为了除湿祛热，适应环境，试着采集一些清热解毒、消暑祛湿的草药，煲水饮用，以消除“热气”。后来人们发现煲制这种青草药水饮用确实有效果，于是这种做法逐渐在民间流传开来，并经过一些具有中医药知识的人长期实践配伍，各师各法，形成了多种多样的凉茶。随后，一些有经济头脑的医药人员开设了销售凉茶的药店、摊档、作坊制售凉茶。凉茶具有清凉散热、解暑祛湿、保健止渴的作用，且四时皆可服用，因而成为整个岭南地区人民都喜爱的饮料，历久不衰。岭南不同地区有各自的特色凉茶，如广州的王老吉凉茶、黄振龙凉茶，中山的石岐凉茶、沙溪凉茶，湛江的湛江伤风咳嗽茶、廉江凉茶，东莞的鲁太爷甘露茶，惠州的罗浮山凉茶等。

凉茶制作材料的选用充分体现了广东的地方特色，制作广东凉茶选用的材料主要是岭南特色药用品种。常用于制作凉茶的原料药材有夏枯草、冬桑叶、野菊花、积雪草、车前草、地胆草、水翁花、金银花、紫苏、薄荷、破布叶、岗梅根、木蝴蝶、淡竹叶、金沙藤、火炭母、五指柑、金樱根、山芝麻、广金钱草、金盏银盘、狗肝菜、鸡蛋花、倒扣草、木棉花、鸭脚木皮、救必应、凉粉草、龙脷叶、白茅根、三桠苦、蒲公英、余甘子、草珊瑚、八月札、山海螺、凤尾草、鸭脚艾、南板蓝根、广藿香、土荆芥、毛冬青、水杨梅、水线草、东风橘、广东土牛膝、一点红、千里光、佛手、陈皮、鸡骨草、罗汉果、苦丁茶、金果榄、土茯苓、青天葵、南山楂、南刘寄奴、蛇泡簕、葫芦茶、溪黄草、千斤拔、杠板归、石上柏、田基黄、白花蛇舌草、垂盆草等，其中应用最多的为夏枯草、冬桑叶、野菊花、金银花、破布叶、淡竹叶、鸡蛋花、凉粉草、白茅根等。这些药物大多是寒凉性质的药物，且大多具有清热解毒、祛湿解表、滋阴润燥、解暑除烦、生津止渴、健胃消滞、清肝明目、散结消肿、凉血利咽、利尿通淋等功效。

（2）罗浮山百草油。广东省博罗县罗浮山百草油由 1 600 多年前的葛洪创制，经历代传承人的继承与发展，得以造福后人。罗浮山百草油配方及制作技艺的传承和发展，经历了很长的历史时期。明代罗浮山道士陈伯辉将葛洪遗留下来的古方收集整理后熬制出成品，后将制作的罗浮山百草油带往岭南各地，为当地百姓施药治病。道以药扬，药以道长，罗浮山百草油以岭南地区特殊地理、气候环境为背景，以罗浮山的道家医药为源头，以岭南医药学为支撑，以中医药理论为基础，在整个岭南地区传统医药中占有重要地位，其制作技艺是岭南地区传统医药制作技艺和文化的缩影，其起源及制作技艺的发展见证了罗浮山道家文化、岭南医药文化和罗浮山百草文化的发展。

罗浮山百草油是从 68 种中草药中提取的百草精和 11 种植物精油配制而成的，其制作包括药材的采收、加工，茶油及植物精油的加工制作，百草精的制备、配制、灌装等 72 道工序，而茶油是罗浮山百草油中最关键的成分。目前，罗浮山百草油的制作技艺已被列入第三批国家级非物质文化遗产扩展项目名录。

罗浮山百草油由两面针、徐长卿、九里香、辛夷、红花、水芙蓉、卷柏、金不换、千里光、大头陈、当归、鹅不食草、三七、肿节风、鸡骨香、砂仁、独活、羌活、姜皮、陈皮、香附、野菊花、山白芷、桂枝、小罗伞、蔓荆子、桔梗、紫珠叶、地胆草等 79 种中药组成，药味虽众，但繁而不杂，主次分明，君臣佐使配伍得宜。罗浮山百草油具有祛风解毒、消肿止痛、止痒、提神醒脑之功，适用于风毒、湿毒、热毒、暑毒引起的一系列病证。罗浮山百草油是岭南瘟病学说的承载者，在我国岭南地区及东南亚等地影响力极大。

（3）道地药材广陈皮的传统制作工艺。新会陈皮为上品广陈皮，出现时间比陈皮、广陈皮晚，药用记载始于明清时期。《本经逢原》载有“橘皮”，曰：“苦、辛，温，无毒。产粤东新会，陈久者良。”此为新会陈皮的最早记载。该书记载了陈皮的传统炮制方法，包括蜜水制和醋拌炒用。此后，新会陈皮多并入陈皮下，仍旧没有跳出陈皮、广陈皮炮制的范围。但作为地域特色明显的新会陈皮，其产地采集加工与贮存非常讲究，其炮制工艺是广东省江门市新会区民间世代传承的传统药材炮制技艺，流程包含采摘、开皮、翻皮、晒制、陈化。新会陈皮有“三年育苗、三年挂果、三批采收、三个品种、三瓣开皮、三年晒皮、三级分皮、三年陈化、长久贮存”等特点。2021年，新会陈皮炮制技艺正式被列入第五批国家级非物质文化遗产代表性项目名录扩展项目名录。

采果时遵循“破损的果不采，阴雨天不采”的原则，挑选在国家地理标志保护范围内广东新会产区所产的茶枝柑柑果，果实以扁身油皮方为上品。选择晴天、雾水干后的天气采果，做到先熟先采、分期分批采收。采用 “一果两剪”的手法，首剪在果蒂适当部位剪下，留叶的第二剪在靠果柄2片叶处剪掉，不留叶的第二剪沿果蒂平齐剪掉。这样的采果技艺不仅可以保证柑果带蒂完整，还不影响柑树的生长发育。

新会陈皮制作技艺中的刀以“对称二刀”和“正三刀”为正统。该制作技艺要求开皮者开出来的柑皮，三瓣分明，片张完整，开皮时果肉不能破损，避免果汁沾到柑皮，影响柑皮日后的陈化。

（4）莞香制作技艺。2014年传统香制作技艺（莞香制作技艺）被列入第四批国家级非物质文化遗产代表性项目名录。

莞香的基原树种是土沉香，别名白木香、女儿香。因东莞所产最有名，故称“莞香”。莞香于唐代由国外传入，宋代时广东各地普遍种植其基原树种，尤以莞邑为盛，明代时已闻名于世。成书于明代的《鸡翅岭村汤氏族谱》记载：“女儿香名，其种异于他处，故九州之远，京师之人，无不以为天下第一香也。”早在明代（1673年），东莞就已经形成了莞香收购、加工、交易的产业链。大岭山、大朗、寮步、茶山等圩市为莞香主要集散地，来自莞城、寮步、石龙等地的香贩云集于此，采购莞香，再将之贩卖到广州、香港等地，甚至销售到东南亚一带，每年的莞香销售量可达三四万斤。当时东莞的香市与广州的花市、罗浮的药市、合浦的珠市并称“广东四大市”。清代时莞香作为贡品进入宫廷，据《贡摺》和《贡档》记载，东莞进香始于雍正六年（1728年），止于乾隆五十九年（1794年），共记载了10批次。

《广东新语·莞香》记载：“香在地而不在种，非其地则香种变。”一般莞香的基原树种树龄7~8年后，每年12月以凿、锯、刀等工具，使用刀砍法、凿洞法、分边法、撕皮法、平锯法、斜锯法、深埋法、虫咬法、混合法等在树干合适部位进行人为损伤，以利于益生真菌入侵、感染和繁殖，与伤口薄壁组织细胞贮存的淀粉酵化形成香脂，结出莞香。再通过防晒、控温、保湿等传统古法营造一个有利于结香的小环境，令产出的香源品质更佳。

现代莞香制作工艺传承人黄欧注重实践与理论的结合，在传承家族传统制香工艺的基础上，潜心钻研《广东新语》《香乘》等书籍，不断完善莞香在种、采、结等工序细节方面的技艺，逐渐形成了成熟的莞香传统制作技艺，并总结出“辨土法”“饥饿种植法”“天然结香法”“传统加工技艺”等莞香制作经验。

2. 岭南骨伤科流派

岭南骨伤科源于著名医家葛洪，深受其学术思想的影响，后经唐代、宋代、明代、清代的不断发展，加上清末民初的中西医融会贯通，不断充实、发展。

（1）西关正骨。作为岭南骨伤科典型代表的广州“西关正骨”是富有地方特色的传统正骨流派，历史悠久，发展至今具有了一套独特的理论体系和完整的治疗原则及方法。2009年，“西关正骨”被列入《广东省第三批省级非物质文化遗产名录项目》。在正骨治疗时，传统中医会挑选岭南本土中药材（如两面针、路路通、透骨消、毛麝香、过江龙等）进行施治。岭南中药材与岭南骨伤科的结合，历经了从先民的自发使用、喜爱使用，到前辈医家总结应用、广泛应用，到岭南骨伤科名家辨证应用、善于应用3个阶段，而这也正好对应了岭南骨伤科萌芽、发展、壮大的3个阶段。

（2）正骨十四法。广东省名老中医、全国老中医药专家学术经验继承工作指导老师陈基长教授，善用犁头草内服外洗治疗急性化脓性骨关节感染。师承清代李氏伤科的陈渭良教授运用现代医学解剖和生物力学理论，创造性地对李广海正骨手法进行了归纳和总结，创造了现代科学和传统特色相结合、有浓厚佛山伤科基调的“正骨十四法”，弥补了传统“正骨八法”的不足。

3. 陈氏飞针疗法

全国老中医药专家学术经验继承工作指导老师、全国名老中医、广东省中医院针灸科学术带头人陈全新教授用60余年临床经验总结出了一种快速旋转进针法，称为陈氏飞针疗法。其特色进针操作方法为刺手拇指、示指、中指指腹夹持针柄，拇指内收，示指、中指同步外展，将针快速转动起来，并借助肘关节内收内旋摆动，通过腕力将针刺入皮下。陈氏飞针疗法是一种无痛（少痛）进针法，2015年被列入广东省非物质文化遗产名录；2021年被列入第五批国家级非物质文化遗产代表性项目名录扩展项目名录。陈氏飞针疗法对颈椎病、腰椎病、面瘫日久、中风后遗症、失眠、焦虑症、抑郁症等有明显疗效。

4. 罗氏妇科

岭南罗氏妇科发源于清末广府地区，至今已传承四代，流传百年。岭南罗氏妇科诊法先后被列入广州市、广东省非物质文化遗产保护名录。岭南罗氏妇科认为妇科诊法首重望诊，尤以望神、望形、望色、望舌、望经带为要，以辨阴阳、虚实、寒热，察痰湿、瘀血。基于望诊的经验，结合岭南人群 “阴虚质、湿热质为主，气虚质常见，夹痰湿之象明显”的体质特点，岭南罗氏妇科辨治注重平调阴阳，攻补兼施，寒热并用。在遣方用药上，岭南罗氏妇科善用南药（如五指毛桃、牛大力、千斤拔、巴戟天、岗稔、地稔等补而不燥、滋而不腻之品）愈妇人。如针对崩漏之暴崩

下血与漏下不止，在暴崩之际，用二稔汤固气摄血，即以岗稔、地稔两味岭南草药为君，并重用，以补气固摄止血，补而不燥。罗元恺教授治疗子宫肌瘤的桔荔散结片（验方）和治疗子宫内膜异位症的罗氏内异方（验方），在广州中医药大学第一附属医院使用逾 20 年，价廉效佳，二方均使用南药荔枝核、橘核等行气散结。近年来，罗颂平教授吸取岭南医学用药精粹，结合妇科疾病往往需要长期用药的特点，选用广东德庆巴戟天、五指毛桃等南药，配伍岭南特有之广藿香、广陈皮、化州橘红等化湿、理气、祛痰药材，创制了岭南妇科四季膏方。该方补而不燥，滋而不腻，攻补兼施，每料仅用 2 ~ 3 周，价格不贵，常年可用。

八、广东省中药资源产业概述

（一）野生中药资源现状

广东省第四次中药资源普查发现植物药资源 3 443 种，有蕴藏量的种类有 330 种，总体野生资源蕴藏量减少，濒危品种增加。多年来，由于长期盲目的大量采挖，加上乱砍滥伐、垦荒和滥用农药等，中药资源遭到严重破坏，有的品种已处于濒危状态，产需矛盾不断加大。骨伤科常用的牛大力，既往在广东省的野生资源非常丰富，广东省第三次中药资源普查的数据显示，野生牛大力年产量超过 100 t，而如今野生植株一苗难求。野生山银花（华南忍冬、红腺忍冬、皱叶忍冬等）过去年产量达 185 t，现在年产量不及 1 t。连山黄精、连山玉竹 1980 年收购量超 5 t，而近年来年收购量不及 1 t。许多林地和果园滥用除草剂，使野生中药资源受到明显的影响，如过去常见的华南龙胆、独脚金、走马胎、金线兰、毛唇芋兰、广防己、虎舌红、红大戟、绶草、穗花蛇菰、红冬蛇菰、蛇足石杉等现在难觅踪迹，已成为渐危药用资源。

（二）人工栽培中药材生产概况

广东省是我国南药的主产区，岭南药材的栽培历史悠久，目前广东省传统中药材种植面积约 330 万亩，且种植面积逐年增加，中药材种植品种 185 种（占全国中药材种植品种总数的 20%。主要包括广藿香、穿心莲、肉桂、广郁金、广佛手、何首乌、阳春砂仁、益智、高良姜、巴戟天、化橘红、山柰、沉香、广陈皮、钩藤、鸡血藤、千斤拔、牛大力、鸡骨草、姜黄、芡实、黄精、山药、甘葛等），出口道地药材 40 多种。此外，广东省在阳春砂仁、巴戟天、广陈皮、广藿香、高良姜、化橘红、穿心莲等的种植及加工方面具有悠久的历史与独到的经验，所产药材品质优异，久负盛名。

丰富的资源优势，促进广东省中药材生产迅速发展，省内通过产、学、研合作建立的中药材规范化种植基地已有 40 多个，为全国各地提供了大量优质中药原料。种植规模超过万亩的道地药材有沉香、肉桂、高良姜、穿心莲、广藿香、广金钱草、益智、阳春砂仁、山柰、檀香、降香（降香黄檀）、牛大力、化橘红、广陈皮（茶枝柑）、龙眼、何首乌、巴戟天、广佛手、凉粉草、广山药、芡实、青果（橄榄）、梅、枇杷等20多种。种植规模在万亩以下的南药有60多种，主要包括千斤拔、海南砂仁、九里香（千里香）、细叶榕、猴耳环、铁皮石斛、栀子、溪黄草、莪术、姜黄、草豆蔻、红豆蔻、白术、山银花（华南忍冬）、救必应、女贞子、甘葛、黄精、紫苏、灵芝、苏木、儿茶、魔芋、鸦胆子、青蒿（黄花蒿）、辣木、鸡蛋花、裸花紫珠、木豆、鱼腥草、虎杖等。（图1-3-8～图1-3-12）

广东省第四次中药资源普查发现，粤东、粤西地区过去种植的泽泻、地黄、桔梗、白术等传

图1-3-8　雷州市穿心莲种植基地

图1-3-9　雷州市广藿香种植基地

图 1-3-10 连州市玉竹种植基地

图 1-3-11 徐闻县高良姜种植基地

图 1-3-12 遂溪县广藿香种苗繁育基地

统药材，现已无种植。揭阳市、汕头市等地还有种植规模较大的果药两用品种（如青梅、橄榄、佛手、陈皮、余甘子等）和木本药材种植品种（主要包括沉香、檀香、降香、枳壳等）。除此以外，揭西县、普宁市、澄海区等地种植了一定规模的白木香及从缅甸、泰国引进的厚叶沉香。惠州市、潮汕地区白木香（国产沉香）的种植面积据初步统计已将近 10 万亩，揭阳市、汕头市等地从国外引进的沉香属其他沉香树种的累计种植面积约有 6 000 亩。此外，饶平县、蕉岭县、阳东区等地溪黄草、铁皮石斛（含大棚种植和仿野生种植）、凉粉草、黑老虎的种植面积也有 20 000 多亩，这些地区均以企业原料基地模式种植药材，并与省内多家科研机构和高校合作，构建起从种苗繁育、栽培管理、采收加工到产品研发的产业链。

近年来，国家相关部门不断加大对中药材种植产业的扶持力度，广东省加大对省内岭南中药材的保护力度，设立了广东省岭南中药材保护专项资金，大大推动了全省中药材的保护和生产。在道地药材品牌保护方面，截至 2023 年，广东省获得国家知识产权局批准实施地理标志保护的中药材种类共有 20 种，如阳春砂仁、新会陈皮、化州橘红、始兴石斛、连州溪黄草等。

（三）中药材市场流通情况

广东省中药材交易量巨大，拥有两个重要的专业药材交易市场——广州清平中药材专业市场和普宁中药材专业市场。全国各地的药材均在此批发、零售。这两个中药材市场有着悠久的经营历史，近年来，更成为居全国前列的中医药商品销售市场，药材销售量一直占全国的 10%。此外广东省各县（自治县、县级市、市辖区）还有许多交易鲜草药和中药材的农贸集市，如粤西的阳春重阳中草药集市、电白那霍的鲜草药天光墟、电白水东草药一条街、湛江赤坎南华市场的鲜草药街、阳东大八镇的鲜草药墟等，这些集市对省内民间草药和习用药的流通、交流和资源利用起到了很好的作用。

（四）广东省中药产业情况

2016 年，国家中医药管理局与国家发展和改革委员会发布了《中医药“一带一路”发展规划（2016—2020 年）》，为广东省中医药产业的健康发展指明了方向。近年来，广东省以新农业和新技术为核心，在巩固本地中药材种植面积的基础上，促进林下生态种植中药材，形成了以中药材产业化、标准化示范种植为主的第一产业，以中药材饮片、提取物精深加工为主的第二产业，以医养康养为主的第三产业，构建了“一二三”产业联动的新型产业体系。2020 年 10 月，广东省政府与国家中医药管理局、粤港澳大湾区建设领导小组办公室联合印发了《粤港澳大湾区中医药高地建设方案（2020—2025 年）》。这一系列强有力的举措，系统描绘了广东省新一轮中医药强省建设的“施工蓝图”。2022 年 3 月 29 日，国务院办公厅印发的《“十四五”中医药发展规划》，明确指出：“到 2025 年，中医药健康服务能力明显增强，中医药高质量发展政策和体系进一步完善，中医药振兴发展取得积极成效，在健康中国建设中的独特优势得到充分发挥。”为推动中药产业高质量发展，从源头处加强对中药资源和中药材的管理，广东省正在推进新一轮中医药强省建设

和粤港澳大湾区中医药高地建设。

广东省政府非常重视区域内中药资源产业发展，近年来，先后出台《广东省推进中医药强省建设行动纲要（2014—2018年）》《广东省中医药健康服务发展规划（2016—2020年）》《广东省推动中药材保护和发展实施方案（2016—2020年）》系列文件。2019年3月，《广东省工业和信息化厅关于加快推进生物医药产业发展的实施意见》指出："建设岭南特色的中药材种植基地。鼓励粤东、粤西、粤北地区借助区域资源优势，开展中药材尤其岭南特色中药材种植养殖基地建设及中药饮片加工一体化，推广中药材无公害种植，加强南药深加工产业集群和中成药产业集群建设。重点建设新会陈皮、化州橘红、广藿香、肉桂、穿心莲、鸡血藤、三桠苦等岭南特色中药材，鼓励中药骨干企业在省内外发展中药材的产业化、规模化、规范化种植基地，保障重点大品种的原材料供应。提高中药材废渣等固体废物资源综合利用水平。"

据统计，2021年广东省中药工业年总产值已突破600亿元，中药消费市场规模居全国首位。据海关总署广东分署统计，2021年1—4月，全国出口中药材价值19.2亿元，广东省出口中药材价值占全国的14.4%，中药材出口规模居全国第一。2020年度我国医药工业百强系列榜单中，广东省的中药企业广州医药集团有限公司位列第一，且连续10年夺冠；华润三九医药股份有限公司位列第三。广东省有16个中药老字号，有全国最大的中成药、中药饮片、中药配方颗粒、中药破壁饮片生产企业，产业规模和竞争力均居全国前列。广东省中药饮片加工、中成药制造企业355家，产值超过10亿元的中药生产企业9家，中成药、中药饮片年产值过亿元的企业21家。广东省产值过亿元的中成药品种有30种，广州医药集团有限公司为全国最大的中成药生产企业。

广东省中医药强省建设成果显著，不但与政府政策有关，更与广东省浓厚的中医药氛围、极富地域特色的南药资源和产品有关。南药是中医药的重要分支，以独特的地区特色和治疗优势在海内外享有盛誉。广东省在南药资源研究开发领域具有深厚的研究经验和良好的产业化基础，在"振兴大南药"发展战略的指引下，将我国岭南以及东南亚地区甚至非洲的一些植物药资源都纳入进来，通过对药材资源科学合理地开发利用，形成从中药材种植到中医药科研、生产、销售及临床应用等一系列科学协调的"大南药"发展体系。广东省为南药的主要生产地和集散地，因此提高南药品质，将会极大地提升广东省中医药强省建设水平。

2021年12月，广东省卫生健康委员会、广东省中医药局印发了《广东省中医药发展"十四五"规划》，该规划在广东省中医药服务体系、公共卫生应急能力、继承与创新能力、人才队伍建设、中医药文化建设、健康产业支撑保障、海外发展等领域发展的基础上，提出要建成国家中医药综合改革示范区，推进新一轮中医药强省建设和粤港澳大湾区中医药高地建设，建设优质高效中医药服务体系，推动中医药文化繁荣发展，加快中医药开放发展，深化中医药领域改革以及强化中医药发展支撑保障。

广东省高度重视中药农业，将中草药产业作为农业农村经济新的增长点进行培育，这将有效促进中医药事业的发展。广东省中药资源种类多、分布广、产量大，道地药材久负盛名。全省森林面积 1.58 亿亩，森林覆盖率 58.74%，有较好的中药材产业发展需要的林业资源优势。2022 年 8 月，广东省林业局印发《广东省林草中药材产业发展指南》，该指南指出要以林草中药材生态培育为核心，突出大宗和特色岭南中药材规范化生产基地建设，形成产业链完整、质量生产全程可控的广东林草中药材产业综合发展体系，筑牢有广东特色的林草中药材保护与发展的资源优势和产业基础，实现广东林草中药材生产规范化、产业化和现代化。2023 年 6 月，为贯彻落实国务院办公厅《中医药振兴发展重大工程实施方案》，有序推进《中药材生产质量管理规范》（中药材 GAP）实施，推动中药材规范化生产，从源头提升中药质量，促进中药传承创新和高质量发展，国家药品监督管理局决定在安徽、广东、四川、甘肃四省开展中药材 GAP 监督实施示范建设工作，并下发了《< 中药材生产质量管理规范 > 监督实施示范建设方案》。这些政策和措施将大大推动广东省中药材产业的高速发展。

广东省目前有近 200 家中药饮片生产加工企业，其中规模较大的康美药业股份有限公司生产中药饮片 1 100 多种，年产量超 10 000 t；广州白云山医药集团股份有限公司生产中药饮片 450 多种，年产量超过 2 500 t；广州至信药业股份有限公司生产中药饮片 650 多种，年产量超 4 200 t；广东大翔药业有限公司生产中药饮片 800 多种，年产量超 1 400 t；广东岭南制药有限公司生产中药饮片 700 多种，年产量超 3 000 t。这些中药企业在全国道地药材主产区均建立了各自的中药原料规范化生产基地。华润三九医药股份有限公司除了在全国建立中药原料生产基地以外，还在广东省云浮市云城区建有省级中药材种子种苗繁育示范基地。2020 年，广东省委、省政府把大力推进现代农业产业园建设作为实施乡村振兴战略、推动产业兴旺的重要抓手，在全省建设 12 个省级现代南药产业园。粤北地区的韶关、梅州、清远、河源、云浮五市依托当地丰富的山地、林地资源和药用植物资源，大力发展中药材产业，推动南药种植、南药加工、中医药文化旅游等“一二三”产业融合发展，带动地区经济长效发展。

广东省中药资源发展存在的问题与建议

一、广东省中药资源发展存在的问题

中药材产业是中医药产业的基础产业，虽然广东省在中药材产业发展过程中已积累了一定的经验，但广东省仍然存在制约中药产业发展的影响因素，主要表现如下。

（一）野生中药资源保护意识淡薄

广东省是南药传统道地药材的主产区，也是中药资源非常丰富的区域。广东省有药用植物资源 3 443 种，但栽培药材只有 185 种，不足 10%。规模化、产业化种植的药材品种有 20 多种，而能达到收购规模的野生药材种类不足 200 种。长期以来，人们认为资源丰富的区域有取之不尽、用之不竭的资源，意识不到保护资源的重要性，往往是在野生资源受到严重破坏后，才采取补救措施。人类的活动破坏了原有的自然生态环境和资源分布，导致有经济价值的药用植物资源短缺，有的甚至濒临灭绝。广东省城镇化建设发展迅速，土地资源逐步减少。除了经济用林、果林和养殖用地的扩展使自然植被破坏较大以外，无节制使用农药、除草剂以及乱采滥挖野生中药资源，也使广东省原有的生态环境受到严重的破坏，因此许多中药资源急剧减少，甚至处于濒危或灭绝状态，过去常见的一些物种现在难觅踪影。

（二）中药材产业缺乏统筹规划

从中药材生产由计划经济向市场经济转变以来，栽培药材品种一直随市场价格波动而自然调节，不受政府部门管理，亦没有专门的科技部门提供技术支撑。这可能会导致同一周期某些品种产能过量，供过于求，价格起伏波动大，而打击药农的生产积极性。当前，广东省中药材种植虽然品种多，但整体规模偏小，仍以一家一户零散式种植和小型基地为主，千亩规模以上的集约化连片种植基地较少，未形成中药材产业规模效益。从整体上来说，广东省的中草药种植缺乏科学规划，种植品种和模式单一，缺乏专业技术，病虫害严重，存在环境污染问题，缺乏产业化经营，中药材种植、加工、销售缺乏统一管理和协作，导致广东省中药材产业抵御市场风险能力差，社会经济效应低，有效市场竞争力缺乏，难以达到规范化、规模化效应。

政府没能充分引导利用土地资源和林下闲置资源开展规范化中药材种植，没能让药农充分了解中药材品种相关知识，没能充分利用地域中药资源优势实现农业增效、农民增收。

政府未充分引导药农与大型医药制造企业、中药材集散地、全国著名的中药材物流中心建立充分的业务联系。药农对种植中药材品种的选择、种苗的选择多以市场为导向，有很大的盲目性；多以传统的农耕技术为参照种植中药材，多零散种植中药材，并自产自销，无法与市场大客户建立联系。

（三）中药材生产质量管理不到位

一直以来，现行的管理体制对中药材生产的管理是缺失的。中药材生产存在主体管理不明确、监督乏力、责任不清等问题，对中药产品进行管理的部门很多，但没有一个对中药材的生产进行管理和规划的专门部门。在这样的一个监管盲区，许多中药材种植生产经营者，往往以短期高产为目标，盲目施肥促长，导致药材品质下降。如广东省的道地药材德庆何首乌以质优而享誉中外，产区一般应该种植 3 ~ 4 年才能采收，但是部分产区大规模引种后，为了短期高产，违反药材生长特性，使用各种手段促生，使本来需要生长 3 ~ 4 年方能采收的药材，9 个月就可采收。这种何首乌质量明显较差，有效成分含量低。广东省其他道地产区所产何首乌的声誉也受到牵连。

（四）中药材市场流通信息不对称

长期以来，广东省中药材生产仍以个体农户为主，生产经营方式较粗放。中药材产业信息滞后，中药材生产各个环节尚未形成有机对接、尚未形成相互促进和利益互补机制，药农难以把握市场信息，导致生产和销售脱节、生产大起大落的现象比较普遍。此外，中药材流通环节掺杂使假现象严重，囤积居奇、恶意炒作现象屡屡出现，市场信息扭曲失真，中药材生产与需求的协调、稳定发展受到严重威胁。随着中药材市场的日渐成熟，市场需要更多优质的道地中药材供给与需求信息，由于市场信息的不对称性，个体中药材种植户无法掌握瞬息万变的市场价格以及市场对中药材的需求，这对药材种植产生了一定的影响。

（五）中药材生产专业技术人才匮乏

广东省第四次中药资源普查的结果显示，目前广东省大部分地区中药材种植生产还停留于小农经济的水平上，大部分中药材种植是在小块土地上进行的，生产力水平低，抵抗自然灾害和市场变化的能力弱。部分品种虽然有 GAP 基地，但与常规农作物相比，在育种和栽培等方面还相对落后，严重影响中药材质量和产量的稳定性。农村基层专业从事育苗、栽培、加工的技术人才极其短缺（主要表现在县乡农业技术推广体系中的中药材专业人员严重缺乏），这在很大程度上制约着中药材产业的发展。由于缺乏专业技术人员的指导，药农对药材生产和管理的认知还停留在一般农作物的栽培管理上，大多数药农对药材质量的把控意识淡薄，经营管理方式粗放，种植连作现象严重，种植基地科技含量低。药农因长期受到传统中药材种植和市场价格等因素的影响，重产量不重品质，导致中药材质量无法达到药厂生产的需求。

二、广东省中药材产业发展方向建议

（一）政府需做好区域内中药资源保护和可持续利用规划

中药资源及其相关产业属于自然资源依赖型产业，涉及资源、生态、技术、生产、市场等各方面，中药资源的可持续发展对整个产业链的健康发展具有特别重要的意义。因此，政府要做好引导工作，制订中长期发展规划，不断加强中药资源警示教育，树立科学资源观，确保中药资源流转的动态平衡与可持续发展。在分析影响药用植物资源可持续发展因素的基础上，政府要让人们关注中药资源的保护，认识到资源的有限性、危机性，做好合理开发、可持续利用中药资源。建议建立中药资源自然保护区，在保护的基础上，适当地采取抚育、轮采、封山育林等措施，有序地保护好野生药用植物资源。

通过建立广东省特色南药、道地药材规范化生产示范基地、半野生药材生产示范基地和野生中药资源保护区等，发展现代中药原料科技产业，形成战略资源的后发优势。此外，鼓励建立生态中药产业发展模式，用生态平衡的自然规律和经济规律全面指导中药资源的可持续发展。建立农业与药业相结合、林业与药业相结合、养殖业与药业相结合等复合模式，把中药资源与整个生态系统、经济系统联系起来，使中药资源与中药产业协同发展，统筹规划，促进中药资源种、产、销行业的协调发展。

（二）加强对中药材种子种苗生产的监管

目前，广东省没有专门的中药材种源生产的监督机构，全省种植的中药材大部分未经人工选育，种质良莠不齐，个别品种虽然有种子种苗繁育基地，但并未进行过规范、系统的选育，大部分中药材种苗为农户自行留种繁育，同一种类的种苗存在野生种、栽培种、生态型、地方品种等相互混杂的现象，种苗质量差异很大。因此，应加强对中药材种源的监管，成立专门的中药材种子种苗鉴定和认定机构，建立良种筛选、优良种苗繁育基地，在确保种源纯正的基础上，发展和繁育适宜本地区种植的优良品种，为中药材生产企业和药农提供优质的中药材种子种苗，确保中药材种植生产的良性发展。

（三）加强对中药资源专业技术人才的培养

广东省第四次中药资源普查表明，中药材生产的源头需要大批量专业技术人才。为适应现代中药资源产业发展的需要，依据《广东省岭南中药材保护条例》的相关规定，广东省应建立中药材生产的基层专业人才培养机制，通过开展相关专业培训以及组织各行业专家不定期巡回指导等形式，为广东省各地培养中药资源保护及中药材规范化栽培与育种、优良基因利用、繁育种植、采收加工、鉴定技术、质量控制和信息服务等方面的专业人才，促进广东省中药资源保护事业的发展。

（四）加强对中药材种植生产关键技术的研究

广东省是我国南药的主要产区，在岭南道地药材的种植生产和采收加工方面积累了丰富的经验，但是，大部分中药材的生产技术及管理与经济作物和农作物的生产技术及管理相比还相差甚远，因此应针对中药材种植生产过程中出现的种质、种植密度、病虫害防治、采收时间、

加工方式等一系列问题进行研究，加大对生产各个环节关键技术和应用的基础研究，制定特色南药及道地药材选种育苗、种植生产、采收加工等的技术标准和规范，解决中药材实际生产中的技术难点。

（五）建立全省中药材质量动态监测与服务体系

在第四次全国中药资源普查试点工作成果和国家基本药物中药原料资源动态监测和信息服务体系建设的基础上，制定广东省特色南药的质量标准，评价主要野生转家种药材的质量，建立和完善中药材种植（养殖）、初加工、储藏和市场流通等环节的质量控制体系，保障中药材质量。整合现有的科技资源和科研成果，进一步完善广东省中药原料质量监测技术服务中心功能，及时收集、审核广东省各监测点的监测数据，及时反馈，面向社会服务，使中药资源从种植到采收加工的过程更加规范化。通过对中药材生产全过程的动态监测，解决农药残留和重金属超标问题，更好地指导生产，保证中药材质量的可控和稳定，解决大宗药材的质量控制、质量追踪、安全评价和市场准入等问题。

【参考文献】

[1] 严辉，段金廒，吴启南，等．水生耐盐中药资源合理利用研究专项江苏省普查工作取得突破性进展[J]．中国现代中药，2015，17（7）：彩页．

[2] COOK C D K. Aquatic plant book (2nd)[M]. Amsterdam: SPB Academic Publishing，1996.

[3] 赵可夫，李法曾，樊守金，等．中国的盐生植物[J]．植物学通报，1999，16（3）：201-207.

[4] 广东省食品药品监督管理局．广东省中药材标准：第1册[M]．广州：广东科技出版社，2004.

[5]《广东中药志》编辑委员会．广东中药志：第二卷[M]．广州：广东科技出版社，1996.

[6] 中国药材公司．中国中药资源[M]．北京：科学出版社，1995.

[7] 何仲坚，朱纯，冯毅敏，等．广东湿地植物资源概况[J]．广东园林，2006，28（增刊）：20-23.

[8] 王迪，李团结，谢敬谦．广东省海岛（岛礁）滨海湿地现状与保护[J]．湿地科学与管理，2018，14（3）：34-37.

[9] 唐春艳，张奎汉，白晶晶，等．广东省滨海乡土耐盐植物资源及园林应用研究[J]．广东园林，2016，38（2）：43-47.

[10] 屈明，胡喻华．广东省湿地资源利用现状与可持续发展对策探讨[J]．中南林业调查规划，2015，34（4）：18-21.

[11] 黄顺龙．滨海地区耐盐绿化植物选择与具体应用分析[J]．住宅与房地产，2021（33）：33-34.

[12] 黄璐琦．中药区划专题编者按[J]．中国中药杂志，2016，41（17）：3113-3114.

中篇

广东省道地、大宗中药资源……

芸香科 Rutaceae 蜜茱萸属 *Melicope*

三椏苦 *Melicope pteleifolia* (Champion ex Bentham) T. G. Hartley

| 凭证标本号 | 440883180721212LY、440923140901004LY、441224180330015LY。

| 药 材 名 | 三叉苦（药用部位：茎、带叶嫩枝。别名：三丫苦）。

| 植物形态 | 乔木。树皮灰白色或灰绿色，光滑，纵向浅裂；嫩枝节部常呈压扁状，小枝髓部大，枝叶无毛。小叶 3，偶 2 或 1，长椭圆形，两端尖，有时倒卵状椭圆形，长 4 ~ 20 cm，宽 1 ~ 8 cm，全缘，油点多；小叶柄甚短，基部稍增粗。花序腋生，稀顶生，长 4 ~ 12 cm；花甚多；萼片 4，细小，长约 0.5 mm；花瓣 4，淡黄色或白色，长 1.5 ~ 2 mm，常有透明油点，干后油点变暗褐色至褐黑色；雄花的退化雌蕊呈细垫状凸起，密被白色短毛；雌花的退化雄蕊有花药而无花粉，花柱与子房等长或较子房略短，柱头头状。分果瓣淡黄色或茶褐色，散生肉眼可见的透明油点，每分果瓣有 1 种子；种子长 3 ~ 4 mm，直径 2 ~ 3 mm，蓝黑色，有光泽。花期 4 ~ 6 月，果期 7 ~ 10 月。

三椏苦

三椏苦叶片

三桠苦花

三桠苦果实

野生资源

一、生态环境

生于海拔 1 902 m 以下的山地、较背阴的山谷湿润处、阳坡灌丛中。

二、分布区域

分布于广东揭阳、河源、惠州、肇庆、云浮、茂名、阳江、梅州、深圳、广州等。

三、蕴藏量

广东地区常见，蕴藏量约为 14 万 t，主要分布在国有林场等保护地区。随着经济发展，山林植被整体破坏严重，国有林场开始封山育林，实行地区保护，现阶段可采的资源数量十分有限，2010 年开始扩大人工种植面积，近几年累计种植面积数万亩。

栽培资源

一、生长环境

幼苗较耐阴，成年植株喜光，不耐阴；喜温暖，耐高温，适宜温度 25 ~ 30 ℃，不耐严寒，怕霜冻，幼苗或幼龄植株的嫩枝叶易冻伤；喜湿润，稍耐旱，不耐涝。适宜于山地、丘陵、旱地等地势高、不积水潮湿的地形地势，要求土层深厚、肥沃疏松、有机质丰富的土壤。雨热同期、光照充足、土壤肥沃有利于植株健壮生长以及生物量的积累。

二、栽培区域

种植基地宜位于广东中南部、北纬 21° ~ 23.5° 的亚热带季风气候区。该地区终年高温，年平均气温在 22 ℃以上，夏季盛行西南季风，降水丰沛，大部分地区年降水量达 1 500 mm 以上，海拔较低，地形主要是低山、丘陵，土壤以黄红壤土、砖红壤土为主。目前，栽培区域主要集中在广东揭阳、河源、惠州、肇庆、云浮、茂名、阳江等地。

三桠苦 GAP 基地

三、栽培要点

人工栽培采取育苗移栽的种植方式。10 月种子成熟后采摘，可随采随播，亦可沙藏或低温层积至翌年春、夏季播种，在大棚内用基质作苗床，每平方米播种量 100 ~ 200 g，保温保湿约 1 个半月即可出苗。幼苗期适当降低苗床湿度，预防疫病、立枯病等，适当喷施杀菌剂和叶面肥，幼苗生长至高约 10 cm 时需移栽至育苗杯中，培育营养袋苗，苗生长至高 40 cm 时即可炼苗，准备出圃。

选择山地建设种植基地，提前清杂、整地、开穴，施基肥 1 kg 并回土，于冬、春季种苗移栽，密度以每亩 400 株为宜。幼苗成活抽芽后及时除草、追施复合肥，以促进根系和枝叶快速生长，有利于提早封行、抵抗杂草。根据植株的生长情况、土壤肥力等，每年追施肥料 2 ~ 3 次，保证生长期充足的营养供应，在提升产量的同时，有利于预防病虫草害，提高药材质量。

四、面积与产量

据统计，广东三椏苦种植面积约 19 500 亩，年产干药材总量约 5 000 t。种植区域分布情况见表 2-1-1。

表 2-1-1　广东三椏苦种植区域分布情况

区域	面积／亩	区域	面积／亩
普宁	500 ～ 2 000	罗定	2 000 ～ 4 000
龙川	500 ～ 2 000	高州	2 000 ～ 4 000
东源	500 ～ 2 000	电白	500 ～ 2 000
紫金	2 000 ～ 4 000	阳西	500 ～ 2 000
英德	1 ～ 500	台山	500 ～ 2 000
云城	2 000 ～ 4 000		

| 采收加工 |

采收时间：选择 8 ～ 12 月晴天少雨的秋、冬季采收，防止霉变导致质量下降。

加工方式：趁鲜及时加工，主茎切厚片，枝叶切段，干燥至水分≤ 13%，防止堆放时间过长导致茎和枝叶发黑、霉变。

| 药材性状 |

本品呈不规则段状或片状。茎直径 1 ～ 10 cm，表面灰棕色至棕褐色，有密集的淡褐色皮孔，或间有白色皮斑；质坚硬，切面皮部薄，灰棕色，易脱落，木部黄白色，有数个同心环纹，中央有极小的髓。嫩枝略呈方柱形，灰绿色或绿褐色；质硬而脆，易折断，断面中央有白色的髓；味苦。三出掌状复叶对生，具长柄；小叶多皱缩，完整叶片展平后呈长圆形，长 6 ～ 20 cm，宽 2 ～ 8 cm，先端渐尖或急尖，基部渐窄，下延成小叶柄，全缘或呈不规则微波状，上表面黄绿色，光滑，可见小油点，下表面颜色较浅；纸质，揉之有香气；味极苦。

三叉苦药材

| 功能主治 | 清热解毒，行气止痛，燥湿止痒。用于热病高热不退，咽喉肿痛，热毒疮肿，风湿痹痛，湿火骨痛，胃痛，跌打肿痛，湿热疮疹，皮肤瘙痒，痔疮。

| 用法用量 | 内服煎汤，15 ～ 30 g。外用适量，捣敷；或煎汤洗。

| 附　　注 | 一、本草记述

三叉苦最早记载于近代的岭南本草著作《山草药指南》中，该书记载："三椏苦，味苦，性寒，清热毒，凡跌打发热作痛，煎水服即止。"《岭南草药志》记载了三椏苦的药用部位与气味性能："根皮、叶。嗅无，味苦，性寒。能清热毒，退大热，为湿火骨痛常用著效药。"《广东省中药材标准》（第一册）记载："为两广地区民间常用中草药，除作为清热解毒、行气止痛药用外，尚作凉茶配方。"

二、市场信息

三叉苦作为岭南地区的民间用药，被列入文献记载的时间比较迟且记载较少。据统计，以三叉苦为原料的中成药有 30 多种，其中感冒灵颗粒、三九胃泰颗粒中含量较高。三叉苦年需求量达数万吨，主要来源于野生资源。近年来，对三叉苦的需求量呈逐年增长的趋势，价格稳定在 3 ～ 5 元/kg。

三、濒危情况、资源利用和可持续发展

三椏苦在广东多地均有分布，自 20 世纪 80 年代开始，经过 40 多年的高强度采挖，野生资源日渐枯竭，已极难见到胸径 20 cm 以上的三椏苦大树，目前的资源为近 20 至 30 年原生林被砍伐后发育生长起来的次生林。近年来，随着经济的发展，次生林再次遭到不断破坏，使得资源日渐枯竭，据估计，目前干药材蕴藏量中可以开发利用的不足 50%。

目前，三叉苦已经在三九胃泰颗粒、感冒灵颗粒、三金片等 30 多种成方制剂中得到广泛应用。同时，三叉苦也是常用的药食同源品种之一，具有较高的食用价值，为广东凉茶的重要原料。在中国、越南、老挝、柬埔寨等国家均被用作清热解毒剂。

三椏苦生长速度较快，砍伐后 5 年可以恢复为可采收的成株，幼苗 7 年可以发育为可采收的成株，具有良好的更新能力。采收时仅砍伐地上部分，保留根部，为资源的更新和持续利用奠定了基础。为应对野生资源日益枯竭的问题，目前广东已开展野生转家种的研究工作，并在广东多地建立了良种繁育基地、GAP 基地，保证药材可持续利用。

参考文献

[1] 黄成就．中国植物志：第四十三卷[M]．北京：科学出版社，1997．

[2] 广东省药品监督管理局．广东省中药材标准：第三册[M]．广州：广东科技出版社，2018．

[3] 胡真．山草药指南[M]．广州：广东科技出版社，2009．

[4] 广东省中医药研究所，华南植物研究所．岭南草药志[M]．上海：上海科学技术出版社，1961．

[5] 广东省食品药品监督管理局．广东省中药材标准：第一册[M]．广州：广东科技出版社，2004．

[6] 罗辉，麦扬，钟天恒，等．三九胃泰方抗胃溃疡有效部位的研究[J]．中国实验方剂学杂志，2013，19(12)：215-218．

（马 庆 曾 烨）

钜蚓科 Megascolecidae 环毛蚓属 *Pheretima*

参环毛蚓 *Pheretima aspergillum* (E. Perrier)

| 凭证标本号 | 441900231126002LY。

| 药 材 名 | 广地龙（药用部位：全体。别名：地龙）。

| 动物形态 | 体长 115 ~ 375 mm，宽 6 ~ 12 mm，具 118 ~ 150 节，体前端背面呈紫灰色，后部色稍浅。背孔始于第 11 ~ 12 节节间。环带（生殖带）位于第 14 ~ 16 节，无刚毛。环带前端的刚毛粗而硬，末端的刚毛发黑，背、腹面刚毛的距离均较宽。雄生殖孔 1 对，位于第 18 节腹面两侧的小突起上，外缘有环绕的浅皮褶，雄生殖孔内侧刚毛圈前后各有 10 ~ 20 小乳突，排成 1 ~ 2 横列。受精囊孔 2 对，位于腹侧 7/8 和 8/9 节间沟内的 1 椭圆形突起上，孔内侧的节间沟前后有约 10 小乳突，排成 1 ~ 2 横列，距离孔较远处无此类乳突。盲肠简单，或腹侧有齿状小囊。

参环毛蚓

| 野生资源 |

一、生态环境

参环毛蚓为穴居性动物，忌光，喜欢温暖、潮湿和安静的生活环境，一年四季都生活在土表以下 0 ~ 40 cm 处，越往下越少，且随季节变化上下移动，春、秋季多集中在土表以下 20 cm 处，夏、冬季则集中于土表以下 15 ~ 30 cm 处。常见于土壤肥沃的庭院、菜园、耕地或沟、河、塘、渠道旁以及食堂附近的下水道边、垃圾堆、水缸下等。活动温度为 5 ~ 30 ℃，生长繁殖适宜温度为 15 ~ 25 ℃，0 ~ 5 ℃时停止生长发育，进入休眠状态，在 0 ℃以下或 40 ℃以上的环境中常死亡。土壤湿度一般要求在 40% ~ 60%，以手握土壤指缝见水而不流下为好，空气相对湿度要求在 60% ~ 80%，土壤干旱时，参环毛蚓则潜入土壤深层，较少到地表活动。在长时间干燥的环境中，参环毛蚓体内水分将大量散失而危及生命，但湿度太大也不利于其呼吸。

二、分布区域

广东各地均有分布，相对集中在珠江三角洲的广州（番禺）、佛山（南海、顺德）、江门（鹤山）、肇庆（高要）、惠州（惠东、惠阳、龙门、博罗），广东西部的茂名、湛江、阳江，广东北部的河源、梅州（兴宁）及韶关等近河边的地方。

三、蕴藏量

广东参环毛蚓野生资源蕴藏量为 1 000 t，广东西部地区年产量为 50 ~ 60 t。

| 养殖资源 |

一、生长环境

参环毛蚓喜居于潮湿、疏松而富有腐殖质的泥土中，在 pH 6 ~ 7.5 的砂壤土中数量较多，最怕接近盐、碱性土壤或盐、碱性水源。土壤的上层常有大量富含有机质的落叶、枯草、植物根茎、叶以及腐烂的瓜果、动物粪便等。

二、养殖现状

近年来，由于市场和临床需求量的增加，广东各地开始自发性地尝试人工养殖参环毛蚓。广东东部的梅州（蕉岭），广东西部的茂名（高州、电白）、阳江、湛江（赤坎、雷州），广东北部的云浮（云城）、清远（清新、英德、阳山），珠江三角洲的肇庆（怀集、广宁）、惠州、佛山（三水）等地的农户或企业，利用闲置的耕地进行试养，但现阶段参环毛蚓养殖仍处于野生转家养的探索过程中，尚未形成大规模的养殖体系和稳定、规范的养殖技术。

广东清远参环毛蚓养殖基地

广东湛江参环毛蚓养殖基地

广东清远英德参环毛蚓养殖基地

三、养殖要点

参环毛蚓对外界环境的适应性强，只要保持一定的温度、湿度、pH、饲料量及种蚓密度即可，养殖方法有 3 种：简易养殖法、田间养殖法和工厂化养殖法。

简易养殖法：包括盆养、箱养、坑养、池养、棚养、温床养殖等，其具体做法就是在容器、坑或池中分层加入饲料和肥土，饲料、肥土的比例为 1∶1，然后投放种蚓，在养殖过程中，加强饲养管理。这种方法适用于农民和城镇居民，利用房前屋后、庭院空地以及旧容器、砖池、育苗温床等即可进行养殖。

田间养殖法：养殖地选择在排水良好、防冻、无农药污染的地方，常选用地势比较平坦、能灌能排的桑园、菜园、果园或饲料田，沿植物行间开沟槽，施入腐熟的有机肥料，上面覆土约 10 cm 厚，放入种蚓进行养殖，注意灌溉或排水，使土壤含水量保持在 30% 左右，养殖过程中，每隔 20 天左右加喂 10 ～ 15 cm 厚的饵料 1 次。冬天可在地面覆盖塑料薄膜保温，以促进参环毛蚓活动，提高其繁殖能力。

工厂化养殖法：这种方法要求有专门的场地和设施，适用于大规模生产。

| 采收加工 |

采收时间：广地龙的产新期是 4 ～ 10 月，气温超过 20 ℃、有降雨、土壤较湿润时即可采收。

电击法采收参环毛蚓

加工方式：传统的加工方法是将捕捉的参环毛蚓用草木灰、木屑或米糠拌和，除去体外黏液，用小锥将其一端钉在木板上，用手拉直，以刀或剪子将其自头至尾剖开，刮去腹内泥土，摊平，贴在竹竿、芦苇茎或其他物体上，晒干，避免阴干，防止腐败变质。若遇雨天不能晒干时，宜用铁锅加热焙干，将铁锅倒放，用柴或煤加热，将已剖开除去泥土杂质的参环毛蚓贴在铁锅四周，待受热翘起后取下，铁锅温度一般应控制在 100 ℃左右，不能过高，否则将影响其质量，及时清除黏附的杂质等残留物，并注意防止回潮，晴天时仍须彻底晒干。

现在的加工方法多是将采收的参环毛蚓直接放入开膛机中剖腹，然后用水冲洗，将开好的广地龙按条平铺于弧形网、杆上（可先在网、杆上刷油），于烘房中 50 ~ 60 ℃下烘干或烈日下晒干，亦可鲜用。

曾文星提供

曾文星提供

采收后准备加工的广地龙

晾晒中的广地龙（全开规格）

| 药材性状 | 本品为长条状薄片，弯曲，边缘略卷，长 15 ~ 20 cm，宽 1 ~ 2 cm，全体具环节，背部棕褐色至紫灰色，腹部浅黄棕色。第 14 ~ 16 环节为生殖带，习称“白颈”，较光亮。体前端稍尖，尾端钝圆，刚毛圈粗糙而硬，色稍浅。雄生殖孔位于第 18 环节腹侧刚毛圈 1 小突起上，外缘有环绕的浅皮褶，内侧刚毛圈隆起，前后两边有 1 ~ 2 横排的小乳突，每边有 10 ~ 20 小乳突。受精囊孔 2 对，位于 7/8 ~ 8/9 环节间 1 椭圆形突起上，约占节周的 5/11。体轻，略革质，不易折断。气腥，味微咸。

曾文星提供

曾文星提供

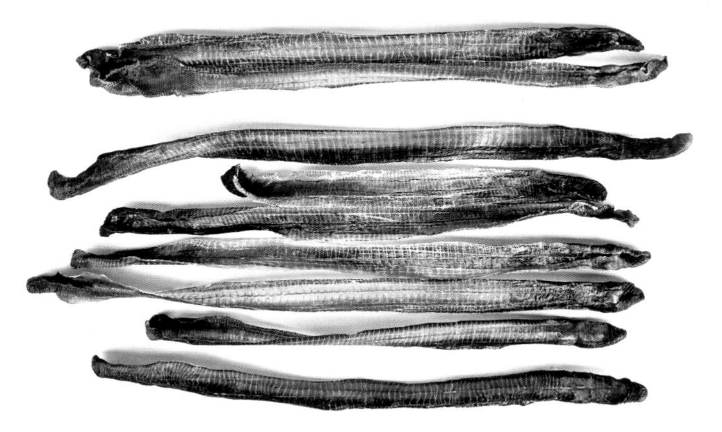

曾文星提供

广地龙药材

| 化学成分 | 本品含蛋白质、20 多种氨基酸、脂类、酶类等化学成分。酶类成分含量较高，主要包括具有溶栓作用的蚓激酶、蚯蚓纤溶酶，以及蚯蚓胶原蛋白酶、超氧化物歧化酶、胆碱酯酶、过氧化氢酶、碱性磷酸酶、酯酶、卟啉合成酶等。

此外，本品中还含有琥珀酸、次黄嘌呤、蚯蚓解热碱、蚯蚓素、地龙毒素以及丰富的微量元素，如锌、铁、钙、镁、铜、锶、硒等。

| 功能主治 | 咸，寒。归肝、脾、膀胱经。清热定惊，通络，平喘，利尿。用于高热神昏，惊痫抽搐，关节痹痛，肢体麻木，半身不遂，肺热喘咳，水肿尿少。

| 用法用量 | 内服煎汤，5 ~ 10 g；或研末，每次 1 ~ 2 g；或入丸、散剂。外用适量，鲜品捣敷；或捣汁涂敷。

| 附　　注 | 一、道地沿革

地龙原名蚯蚓，药用历史悠久，作为药物最早记载于《神农本草经》中，名为“邱蚓”。后历代本草中多有记载，但名称不尽相同，大多以蚯蚓的形态及习性命名，如“白颈螳螾、附蚓”（《吴普本草》）、“土龙”（《名医别录》）、“地龙子”（《药性论》）、“曲蟺、土蟺”（《本草纲目》）等。

“地龙”一名，最早出现于宋代《太平圣惠方》中，其名的得来可能是古人认为蚯蚓“上食膏壤，下饮黄泉，形曲似龙，又能兴云，知阴晴”。“白颈蚯蚓”一名最早出现于唐代《千金翼方》中，后被宋代《图经本草》及《经史证类备急本草》收载，并附有“蜀州白颈蚯蚓”一图，认为它“功同蚯蚓”。明代《本草原始》所载的蚯蚓药材图，清楚地画出了 2 种蚯蚓，并突出了白颈蚯蚓的特点。古代“入药用白颈，是其老者”“颈白身紫”“入药宜大”的描述，与现代参环毛蚓的形态特征较为接近。“白颈”在解剖位置上相当于参环毛蚓在性成熟后出现的指环状生殖带，此特征为该属蚯蚓所共有，因此，可以认为“白颈蚯蚓”是古人对环毛蚓属蚯蚓的统称。我国古代大部分本草只收载“白颈蚯蚓”，这表明在古代地龙的主流基原为“白颈蚯蚓”，而且古人认为“白颈蚯蚓”质量属佳的观点，也与现代广地龙质量优于土地龙的观点一致。

关于地龙的产地，历代本草记载蚯蚓“生平土”“今处处平泽膏壤地中有之。孟夏始出，仲冬蛰结。雨则先出”“穴居泉壤，各处皆有”，说明古代我国大部分地区均为地龙的产区。关于“蜀州白颈蚯蚓”的产地，据考，蜀州为唐代、宋代地名，即现在的四川崇州，说明四川在古代是“白颈蚯蚓”的主产区之一。另外，“江东谓之歌女”及“闽越山蛮啖蚯蚓为馐”的记述，表明在古代长江东南部地区、闽越地区，即现在的湖北、安徽、江苏、浙江和福建等地均有蚯蚓分布。

综上所述，古代地龙与现代地龙的基原是一致的，历代本草中所记载的“白颈蚯蚓”即现在的环毛蚓属蚯蚓。

二、物种鉴别

本种在动物分类上属于环节动物门 Annelida 寡毛纲 Oligochaeta，这类动物种类繁多，已知全世界有 3 000 余种，我国已记载的有 200 余种，目前各地医家作为药用的有 3 科 4 属 49 种。

2020 年版《中华人民共和国药典》（简称《中国药典》）收载的地龙是钜蚓科动物参环毛蚓 *Pheretima aspergillum* (E. Perrier)、通俗环毛蚓 *Pheretima vulgaris* Chen、威廉环毛蚓 *Pheretima guillelmi* (Michaelsen) 和栉盲环毛蚓 *Pheretima pectinifera* Michaelsen 的干燥体，前一种习称“广地龙”，后三种习称“沪地龙”。

沪地龙与本品的区别在于沪地龙长 8 ～ 15 cm，宽 0.5 ～ 1.5 cm，背部棕褐色至黄褐色；通俗环毛蚓的雄交配腔能全部翻出，呈花菜状或阴茎状，威廉环毛蚓的雄交配腔孔呈纵向裂缝状，栉盲环毛蚓的雄生殖孔内侧有 1 或多个小乳突；受精囊孔 3 对，位于 6/7 ～ 8/9 环节间。

三、传统医药知识

民间有关地龙药材的验方有许多：①鲜地龙 10 条，白糖 10 g，置于玻璃缸中一同溶化，患处消毒后涂之，1 日数次，可治疗中耳炎、感染性褥疮、鹅口疮、一切皮肤溃疡；②活地龙 3 ～ 5 条，鲜侧柏叶 30 g，共捣如泥，外敷于肿大的腮腺表面，可治疗痄腮，配合内服复方板蓝根冲剂，疗效更佳；③水蛭 4 g，炒地龙 12 g，玄参 12 g，鸡血藤 12 g，夜交藤 20 g，赤芍 15 g，枳壳 10 g，煎汤口服或鼻饲，每日 1 剂，可治疗脑梗死；④地龙 30 g（酌加土鳖、蜈蚣、僵蚕，疗效更好），白花蛇 30 g，研末，共分 4 包，1 日服 1 包，可治疗风湿性关节炎。

四、市场信息

近年来，国内外市场对广地龙的需求量与日俱增，而广地龙主要来源于野生资源，其产量和质量易受采集方法、采集环境以及自然气候的影响，由于近年来对野生资源的过度采捕，广地龙产量逐年下降，市场上供不应求，价格一直飙升。以全开广地龙为例，广西药材市场 2003 年 1 ～ 9 月售价为每千克 22.5 ～ 25 元，10 ～ 12 月升至每千克 26 ～ 28 元，2004 年 12 月升至每千克 53 ～ 55 元，2005 年 3 月升至每千克 55 ～ 60 元，2017 年升至每千克 195 ～ 220 元，2022 年 1 ～ 4 月售价达到每千克 245 元，到 5 ～ 7 月产新期，调整至每千克 230 ～ 240 元，2023 年 6 月升至每千克 350 元，20 年间价格升幅高达 10 倍。

五、濒危情况、资源利用和可持续发展

随着对广地龙研究的日益深入，开发出了应用于日常保健、农业和养殖业等的相关产品，主要有地龙氨基酸营养液、地龙蛋白压片、地龙蛋白多肽饮品、地龙蛋白肽等。

广地龙条大丰满，肉厚，品质较佳，常销往全国各地或出口，然而近年来，农田、菜地中大量使用农药，以及工业发展产生的环境污染，导致其生存环境不断恶化，种质退化，繁殖受到制约，野生资源正逐步减少。加速开发利用，建立一套完整、科学的人工养殖和综合利用技术体系是解决广地龙资源问题的当务之急。

参考文献

[1] 肖小芹. 地龙原动物种类及活体鉴别[J]. 湖南中医杂志，2002，18(4)：50.

[2] 吴文如，李薇. 地龙类药用动物的比较鉴别[J]. 现代生物医学进展，2007，7(11)：1754-1757.

[3] 周天元. 蚯蚓无土高效养殖新技术[M]. 天津：天津科学技术出版社，2002.

[4] 吴文如. 地龙种质资源与品质评价研究[D]. 广州：广州中医药大学，2008.

[5] 王康，方运雄，刘承焯，等. 广西广地龙人工养殖产业发展情况调研报告[J]. 现代畜牧科技，2023，99(8)：60-63.

[6] 李薇，吴文如，肖翔林. 地龙规范化生产的研究概况[J]. 中草药，2005，36(9)：1419-1422.

[7] 中国药材公司. 中国常用中药材[M]. 北京：科学出版社，1995.

[8] 季倩，徐银霞，张汉明，等. 提高沪地龙药材质量的加工方法研究[J]. 药学服务与研究，2018，18(4)：279-281.

[9] 国家药典委员会. 中华人民共和国药典：2020年版[M]. 北京：中国医药科技出版社，2020.

[10] 商烨，齐丽娜，金华，等. 地龙化学成分及药理活性研究进展[J]. 药物评价研究，2022，45(5)：989-996.

[11] 关水清，周改莲，周文良，等. 地龙的本草考证及现代研究概况[J]. 中国实验方剂学杂志，2020，26(10)：205-212.

[12] 马存德，常晖，杨祎辰，等. 经典名方中地龙的本草考证[J]. 中国实验方剂学杂志，2022，28(10)：184-192.

（吴文如　曾文星）

芸香科 Rutaceae 柑橘属 *Citrus*

佛手 *Citrus medica* L. var. *sarcodactylis* Swingle

| 凭证标本号 | 441284210530733LY、440783191208010LY、441421180615639LY。

| 药 材 名 | 佛手（药用部位：果实。别名：佛手柑、五指柑、福寿柑）。

| 植物形态 | 常绿小乔木或灌木。老枝灰绿色，幼枝略带紫红色，有短而硬的刺。单叶互生；叶柄短，长 3 ~ 6 mm，无翼叶，无关节；叶片革质，长椭圆形或倒卵状长圆形，长 5 ~ 16 cm，宽 2.5 ~ 7 cm，先端钝，有时微凹，基部近圆形或楔形，边缘有浅波状钝锯齿。花单生、簇生或排列成总状花序；花萼杯状，5 浅裂，裂片三角形；花瓣 5，内面白色，外面紫色；雄蕊多数；子房椭圆形，上部窄尖。果实卵形或长圆形，先端分裂成拳状或张开似指尖，裂数与心皮数一致，表面橙黄色，粗糙，果肉淡黄色；种子数颗，卵形，先端尖，有时不完全发育。

佛手

栽培资源

一、生长环境

佛手喜温暖湿润的气候，怕严霜、干旱，耐阴，耐瘠，耐涝，在土层深厚、疏松肥沃、富含腐殖质、排水良好的微酸性土壤、砂壤土或黏壤土中长势较好。适宜生长温度为 22 ~ 24 ℃，越冬温度 5 ℃以上，能忍受的低温为 -8 ~ -7 ℃，年降水量 1 000 ~ 1 200 mm，年日照时数 1 200 ~ 1 800 h。佛手道地产区、主产区生态因子阈值见表 2-3-1。

表 2-3-1　佛手道地产区、主产区生态因子阈值

生态因子	生态因子数值范围
年平均气温 / ℃	14.5 ~ 22.7
最热季度平均温度 / ℃	19.7 ~ 29.1
最冷季度平均温度 / ℃	5.7 ~ 15.0
平均年降水量 / mm	903 ~ 1692
年平均相对湿度 / %	63.4 ~ 76.0
年平均日照强度 / （W/m^2）	122.1 ~ 148.1

二、栽培区域

佛手栽培资源主要分布于广东云浮（郁南）、肇庆（怀集、高要、广宁、德庆）等，清远、中山、云浮（罗定、云安）等也有不同规模的栽培。据初步统计，云浮的栽培面积达千余亩，肇庆的栽培面积近千亩，清远的栽培面积近百亩，中山、茂名等地有零星栽培。由于佛手种植基地的设施较简易，管理模式较粗放，抗自然灾害能力不强，稳定的产业链及本地交易市场尚未成熟，从而使销售处于被动状态，加上近年来佛手药材价格不高，栽培面积逐年缩减。

广东肇庆德庆莫村镇佛手种植基地

三、栽培要点

佛手栽培通常采用扦插育苗和嫁接繁殖的方法，扦插育苗适合水源充足的地方，嫁接繁殖适合山地。

扦插育苗全年均可实施，选择直径 0.5 ～ 1 cm 的枝条，将其剪成长约 15 cm 的小段，在浓度 500 mg/L 的吲哚乙酸溶液中浸泡 2 min，将下端插入土中，上端露出土面 1/2。选择在肥沃、疏松、沥水的砂壤土中扦插，注意遮阳，防止水分蒸发而影响成活。

嫁接繁殖在早上、傍晚或阴天进行，避开雨天和晴天，将枝条每 2 ～ 3 芽剪成 1 小段作接穗，接穗下端剪成楔形，选择一年生以上、健壮的苗木（如酸橘、枸橼、柚等）作砧木，在砧木干高 10 cm 处剪断，在断面中央垂直纵切 2 ～ 3 cm，然后将接穗下端迅速插入砧木的劈口中，使二者的形成层对齐，用薄膜捆扎，将接穗上切口封住。

干旱时要早晚淋水；水涝时要开沟排水，防止烂根。发现虫害（如黄蜘蛛、菜粉蝶、蚜虫等）可用 80% 敌敌畏乳油 1 500 倍液或 40% 乐果乳剂 1 500 倍液喷治。追施肥料可用腐熟的人、畜、禽粪便或豆饼、油渣以及少量化肥，在距离根 10 ～ 15 cm 处少量多次埋施。冬季 0 ℃以下的地区，应做好防冻措施。

四、面积与产量

受多年低价及气候因素的影响，近年来佛手的种植面积逐年萎缩，广东种植面积不足 5 250 亩，年产干药材总量约为 200 t。

| 采收加工 |

采收时间：9 ～ 10 月果实成熟时采收，当果皮由绿色变浅黄绿色或呈金黄色时，选择晴天用果枝剪从果柄处剪下果实。采收过程中要轻拿轻放，防止碰伤、压伤、落地摔伤。

加工方式：用刀将果实纵切成厚 3 ～ 7 mm 的薄片，也可用刨刀刨片，晒干或烘干，用塑料袋密封贮存，防止香气散失。

广东肇庆德庆的加工方法是先将新鲜果实置于 5 ～ 8 ℃的冷库中放置 15 天以上，然后采用不锈钢刀（铁刀会使药材变黑）切成厚度＜ 3 mm、3 ～ 7 mm、＞ 7 mm 三种规格的薄片。贮存的干制品要注意防潮。

| 药材性状 |

本品为类椭圆形或卵圆形薄片，常皱缩或卷曲，片大，质薄，长 6 ～ 10 cm，宽 3 ～ 6 cm，厚 1 ～ 2 mm，先端稍宽，常有 3 ～ 5 手指状裂瓣，基部较窄，有的可见果柄痕。外皮橙黄色或黄绿色，有皱纹和油点。果肉浅黄白色或淡黄色，散有凸凹不平的线状或点状维管束。质硬而脆，受潮后变柔韧。气芳香，味微甜而后苦。以皮黄肉白、香气浓郁者为佳。

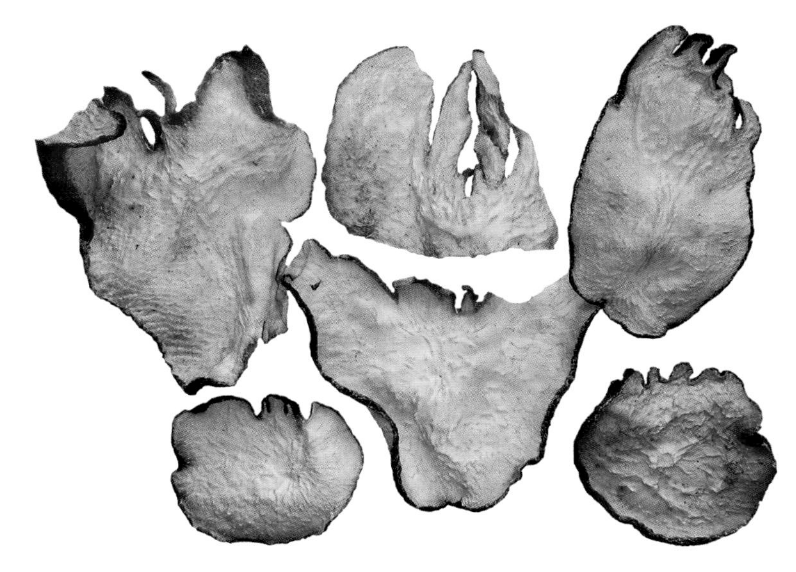

佛手药材

| 化学成分 | 本品的主要成分是黄酮类和挥发油类。

黄酮类成分含量最高，约占 26%，主要有橙皮苷、香叶木素、香叶木苷、新橙皮苷、甲基橙皮苷、橙皮素等，其中橙皮苷为主要活性成分，不同产地的佛手药材中橙皮苷、香叶木苷含量差异较大，2020 年版《中国药典》规定："本品按干燥品计算，含橙皮苷（$C_{28}H_{34}O_{15}$）不得少于 0.030%。"

挥发油主要有柠檬烯、松油烯、蒎烯等萜烯类成分，其次为醇类和酯类，它们的总含量在挥发油中占 90% 以上。挥发油的含量、组成因佛手药材的产地、采收时间、贮藏时间的不同而不同。

此外，本品还含有香豆素、柠檬苦素、多糖、氨基酸、无机元素等成分。研究表明，总多糖的含量随着储存年限的增大而减小，水溶性多糖主要由 D– 木糖、D– 甘露糖、D– 半乳糖、D– 葡萄糖和 L– 鼠李糖组成。

| 功能主治 | 辛、苦、酸，温。归肝、脾、胃、肺经。疏肝理气，和胃止痛，燥湿化痰。用于肝胃气滞，胸胁胀痛，胃脘痞满，食少呕吐，咳嗽痰多。

| 用法用量 | 内服煎汤，3 ~ 10 g；或代茶饮。

| 附　　注 | 一、栽培历史

佛手原产于印度，我国北宋时期已有栽培，距今已有近千年的历史，但有些学者认为，柑橘属植物的发源地在我国南部（包括广东、广西）、西南部（包括云南、贵州西南部、西藏东南部）。香橼是我国南部和西南部的原生品种，在其自然演化过程中产生了佛手这一变异品种。目前，国内佛手的产区主要分布于四川乐山、雅安、宜宾、南充、泸州（合江）、广安，浙江金华（兰溪），广东肇庆、云浮，广西梧州、桂林（灌阳）、崇左（大新），福建莆田、宁德（福安），重庆（石柱、梁平、江津）等地。佛手药材按产地可分为川佛手、广佛手、建佛手（闽佛手）、金佛手、兰佛手和云佛手等，药用佛手主要有川佛手、广佛手及金佛手，药用、食用佛手主要为广佛手和川佛手。

广佛手主产于广东肇庆高要的北部山区，此处丘陵起伏、气候温和、雨量充沛，具有良好的栽培条件。《高要年鉴》中记载清嘉庆八年（1803 年）禄步乡隔岭欧桂旺开始种植佛手，其后代代相传并流传至邻近地区，距今已有 200 多年的历史，说明当地种植佛手历史悠久，经验丰富。

广佛手曾占国内佛手药材市场的主要份额，尤其是产自广东肇庆高要、德庆的广佛手，质量好且有效成分含量高，价格较其他产区高出 20% ~ 30%。但近年来，由于广佛手持续价低和自然气候变化，传统广佛手主产区的种植面积逐年萎缩，到 2021 年广东和广西种植面积不足 5 000 亩。

二、物种鉴别

佛手按果形分为指佛手和拳佛手，按花的颜色分为红花佛手和白花佛手。红花佛手又可分为大种、小种两个品系，大种又称为福建种，小种可作盆景；白花佛手最早从南京、江苏一带引入，又称为南京种。根据枝条的颜色分为白皮和青皮两个品系，其中青皮丰产稳定，为主栽培种。

柑橘属植物在我国约有 20 种，原产于亚洲东南部及南部，现热带及亚热带地区常有栽培。香橼为柑橘属植物香橼 *Citrus medica* L. 或香圆 *Citrus wilsonii* Tanaka 的干燥成熟果实，古代常将佛手与香橼混用。

香橼与佛手的各器官形态难以区分，香橼心皮完全合生成一整体，而佛手的心皮顶部离生，在花期该特征已明显可见，果实成熟时，心皮的离生部分呈指状或拳状。香橼在我国已有 2 000 余年的栽培史，喜高温、多湿的环境，在我国福建、广东、广西、云南、台湾等地均有栽培，越南、老挝、缅甸、印度等国亦有种植。栽培变种云南香橼 *Citrus medica* L. var. *yunnanensis* S. Q. Ding ex C. C. Huang 分布于云南大理宾川，生于海拔 1 600 m 的丘陵坡地，其成熟果实的心皮介于典型的香橼与佛手之间，即果顶内部有封闭的附生心皮群，果实桃形或阔卵形，直径 5 ~ 9 cm，果皮厚约 5 mm，果肉甚酸，种子具单胚，偶有多胚。

需要注意的是，佛手与佛手瓜虽然只有一字之差，却是两种完全不同的植物。佛手瓜 *Sechium edule* (Jacq.) Swartz 为葫芦科佛手瓜属植物，别名洋丝瓜、手瓜，原产于南美洲，19 世纪传入我国，在云南、广西、广东等地有栽培，果实作蔬菜。

三、传统医药知识

据《全国中草药汇编》记载，佛手、枳壳、生姜、黄连煎汤内服，可治疗食欲不振；鲜佛手开水冲泡代茶饮或佛手、延胡索水煎服，可治疗肝胃气痛；佛手、姜半夏、砂糖水煎服，可治疗湿痰咳嗽。据《岭南采药录》记载，佛手（去瓤）、人中白共为末，空腹白汤下，可治疗臌胀。

除果实之外，佛手的根、花亦可入药。佛手花、扁豆花、厚朴花、石菖蒲水煎服，可治疗夏日伤暑、湿浊中阻、胃纳不佳。鲜佛手根、醋制鳖甲粉、猪心加水炖服，可治疗十二指肠溃疡。鲜佛手根、猪小肚加水煮服，可治疗男人下消、四肢酸软。《本草从新》言广佛手“陈久者良”。广东潮汕地区常以广佛手为原料，经过盐腌、晒干、蒸熟、浸中药粉液、九蒸九晒，制成色黑如漆、口感绵软的“老香黄”。老香黄有去积祛风、开胃理气、化痰生津的功效，在民间广泛使用。

四、市场信息

佛手鲜果年需求量约为 6 000 t，药材年需求量约为 1 200 t。市场上流通的货源规格有广统（广东和广西货）、川统和云统，近几年也有从越南进口的佛手，价格低于国内货。

佛手价格出现过两次峰值，第 1 次是在 2000 年 10 月，价格约为 400 元/kg，第 2 次是在 2011 年 5 月，价格约为 200 元/kg。第 2 次的高价行情，使佛手的种植规模迅速扩大，从而引起价格下跌，此后行情一直较低迷。2014—2020 年，佛手价格在 30 ~ 60 元/kg 波动，2021—2022 年价格有所回升，2021 年 9 月广东产佛手价格约为 80 ~ 85 元/kg，四川和广西产佛手价格约为 75 元/kg。

2016 年以前，佛手以两广地区产量最大，特别是广东肇庆乐城镇及周边地区和广西梧州及周边地区。2013—2017 年，广东肇庆、清远，广西梧州、桂林、玉林等地的佛手种植总面积达 6 万余亩，年产干药材总量为 3 000 ~ 4 000 t。但是，佛手多年的持续低价使得种植户收益甚微，加上树龄老化、自然气候等因素的影响，近年来，部分产区粗放管理或者放弃种植，导致种植面积逐年萎缩，产量锐减。到 2021 年，广东、广西两省的佛手种植面积下降至不足 5 000 亩，年产干药材总量不足 200 t。

近年来，四川、重庆的佛手种植规模逐渐扩大，云南以及越南等地每年也有一定的产量。2021 年，四川地区的佛手干药材总产量约为 1 300 t，云南产区的佛手干药材产量约为 150 t，越南产区的佛手干药材产量约为 450 t，其他小产区（如福建、浙江）的佛手干药材产量约为 50 t。

五、濒危情况、资源利用和可持续发展

佛手是舒肝顺气丸、胃苏颗粒、冠脉康片、山海丹胶囊、黄疸肝炎丸、醒脾开胃颗粒、理气舒心片、二十七味定坤丸、平肝舒络丸、国公酒、金佛止痛丸、舒肝和胃丸、荜铃胃痛颗粒等数十种中成药的主要原料，作为药食两用的品种，除药用之外，还可加工成佛手酒、佛手茶、佛手蜜等保健食品，也可深加工制成果脯、蜜饯、软糖、戒烟糖果、巧克力、糕点、功能性饮料等。佛手精油具有抗菌、抗衰老、抗氧化的作用，可开发成抗菌剂、化妆品等，也可用于果蔬保鲜。佛手挥发油被广泛用于芳香疗法中，具有改善焦虑、抑郁、慢性疼痛等功效。佛手提取物还是一种较理想的烟用香料，具有丰富烟香、柔和烟气、减少刺激的作用。佛手加工后的废渣富含优质蛋白质、碳水化合物和脂肪等营养物质，可加工成畜禽饲料。此外，佛手还是一种供人闻香赏果的花卉珍品，具有观赏价值。

佛手的传统药用部位为果实，但其花、叶、根亦有药用价值。在佛手栽培初期，佛手叶及花曾被制成调味品。目前，以佛手花、叶为原料提取的挥发油，在国际上已被作为高级烟用香精的重要原料。

佛手是首批被立法保护的岭南中药材品种之一。为了推动佛手产业的健康可持续发展，提出以下建议：①政府扶持、政策优惠，营造良好的佛手产业发展社会氛围；②建设佛手良种繁育基地，制订药材生产技术规范；③健全科技服务体系，提高种植户的素质，培养新型职业药农；④构筑完善的产地加工及市场流通体系，加强佛手精深加工，提高药材附加值。

参考文献

[1] 国家中医药管理局《中华本草》编委会．中华本草[M]．上海：上海科学技术出版社，1999．

[2] 德庆县南药种植协会．德庆广佛手采收技术规程：T/DQNYXH 015-2019[S]．2019：3．

[3] 农桂成．广佛手的栽培[J]．特种经济动植物，200，3（3）：27．

[4] 李克杰．广佛手中药材生产技术研究[D]．广州：广东药科大学，2020．

[5] 林乐维，蒋林，郝大庆，等．不同采收期广佛手中 5,7- 二甲氧基香豆素的含量测定[J]．现代中药研究与实践，2009，22（6）：15-17．

[6] 廖继荣．广佛手高产栽培技术[J]．技术与市场，2001（4）：29-30．

[7] 汤酿，刘静宜，陈小爱，等．基于 GC-MS 和 GC-IMS 联用法分析不同采收期广佛手精油挥发性成分[J]．食品科学，2021，42（16）：193-202．

[8] 钟云，袁显，曾继吾，等．广佛手不同成熟期果实挥发性物质含量分析[J]．热带农业科学，2013，33（6）：59-61，65．

[9] 德庆县南药种植协会．德庆广佛手产地初加工技术规范：T/DQNYXH 016-2019[S]．2019：1．

[10] 罗思敏，吴孟华，周宇，等．佛手的品种源流及药用食用考[J]．中国中药杂志，2020，45（16）：3997-4003．

[11] 赵永艳，胡瀚文，彭腾，等．佛手的化学成分药理作用及开发应用研究进展[J]．时珍国医国药，2018，29（11）：2734-2736．

[12] 李小凤，张立坚，程荷凤．中药佛手柑中总黄酮含量的紫外分析[J]．时珍国医国药，2004，15（10）：

655-656.
[13] 王玉生，严振，汪小根，等．HPLC 法测定广佛手中橙皮甙的含量[J]．中药材，2003，26（8）：564-565.
[14] 张璐，田静，尹萌，等．基于数学模型分析不同产地佛手的化学成分差异性[J]．药物分析杂志，2019，39（1）：122-126.
[15] 区耿华，让一峰，黄卓权，等．佛手提取物的化学成分和生物活性研究进展[J]．食品科技，2021，46（9）：169-174.
[16] WU Z，LI H，YANG Y，et al. Variation in the components and antioxidant activity of *Citrus medica* L. var. *sarcodactylis* essential oils at different stages of maturity[J]. Industrial Crops and Products，2013(46): 311-316.
[17] 李春宇，袁贞，佘春洁，等．佛手化学成分和药理活性的研究进展[J]．食品与药品，2022，24（2）：187-193.
[18] 丁素琴．云南香橼——柑桔属枸橼的一个新变种[J]．园艺学报，1979，6（2）：85-86.
[19] 张思荻，杨海燕，曾俊，等．佛手的研究进展[J]．中华中医药杂志，2018，33（8）：3510-3514.
[20] 张爵玉，蒋林，王琴．广佛手的研究现状及进展[J]．中国调味品，2008（3）：34-37.

（程轩轩）

芸香科 Rutaceae 柑橘属 *Citrus*

茶枝柑 *Citrus reticulata* 'Chachi'

| 凭证标本号 | 441900231126001LY。

| 药 材 名 | 广陈皮（药用部位：成熟果皮。别名：新会皮）。

| 植物形态 | 常绿小乔木。树冠直立，呈不规则圆形，分枝多，枝多直立密生，细长，扩展或略下垂，枝刺较少。叶互生，单生复叶，近革质，呈披针形、椭圆形或阔卵形，大小变异较大，长 4 ~ 8 cm，宽 2.5 ~ 3 cm，先端凸尖，尖端微凹，基部楔尖，中脉由基部至凹口附近成叉状分枝，侧脉明显；叶缘至少上半段通常有钝或圆的裂齿，稀全缘；叶翼不明显，两侧叶缘不向腹面卷起。花白色，两性，1 ~ 3 腋生；花萼长约 3 mm，不规则地 3 ~ 5 浅裂；花瓣长圆形，长不超过 1.5 cm；雄蕊 20 ~ 25；花柱细长，粗而短，柱头头状，比子房大。果实扁

茶枝柑

圆形，果顶略凹，柱痕明显，有时有小脐，蒂部四周有时有放射状沟槽，深橙黄色，略显粗糙；果皮厚 2.7 ～ 3.3 mm，或薄而光滑，或厚而粗糙，淡黄色、朱红色或深红色，甚易或稍易剥离；橘络甚多或较少，呈网状，易分离，通常柔嫩；中心柱大而常空，稀充实；瓢囊 10 ～ 12，果肉汁多，甜酸适中；种子 15 ～ 25，卵圆形，先端尖或钝，多胚，淡黄色。春、夏季开花，果期 11 ～ 12 月。

栽培资源

一、生长环境

茶枝柑喜高温湿润的亚热带季风气候，不耐寒，生长适宜温度为 19 ～ 32 ℃，气温高于 37 ℃则难以生长，低于 −5 ℃容易受冻害，适宜生长区域为北纬 22°05′ ~ 22°35′，东经 112°46′ ~ 113°15′，即以广东江门新会银洲湖两岸冲积平原为核心的潭江两岸冲积平原带和南部滨海沉积平原区。茶枝柑主要生长区域生态因子阈值见表 2-4-1。

表 2-4-1　茶枝柑主要生长区域生态因子阈值

生态因子	生态因子数值范围
最冷季度平均温度 / ℃	6.5 ～ 16.7
最热季度平均温度 / ℃	21.8 ～ 29.1
年平均温度 / ℃	14.9 ～ 23.4
年平均相对湿度 / %	69.5 ～ 77.4
平均年降雨量 / mm	1 029 ～ 2 287
年平均日照强度 /（W/m^2）	121 ～ 124

二、栽培区域

茶枝柑的主要栽培区域为广东江门（新会），广东肇庆（四会）、梅州（兴宁）、茂名（化州）、湛江（廉江）、韶关（乐昌、乳源、仁化、始兴、翁源）等地也有栽培。广东新会产的广陈皮又被称为“新会皮”，为广陈皮中的上等品，质量普遍较其他地区的好。

广东江门新会茶枝柑生态种植园

三、栽培要点

适宜于向阳肥沃的微酸性土壤中栽培，用空中压条法或嫁接法繁殖，前者习称“圈枝”，后者习称“驳枝”。空中压条法宜于早春进行。嫁接时采用红柠檬、枳、江西红橘、年橘、软枝酸橘等二年生至三年生的实生苗作砧木，于秋季进行芽接。压条或嫁接后 1 ~ 2 年，于春、秋季或雨季移栽；未结果前，每年松土 3 次，追肥 2 次；结果后，每年松土、追肥 4 次，早春应适当修剪枝条，使树冠外圆内空。生长全过程均需注意防旱防涝和防治病虫害。

四、面积与产量

广东江门新会作为广陈皮的主产区，2014—2022 年茶枝柑种植面积与药材产量如表 2-4-2 所示，从表中可以看出，9 年间，新会地区茶枝柑种植面积不断增加，2022 年种植面积高达 13.9 万亩，2014 年广陈皮产量为 1 300 t，至 2022 年已高达 7 350 t。

表 2-4-2　2014—2022 年广东江门新会茶枝柑种植面积与药材产量

年份 / 年	茶枝柑种植面积 / 万亩	广陈皮产量 / t
2014	3.7	1 300
2015	6.0	3 000
2016	6.5	3 500
2017	7.0	4 300
2018	8.5	5 000
2019	10.0	6 250
2020	10.0	7 000
2021	12.0	7 000
2022	13.9	7 350

| 采收加工 |

采收时间：果农往往于 5 ~ 6 月采收自落的幼果，晒干后加工成“个青皮”；7 ~ 8 月采收未成熟的果实，纵剖为 4 瓣至基部相连，除尽果瓤后晒干，加工成“四化青皮”；10 ~ 12 月逐批采收不同成熟度的果实，纵剖为 3 瓣至基部相连，分别加工成“柑青皮”“微红皮”和“大红皮”。

加工方式：广陈皮的传统制作工艺含多道工序，一般包括采果、洗果、开皮、杀青、反皮、晒制、仓储、翻晒及扫瓤等。

① 采果、洗果：在采果的过程中，按采摘时间段选取茶枝柑树上生长较好的果实（分为柑胎、小青柑、青柑、二红柑以及大红柑），清洗。

② 开皮：茶枝柑传统的开皮方法，按果柄位置分为正切法和背切法，按 3 瓣形状分为三刀法和二刀法。背切二刀法的过程为先将果柄朝上，然后从果肩两边分别反向弧划 2 刀，刀弧呈“人”字形，留果肩顶部相连，3 瓣剥开。正切三

刀法的过程为先将果柄朝下，然后从果顶向果柄均匀划 3 刀，留果柄蒂部相连，3 瓣剥开。两种方法所开的柑皮 3 瓣均分，表面卷曲面积较大，便于后期反皮和在晒制过程中保持柑皮的完整度。

手工开皮

半机械开皮

③ 杀青、反皮：开皮后，将柑皮置于阴凉通风处 4 ~ 5 h，使柑皮中的水分缓慢蒸发，待皮身变软后反皮。

杀青、反皮、晾晒

④ 晒制、仓储、翻晒：将反皮后的柑皮置于阳光下晒制，使水分进一步蒸发，使其干燥。晒干后，使用通风的包装容器，如不锈钢网箱、麻袋、草扎袋等，包装妥当，置仓库内待其自然陈化。期间每年 5 月及 11 月，将柑皮出库翻晒，每日晒 5 ～ 6 h，然后存回仓库继续陈化，反复 3 年，柑皮方可陈化成陈皮，此时陈皮表面转色，香味逐渐飘溢出来。

⑤ 扫瓤：把陈皮全部复查一遍，用刷子轻轻扫去陈皮上的瓤，达到清除杂质和品质再检验的目的。

⑥ 包装、运输、储藏：用透气性好、无异味、无污染的材料包装，包装要牢固、密封、防潮，以保证药材在运输、贮藏、使用过程中的质量，包装上应注明品名、重量、规格、产地、批号、日期、编号、注意事项等。运输工具必须清洁、干燥、无异味、无污染，运输中应防雨、防潮、防暴晒、防污染、防损坏，严禁与可能污染其品质的货物混装运输。选择通风、干燥、清洁、阴凉、无异味、无污染的地方作为专用仓库，彻底灭虫，防止药材霉变和虫蛀。

| 药材性状 |

本品常 3 瓣相连，形状整齐，常向外反卷，厚度均匀，约 1 mm。外表面橙黄色至棕褐色，久贮后颜色变深，有细皱纹及多数较大的凹陷油点；内表面浅黄白色，附有黄白色或黄棕色筋络。对光照视，油点透明清晰。质较柔软。气香浓郁，味微辛、苦。

广陈皮药材

| 功能主治 | 苦、辛，温。归肺、脾经。理气健脾，燥湿化痰。用于脘腹胀满，食少吐泻，咳嗽痰多。

| 用法用量 | 内服煎汤，3 ~ 10 g；或入丸、散剂。

| 附　　注 | 一、道地沿革

广东有着悠久的柑橘栽培史，自汉代就向朝廷进贡柑橘。广陈皮作为道地药材，其使用和称呼源于宋元时期，但药名“广陈皮”未被广泛使用，有时为“真橘皮”“真陈皮”，元代以后，“广陈皮”一名被医家广泛认可和使用。新会皮的生产和使用大致源于元代，抑或宋代，但盛于明清时期，尤其在清代以后，“新会皮”一名得到广泛认可。

自宋代后，茶枝柑种植沿着潭江及西江沿岸自东向西、自南向北，逐渐发展起来，经过几百年的栽培演变，潭江沿岸冲积土平原地带出产的新会陈皮品质最佳。明代，有新会商人利用运销葵扇之便，将新会陈皮销往外省。清代乾隆、嘉庆年间，新会葵商在重庆、成都等地相继开设德隆、悦隆等 9 家“隆”字商号，主营葵扇的同时大量销售新会陈皮。清光绪三十四年（1908 年）的《新会乡土志》中记载，陈皮为当时新会的主要物产之一。1912 年前后，新会有经营陈皮的专营店 30 家，当时新会陈皮先运到上海、重庆、广州三大主要市场，再转销至全国各地。到民国时期，新会茶枝柑种植总面积超过 5 万亩。抗日战争和解放战争时期，由于战争的影响，新会陈皮的生产销售一度衰落，20 世纪 50 年代后才有了一定程度的恢复，新会茶枝柑的传统栽培技术也得到了继承。现在，茶枝柑在广东江门（新会）、肇庆（四会）、茂名（化州）、湛江（廉江）等地均有种植，其中新会是广陈皮的主产区，新会皮为广陈皮中的上品，质量较好。

二、物种鉴别

2020 年版《中国药典》记载陈皮为芸香科植物橘 *Citrus reticulata* Blanco 及其栽培变种的干燥成熟果皮。药材分为“陈皮”和“广陈皮”。栽培变种主要有茶枝柑 *Citrus reticulata* ‘Chachi’、大红袍 *Citrus reticulata* ‘Dahongpao’、温州蜜柑 *Citrus reticulata* ‘Unshiu’、福橘 *Citrus reticulata* ‘Tangerina’。

茶枝柑又称新会柑、江门柑，主产于广东江门（新会）、肇庆（四会）；大红袍又称川橘，主产于四川乐山、重庆（合川、江津）等地；温州蜜柑又称无核蜜柑，主产于长江以南地区，但北回归线以南的地区很少种植；福橘又称红橘、南橘，主产于福建福州。

柑类果皮较厚，点状凹陷油室也较大，而橘类果皮正好与之相反。广陈皮的厚度较其他三种陈皮薄，外表面褐色、棕褐色或黄褐色，其他三种陈皮外表面呈橙红色或橙黄色；广陈皮对光透视可见油室大且密集，而其他三种陈皮油室小；广陈皮的香味较其他三种陈皮独特。福橘陈皮最厚，大红袍陈皮次之，温州蜜柑陈皮最薄；大红袍陈皮外表面偶见黑色斑点，福橘陈皮偶见白色斑点；温州蜜柑陈皮质硬脆，大红袍陈皮、福橘陈皮则较柔软。

陈皮的颜色会随储存年份的长短、干燥方式的不同等因素而发生较大的变化，所以仅根据颜色很难鉴别药材品种，想要准确分析比较四种陈皮的不同，还需要结合其他方法做更深的研究探讨。

三、传统医药知识

广陈皮具有理气健脾、燥湿化痰的功效，临床上用于治疗脘腹胀满、食少吐泻、咳嗽痰多。《全国中草药汇编》中记载，广陈皮配半夏、茯苓、甘草，水煎服，可治疗咳嗽痰多；广陈皮配竹茹、生姜、甘草、大枣，水煎服，可治疗呕吐、呃逆。《中药大辞典》记载，陈皮配伍甘草，水煎服，可治疗急性乳腺炎。

四、市场信息

从 2014—2022 年新会茶枝柑产业发展部分指标（表 2-4-3）可以看出，2014—2022 年，广陈皮产量、产业总产值、总产值占 GDP 的比重、品牌价值以及加工企业数都在不断增加，广陈皮产量由 2014 年的 1 300 t 增加至 2022 年的 7 350 t，翻了将近 6 倍，茶枝柑产业总产值占新会总 GDP 的比重也由 2014 年的 1.58% 升至 2022 年的 19.97%，加工企业更是由 2015 年的 32 家上升至 2022 年的 1 000 家。近几年新会的茶枝柑市场行情较好，前景光明。

表 2-4-3　2014—2022 年广东江门新会茶枝柑产业发展部分指标

年份 / 年	广陈皮产量 / t	产业总产值 / 亿元	产值同比增速 / %	新会 GDP/ 亿元	总产值占 GDP 的比重 / %	品牌价值 / 亿元	加工企业 / 家
2014	1 300	8.0	—	505.51	1.58	—	—
2015	3 000	18.0	125.00	539.97	3.33	—	32
2016	3 500	30.0	66.67	550.80	5.45	37.08	83
2017	4 300	50.0	66.67	597.62	8.37	57.28	197
2018	5 000	66.0	32.00	677.03	9.75	89.10	258
2019	6 250	85.0	28.79	806.22	10.54	126.20	276
2020	7 000	100.0	17.65	807.10	12.39	—	—
2021	7 000	145.0	45.00	898.50	16.14	—	—
2022	7 350	190.0	31.03	951.60	19.97	—	1 000

五、濒危情况、资源利用和可持续发展

茶枝柑是一种人工栽培的药材品种，各地已形成了较为成熟的栽培技术，建立了产业化、规范化的生产基地，尤其是广东江门（新会）、肇庆（四会），这两个地区的茶枝柑产量约占全国总产量的 80%。茶枝柑的规范化栽培，使茶枝柑种质资源得到了较好的保护，也保证了广陈皮药用资源的可持续发展。

广陈皮被历代名医所推崇且被奉为道地药材，至今已有近 700 年的历史，有学者在研究中医古典方剂时发现，在 856 个被调查的方剂中就有 267 个方剂含有广陈皮，占方剂总数的 31.2%，可见广陈皮有很好的药效，在治疗疾病时使用频率很高；并且广陈皮为药食同源品种，除药用外还可以做成食品，故深受五邑（现广东新会台山、开平、恩平、鹤山）本地人、海外华侨和港澳台同胞的喜爱，并由此形成了侨乡食疗文化。目前，茶枝柑系列产品已经行销全国及东南亚、美洲等地区，市场行情偏好。广陈皮作为原材料被广泛用于中成药的生产中，2020 年版《中国药典》中收载的以陈皮、陈皮油等为原料的中成药多达 170 种，如苏子降气丸、二陈丸、开胸顺气丸等。但因道地药材广陈皮，特别是新会陈皮的价格较高，故以陈皮为原料的中成药大多数用产自湖北、重庆、浙江等地的陈皮来代替，仅少数有明确规定的必须用广陈皮或新会陈皮，如清代叶天士所开的“二陈汤”中特别写明陈皮要用“新会皮”。

广陈皮味醇香，略甜，带辛，微辣，用其作原料或调味品，可除腥膻，在东南亚以及我国广东等地，都流行用陈皮作烹调的辅料。近年来，广陈皮除了作为中药材使用以外，在食品领域的应用也日趋广泛，已被用于饼干、月饼、汤圆、果酱、调味酱、酱油、腊肠、茶饮料、醋饮料、普洱茶等多种食品中。茶枝柑的果肉味带酸涩，原主要是被丢弃处理，最近几年有研究利用混合菌群定向发酵技术将其制成酵素，未来茶枝柑果肉的药用价值也可能被更多地开发利用。

新会以新会陈皮为核心，打造集陈皮产业服务平台、特色餐饮、休闲养生、文化旅游于一体的中国首个大型特色农产品商业文化综合体——陈皮村；以地方特色农产品广陈皮为切入点，科学规划产业布局，着力提升广陈皮产业链和价值链，推动三产深度融合发展，创建现代农业产业园；围绕道地药材新会陈皮在种植、加工、生产方面存在的关键问题，大力支持开展各项科学研究，打通产学研合作的渠道；融合岭南乡土文化与陈食药文化，打造“新会陈皮文化节”，推广陈皮文化，提升新会陈皮品牌影响力。通过这一系列措施，打造广陈皮品牌生产示范基地，并且注册广陈皮地理标志商标，挖掘广陈皮的商业价值，展现出广阔的发展前景和巨大的全球市场潜力。

为保证广陈皮资源可持续发展，满足中医药产业发展以及其他产业的需求，需做好以下工作：①合理规划，大力发展茶枝柑人工种植基地建设；②开展关于茶枝柑采收加工的研究，加强质量控制，提高广陈皮的质量；③加强规范化、规模化生产和综合利用技术研究，提高生产技术和综合利用水平，提高产品附加值。

参考文献

[1] 林乐维，蒋林，潘华金，等．广陈皮规范化种植SOP（试行）[J]．现代中药研究与实践，2008，22（6）：6-10．

[2] 张鹏，黄双建，李西文．南药广陈皮全球产地生态适宜性分析[J]．济宁医学院学报，2017，40（4）：234-239．

[3] 林乐维，蒋林，郑国栋．不同产地和采收期广陈皮中三种黄酮类成分的含量测定[J]．中药材，2010，33（2）：173-176．

[4] 黄庆华．新会陈皮原料茶枝柑的综合利用开发[C]//中国药文化研究会．第三届中国·新会陈皮产业发展论坛主题发言材料．[出版者不详]．2011：65-67．

（黄海波）

豆科 Fabaceae 山蚂蟥属 *Desmodium*

广金钱草 *Desmodium styracifolium* (Osb.) Merr.

| 凭证标本号 | 441322140724120LY、440923140720010LY、440883180930001LY。

| 药 材 名 | 广金钱草（药用部位：地上部分）。

| 植物形态 | 多年生草本。茎高 30 ～ 180 cm，多分枝，幼枝密被白色或淡黄色毛。叶通常具单小叶，有时具 3 小叶；叶柄长 1 ～ 2 cm，密被贴伏或开展的丝状毛；托叶披针形，长 7 ～ 8 mm，宽 1.5 ～ 2 mm，先端尖，基部偏斜，被毛；小叶厚纸质至近革质，长与宽均 2 ～ 4.5 cm，侧生小叶较顶生小叶小，先端圆或微凹，基部圆或心形，上面无毛，下面密被贴伏的白色丝状毛，全缘；小托叶钻形或狭三角形，长 2.5 ～ 5 mm，疏生柔毛。总状花序短，顶生或腋生，长 1 ～ 3 mm；总花梗密被绢毛；花密生，2 花生于节上；花梗长 2 ～ 3 mm，无毛

广金钱草

或疏生开展的柔毛；苞片密集，宽卵形，被毛；花萼长约 3.5 mm，密被小钩状毛，混生丝状毛，萼筒先端 4 裂，裂片近等长，上部裂片又 2 裂；花冠紫红色，长约 4 mm，旗瓣倒卵形或近圆形，翼瓣倒卵形，龙骨瓣较翼瓣长；雄蕊二体；子房线形，被毛。荚果长 10 ～ 20 mm，宽约 2.5 mm，被短柔毛和小钩状毛；种子肾形，光滑，有光泽。

| 野生资源 |

一、生态环境

分布于热带和亚热带地区，喜温暖的气候，不耐寒，全光照下生长良好，土壤适应性较强，以透水性良好的砂壤土为宜。

二、分布区域

分布于广东广州、揭阳（普宁）、清远、韶关、梅州（平远）、云浮（罗定）等地。

三、蕴藏量

广东广金钱草野生资源的蕴藏量为 5 146.1 t。

| 栽培资源 |

一、生长环境

广金钱草为喜光植物，对土壤要求不严，在黄壤土、红壤土、砂壤土中均可生长，但以肥沃、疏松、排水良好、微酸性至中性的砂壤土为宜，适宜的生长温度为 25 ～ 32 ℃，温度低于 −4 ℃则不能生长，在年日照时数 1 200 ～ 2 000 h 的环境中生长良好。

二、栽培区域

广金钱草主要栽培于梅州（平远、大埔）、潮州、云浮（罗定）、湛江（徐闻）等地。据统计，普宁、罗定、徐闻的种植面积基本保持在 0.5 hm^2，饶平的种植面积为 3 hm^2，平远的种植面积较大，约为 5 hm^2。

广东云浮罗定苹塘镇广金钱草种植基地

三、栽培要点

广金钱草的栽培方法有种子直播和育苗移栽两种。种子直播法适宜于机械播种、规模化种植的产区，可提高播种效率。广东北部早春温度较低，不利于出苗，故多采用育苗移栽的种植方式。广金钱草种子细小，种皮坚硬，透水性差，播种前在沸水中浸泡 24 h，冷却至室温，期间换水 2 ～ 3 次，可提高种子的发芽势。栽培过程中注意保水、施肥。广金钱草在旺长期偶有疫病发生，需加强田间管理，及时排除积水，确保药材的质量和产量。

四、面积与产量

广东省中药原料质量监测技术服务中心的数据显示，广东广金钱草种植面积约为 50 hm^2，年产干药材总量约为 400 t。

| 采收加工 |

采收时间：10 月上旬为最佳采收期。

加工方式：选择晴天割取地上部分，晒至七八成干，捆成把，晒干，打包，亦可鲜用。

广金钱草的采收

| 药材性状 | 本品茎圆柱形，长可达 1.8 m，密被黄色伸展的短柔毛；质稍脆，断面中部有髓。小叶 1 或 3，圆形或矩圆形，长、宽均 2 ～ 4 cm，先端微凹，基部心形或钝圆，全缘，上表面黄绿色或灰绿色，无毛，下表面具灰白色紧贴的绒毛，侧脉羽状；叶柄长 1 ～ 2 cm；托叶 1 对，披针形，长约 0.8 cm。气微香，味微甘。

广金钱草药材

| 化学成分 | 本品的有效成分主要是黄酮类成分，夏佛塔苷为主要活性成分。本品叶中夏佛塔苷含量显著高于茎。

| 功能主治 | 甘、淡，凉。归肝、肾、膀胱经。清热解毒，利湿退黄，利尿通淋。用于黄疸尿赤，热淋，石淋，小便涩痛，水肿尿少。

| 用法用量 | 内服煎汤，15 ～ 30 g，鲜品 30 ～ 60 g。外用适量，捣敷。

| 附　　注 | 一、物种鉴别

广金钱草药材始载于《岭南采药录》，主产于广西、广东、海南，基原为豆科山蚂蟥属植物广金钱草 *Desmodium styracifolium* (Osb.) Merr.。

广金钱草常见的易混淆品有假地豆、链荚豆、过路黄、活血丹。

假地豆 *Desmodium heterocarpon* (Linn.) DC. 与本种的区别在于假地豆高 1 ～ 3 m，茎直立或稍弯，有时近平卧；托叶条状披针形，小托叶针形，三出复叶互生，先端 1 叶较大，具叶柄，被柔毛，小叶片倒卵状矩圆形或椭圆形，先端浑圆，基部楔形；花萼宽钟状，萼齿宽披针形，短于或等长于萼筒。

链荚豆 *Alysicarpus vaginalis* (L.) DC. 与本种的区别在于链荚豆茎基部多分枝，平卧或上部直立，有毛；小叶仅 1，形态变化很大，通常呈长圆形或卵状披针形，先端圆，微凹，有小尖，基部浅心形，托叶披针形，膜质；花冠紫蓝色，蝶形，稍长于花萼，萼齿 5，条形。

过路黄 *Lysimachia christinae* Hance，别名金钱草，与本种的区别在于过路黄茎细，平卧匍匐，被灰色短柔毛，节上生根；叶肾形至圆形，长 4 ~ 25 mm，先端宽圆形或微缺，基部阔心形，叶面微被毛，叶背贴生短柔毛，叶柄长（1.5 ~ ）3 ~ 5（ ~ 6） cm；花单生于叶腋，花冠钟状，黄色。

活血丹 *Glechoma longituba* (Nakai) Kupr 与本种的区别在于活血丹茎细长，方形，具纵棱线，有短毛，中空；叶肾形或心形，边缘具圆钝齿；轮伞花序腋生，花冠二唇形，长达 2 cm。

二、传统医药知识

《岭南草药志》记载，广金钱草、老公根、酒糟共捣烂敷患处，治疗乳腺炎、膀胱结石，甚为奇效。《广西本草选编》记载，鲜广金钱草、生盐捣烂外搽，另取广金钱草 60 g 水煎服，可治疗荨麻疹。《常用中草药手册》记载，广金钱草可治疗肾炎性水肿、尿路感染、尿路结石、胆囊结石、黄疸性肝炎。《广西中药志》记载，广金钱草清虚热，降火，可治疗石淋。

三、市场信息

2018 年国家市场监督管理总局统计数据显示，全国以广金钱草为原料生产中成药的企业至少有 140 家。近年来，随着人们防治疾病意识的增强，广金钱草也成为两广地区煲汤的材料，广金钱草需求量呈逐年增长的趋势。

2017—2018 年，广金钱草药材价格为 4 ~ 5 元/kg，2019—2020 年，价格为 6 ~ 7 元/kg，2021—2022 年，价格攀升为 9.5 ~ 10 元/kg。

广金钱草药材全国总产量为 5 000 ~ 7 000 t。广西玉林文地镇作为最大的广金钱草主产地，年产干药材总量为 3 000 ~ 5 000 t。广东云浮、清远、潮州（饶平）、梅州等产区正常年产量约为 100 t，广东每年广金钱草药材产量为 200 ~ 500 t。两广地区广金钱草药材年产量占全国总产量的 90% 以上。

四、濒危情况、资源利用和可持续发展

杨全等在 2011 年、2015 年对广金钱草野生资源进行了调查。2011 年的调查结果表明，除云南、江西外，广东、广西和海南三个省份均有野生广金钱草分布，三个省份的分布面积约为 21.7 hm^2，蕴藏量约为 1.5 t，原本记载有野生广金钱草分布的地区已难觅其踪影。2015 年的调查结果表明，2011 年调查记载有野生广金钱草分布的大部分地区未见其踪影。这说明野生广金钱草正逐步减少。

从栽培情况来看，广金钱草在广东地区的种植面积逐年缩小，目前主产区主要集中在广西。

根据国家药品监督管理局网站公布的数据（截至2024年6月），石淋通片有57个品种和规格获得批准文号，复方石淋通片有20个品种和规格获得批准文号，金钱草颗粒有5个品种和规格获得批准文号，五淋化石丸有2个品种和规格获得批准文号，尿石通丸有1个品种和规格获得批准文号。

除作为传统药材和现代医药原料外，广金钱草还是凉茶、汤料的重要原料。

为保证广金钱草资源的可持续发展，满足中医药产业发展的需求，需做好以下工作：①大力发展广金钱草人工种植基地建设，提高广金钱草栽培品的质量；②开展关于广金钱草采收加工的研究，加强质量控制；③加强规范化、规模化生产和综合利用技术研究，提高生产技术和综合利用水平；④综合利用资源，调动企业和农民参与资源保护和利用的积极性。

参考文献

[1] 杨全，李书渊，程轩轩，等．广金钱草资源调查与药材质量评价[J]．中国实验方剂学杂志，2013，19(3)：147-151.

[2] 李丹，唐晓敏，朱寿东，等．广金钱草分布和品质适宜性区划研究[J]．中国中药杂志，2017，42(4)：649-656.

（唐晓敏　杨　全）

唇形科 Lamiaceae 刺蕊草属 *Pogostemon*

广藿香 *Pogostemon cablin* (Blanco) Benth.

广藿香

| 凭证标本号 |

440983180406002LY、440982160811001LY、441226141220033LY。

| 药 材 名 |

广藿香（药用部位：地上部分。别名：山茴香、兜娄婆）。

| 植物形态 |

多年生芳香草本或半灌木，高 0.3 ~ 1 m。茎直立，多分枝；老枝粗壮，近圆形；幼枝四棱形，密被柔毛。叶对生，圆形或宽卵圆形，长 2 ~ 10.5 cm，宽 1 ~ 8.5 cm，先端钝或急尖，基部楔形，渐狭，边缘具不规则的裂齿，两面均被绒毛；叶柄长 1 ~ 6 cm，被绒毛。轮伞花序密集成穗状，顶生或腋生；花萼筒状，5 齿裂；花冠唇形，紫色，长约 1 cm，花冠裂片外面均被长毛；花盘环状；雄蕊外伸，被髯毛；子房上位，柱头 2 裂。小坚果 4，近球形或椭圆形。

| 野生资源 |

一、生态环境

广藿香生于热带地区，自宋代从东南亚引入广东栽培至今，喜在低海拔、阳光充沛、高温潮湿的环境中生长，适宜于肥力充足、土质松散、通透性好的偏酸性土壤。

二、分布区域

传统的产区集中在广东肇庆、阳江（阳春）等气候温和、极少发生霜冻的地区。

三、蕴藏量

广藿香野生植株极少见，现有的数据不能满足统计学意义上的计算条件，未能计算出野生资源的蕴藏量。

栽培资源

一、生长环境

广藿香为喜光植物，但不耐烈日、强光暴晒；喜湿润，忌干旱；喜温暖，忌严寒，尤其害怕霜冻，要求年平均气温 20 ~ 28 ℃。在肥沃、疏松、排水良好、土层深厚的砂壤土中长势较好，在黑沙土中最好。

二、栽培区域

广藿香主要栽培于广东肇庆（高要、四会、德庆）、湛江（遂溪、吴川、徐闻）等地，茂名（化州、高州）、阳江（阳春）、云浮（罗定）等地也有不同规模的栽培。广藿香种植一年即可采收，并有连作障碍，加上药材市场的价格变化，因此每年种植面积波动很大，但主产区基本保持一定的种植规模。

广东云浮云安镇安镇广藿香种植基地

三、栽培要点

广藿香栽培方法以扦插为主，分为大田扦插和苗床扦插两种。大田扦插是将插穗直接插入大田中，无后续的移栽过程，这种方法适合海南和广东湛江等热带

地区。苗床扦插是将插穗插于苗床上，搭上保温棚，等苗生长到一定高度后再移栽至大田，适合广东的亚热带地区。

广藿香忌连作，前作宜选禾本科植物。栽培过程中注意施肥，做畦时施入基肥，生长旺盛期施用水肥，于根侧追肥。在多雨季节要做好排水工作，防止水涝。注意做好病虫害防治措施，及时销毁病株，幼苗期可用 72% 农用链霉素 800 ~ 1 000 倍液浇根部防治青枯病；喷洒福美双 50% 可湿性粉剂 500 ~ 800 倍液防治根腐病。

四、面积与产量

广东省中药原料质量监测技术服务中心的数据显示，广东广藿香种植面积约为 1 200 hm^2，年产干药材总量约为 15 000 t。

| 采收加工 |

采收时间：广藿香采收时间受产地影响比较大，广东肇庆、阳江（阳春）等南亚热带地区于立冬前后采收，广东湛江、茂名等热带地区 1 年采收 2 次，农历 3 月采收第 1 茬，农历 6 ~ 7 月采收第 2 茬。有的地区于农历 6 ~ 8 月采收广藿香叶，每次不宜采收过多，以免影响植株生长。

加工方式：采收后在阳光下摊开晒 1 ~ 2 h，待叶呈皱缩状时分层堆叠，盖上稻草，用木板压紧，堆闷一夜，使枝叶变黄，翌日摊开暴晒，然后再堆闷一夜，再摊开暴晒至全干。

广藿香的采收

| 药材性状 | 本品茎略呈方柱形，多分枝，枝条稍曲折，长 30 ~ 60 cm，直径 0.2 ~ 0.7 cm，表面被柔毛；质脆，易折断，断面中部有髓；老茎类圆柱形，直径 1 ~ 1.2 cm，被灰褐色栓皮。叶对生，皱缩成团，展平后呈卵形或椭圆形，长 4 ~ 9 cm，宽 3 ~ 7 cm，两面均被灰白色绒毛，先端短尖或钝圆，基部楔形或钝圆，边缘具大小不规则的钝齿；叶柄细，长 2 ~ 5 cm，被柔毛。气香特异，味微苦。以身干、色绿、叶多、无杂质、无霉变者为佳。

广藿香药材

| 化学成分 | 本品的化学成分包括黄酮类、萜类、苯丙素类、甾体类、生物碱类、挥发油类等。挥发油的含量、组分随产地、品种、采收时间、贮藏时间的不同而有差异，以百秋李醇为主，其次还有 *α*- 愈创木烯、*β*- 广藿香烯、反式 - 丁香烯、刺蕊草烯、*α*- 草烯、*α*- 广藿香烯、广藿香酮，叶中挥发油含量较多，全草次之，茎中含量最少。

| 功能主治 | 辛，微温。归脾、胃、肺经。芳香化浊，开胃止呕，发表解暑。用于湿浊中阻，脘痞呕吐，暑湿倦怠，胸闷不舒，寒湿闭暑，腹痛吐泻，鼻渊头痛。

| 用法用量 | 内服煎汤，3 ~ 9 g，不宜久煎。外用适量，煎汤含漱，或浸泡患部；或研末调敷。

| 附　　注 | 一、栽培历史

广藿香原产于马来西亚、菲律宾、印度尼西亚等国，在我国栽培历史悠久，受内部因素和外部环境的影响，其植株形态、生长发育特性、采收时间等发生了

一系列变化，形成了一些不同的栽培类型。根据产地不同，广藿香分为牌香（广州产）、肇香（肇庆产）、湛香（湛江产）和南香（海南产）。

广东是最早引种广藿香的省份之一，也是业界公认出产广藿香质量较好的产区。传统经验认为牌香品质最佳，为道地药材，但近年来，由于城市变迁、环境污染等，牌香灭绝。

二、物种鉴别

广藿香原产于热带地区，主要分布于菲律宾、印度尼西亚等国，是唇形科刺蕊草属植物，易与同科植物藿香 *Agastache rugosa* (Fisch. et Mey.) O. Ktze. 混淆。

藿香与本种的区别在于藿香为一年生或多年生芳香草本，高达 1.2 m；叶对生，卵形或三角状卵形，宽 1 ～ 5 cm，边缘有钝齿，上面散生透明腺点，下面被短柔毛；花冠长漏斗状唇形，蓝紫色；小坚果黄色，倒卵状三棱形，先端具长细毛；花期 6 ～ 9 月。

三、市场信息

广藿香及其加工品在中药制药和临床中应用广泛，除小部分作为传统药材外，大部分用于提炼广藿香油，广藿香油是藿香正气水等 50 余种中成药的关键原料。此外，还广泛用于医药工业、轻化工业，是配制各种药剂、杀虫剂、定香剂和化妆品护肤品的重要原料。

从历史价格走势来看，2003 年传染性非典型肺炎疫情、2005 年高致病性禽流感疫情、2009 年甲型 H1N1 流感疫情时期，广藿香价格为 80 ～ 100 元/kg。2015 年价格断层式下滑，一直到 2020 年春节前，价格都在 14 元/kg 左右，产区收购价甚至为 10 ～ 12 元/kg。2019 年产新后，由于新型冠状病毒感染疫情的暴发，1 个月内价格翻倍，涨到了 29 元/kg。2021 年，广藿香价格小幅回落至 27 元/kg，随后持续下降至 20 元/kg。2022 年，广藿香价格降至 17 元/kg。

四、濒危情况、资源利用和可持续发展

广藿香从菲律宾、马来西亚等国传入我国广东，因此取名为广藿香，现主要分布于广东、海南、广西、台湾和云南等地。在广东省内，广藿香主要栽种于广州、肇庆、阳江、云浮和湛江等地，根据产地不同，广藿香分为牌香（广州产）、肇香或枝香（肇庆产）和湛香（湛江产）。牌香已无野生分布，仅在少数研究单位内有种质保存，而与牌香品质接近的肇香种植面积也急剧萎缩，目前仅在广东高要莲塘镇有极少的种质保存。

随着社会的发展和市场需求的变化，广藿香的应用范围不断扩大，除作为传统药材和现代医药原料外，还是畜牧业和日化行业的重要原料。广藿香可作为添加剂应用到兽用饲料或药物中，如经典兽药藿香正气散，具有抗应激、清热解暑、健胃消食、促进消化的作用，也可作为抗菌剂添加到日化产品中，如香水、沐浴乳、洗发水等。此外，广藿香挥发油对癣和机会致病菌有抑制作用，部分治疗癣的药物中添加广藿香挥发油，以增强治疗效果。

为保证广藿香资源的可持续发展，满足中医药产业发展以及社会其他产业的需求，需做好以下工作：①大力发展广藿香人工种植基地建设，提高广藿香质量；②筛选新种质，培育具有高药用成分含量的广藿香新品种；③加强规范化、规模化生产和综合利用技术研究，提高生产技术和综合利用水平；④加快系统选育、抗病性研究，获得优质高产的广藿香。

参考文献

[1] 吴友根，郭巧生，郑焕强. 广藿香本草及引种历史考证的研究[J]. 中国中药杂志，2007，32（20）：2114-2117，2181.

（严寒静　胡峻锋　陈　昊）

豆科 Fabaceae 崖豆藤属 *Millettia*

美丽崖豆藤 *Millettia speciosa* Champ. ex Benth.

| 凭证标本号 | 441721210925030LY、440783190122001LY、440785181003001LY。

| 药 材 名 | 牛大力（药用部位：根。别名：大力牛、山莲藕、甜牛大力）。

| 植物形态 | 多年生藤本。主根粗壮，扁圆柱形，有环节，具纵棱和横向环纹；侧根众多，部分膨大，肉质化，呈纺锤形、长圆柱形或结节状，不膨大者呈木棍状，环纹状皮孔较多。茎圆柱形，被绒毛，老茎绒毛脱落。奇数羽状复叶；宿存托叶披针形；小叶通常 6 对，长圆状披针形至椭圆状披针形，上面无毛，下面被锈色柔毛或无毛，小叶柄长 1 ~ 2 mm，密被绒毛；小托叶针刺状，长 2 ~ 3 mm，宿存。圆锥花序腋生，常聚集于枝梢成带叶的大型花序，长达 30 cm，密被黄褐色绒毛；花长约 3 cm，有香气，蝶形花冠白色、米黄色至淡红色，花瓣近等长。荚果窄长圆形，具短柄，密被短绒毛，干时开裂；

美丽崖豆藤

美丽崖豆藤果实

美丽崖豆藤花枝

种子 4 ~ 6，卵形。花期 7 ~ 10 月，果期翌年 2 月。

野生资源

一、生态环境

生于海拔 1 500 m 以下的灌丛、疏林或旷野。

二、分布区域

分布于广东惠州（惠阳）、珠海、广州、江门（台山）、阳江（阳春）、韶关（乐昌）、肇庆、茂名、湛江（徐闻）等地。

栽培资源

一、生长环境

美丽崖豆藤为热带、亚热带植物，喜光照充足、温暖的环境，不耐涝，不耐霜冻，要求年平均气温 18 ~ 24 ℃、最低气温大于 4 ℃、年降水量 1 200 mm 以上。适宜于土质肥沃、土层深厚、疏松透气的微酸性砂壤土或黄壤土。

二、栽培区域

广东各地均有栽培，主产于广东茂名、阳江、江门、惠州、肇庆、韶关、清远、云浮等地。

广东江门开平美丽崖豆藤种植基地

广东茂名电白美丽崖豆藤种植基地

广东茂名电白大衙镇龙记村美丽崖豆藤种植基地

三、栽培要点

美丽崖豆藤种苗繁育主要有种子繁殖、扦插繁殖、组培繁殖三种方法。种子苗由种子发芽形成，易形成一条强壮的主根，主根被切除后，生长出的细根不易膨大，播种分为春播（3 月中旬至 4 月底）和秋播（10 月上旬至 11 月上旬），播种前应晒种半天，用 30 ~ 35 ℃的温水浸润 24 h，阴干后移至苗床铺匀，覆盖厚约 4 cm 的河沙，两侧留出排水道，早晚各喷水 1 次，气温过低时盖上薄膜保温，种子露芽约需 30 天，露芽后转至营养袋育苗。扦插苗取材更容易，更能保持母株的优良性状，不形成主根，根数量较多，均能膨大。组培苗同样有较多根，均能膨大。

定植前于 7 ~ 10 月开垦晒地，每亩地施优质农家肥 1 ~ 2 t，配以钙镁磷肥 100 kg，整平起垄，垄宽 1.5 ~ 1.8 m，高 60 cm，在畦上挖长、宽、深均为 20 cm 的种植穴。11 月至翌年 6 月定植，避免在阳光强烈或台风暴雨天进行，根据土地肥力，每亩种植 370 ~ 560 株，选择育苗 6 个月、苗高约 25 cm、叶色浓绿、健壮无病、根系刚长至苗袋内壁者移栽。

田间管理需控制草害，避免杂草与美丽崖豆藤争肥。美丽崖豆藤耐旱不耐涝，注意雨后排水、追肥。苗期及生长期藤蔓每生长 25 cm 打顶 1 次，摘去 1 ~ 2 cm 的生长点，以促进分枝。后期以留壮去弱、留上去下、留疏去密为原则修剪枝条，剪去顶芽，若不需采集种子，则除去花枝，使养分集中于根部。

四、面积与产量

美丽崖豆藤在广东的种植面积约为 20 万亩，云浮、茂名、阳江、江门、清远、惠州等地的种植面积超过 1 万亩。四年生至七年生牛大力产量为 1.5 ~ 2.5 t / 亩。

| 采收加工 | 种植 3 年后，夏、秋季采挖，先剪去地上部分，然后用小挖掘机挖起根，抖去泥土，洗净，除去头、须，切片，晒干。

新鲜采挖的牛大力

新鲜采挖的牛大力

| 药材性状 | 本品呈扁圆柱形，表面灰黄色，粗糙，具纵棱和横向环纹。质坚，难折断；横切面皮部狭，分泌物呈深褐色，木部黄色，导管孔不明显，射线呈放射状排列，无髓部。气微，味微甜。

鲜牛大力表面观

鲜牛大力横切面观

牛大力表面观

牛大力斜切面观

| 功效主治 | 补虚润肺，强筋活络。用于病后虚弱，阴虚咳嗽，腰肌劳损，风湿痹痛，遗精，带下。

| 用法用量 | 内服煎汤，9 ~ 30 g；或浸酒。

| 附　　注 | 一、本草记述

牛大力始载于清代《生草药性备要》，其后本草收载的牛大力有多个别名，功效主治古今大致相同，均为补虚药，药用历史较短。根据历代本草和资料记载，广东、海南、广西是牛大力的主产区。

二、物种鉴别

美丽崖豆藤的易混淆品种有同属植物广东崖豆藤 *Millettia fordii* Dunn 和绿花崖豆藤 *Millettia championii* Benth.。

广东崖豆藤与本种的区别在于广东崖豆藤小叶 3 对，纸质，顶生小叶较大，线状披针形，长 4 ~ 8 cm，宽 1 ~ 2 cm，先端渐尖或尾尖，基部圆形或近心形，两面稍光亮；总状花序通常腋生，长 5 ~ 7 cm，花长约 1.8 cm，旗瓣无毛，阔卵形；荚果线形，扁平。

绿花崖豆藤与本种的区别在于绿花崖豆藤小叶 2（~ 3）对，纸质，卵形或卵状长圆形，长 4 ~ 6 cm，宽 1.5 ~ 2（~ 3） cm，先端渐尖至尾尖，基部圆形，两面光亮；总状花序顶生，长 5 ~ 15 cm，花密集，长约 1.2 cm，无毛，无胼胝体，子房无毛；荚果线形，狭长，扁平，果瓣薄，种子 2 ~ 3。

三、市场信息

牛大力价格约在 2014 年达到高位，药材和饮片价格达 200 元/kg，各地农户加大投入种植，集中产新后价格降至 40 元/kg，近年来，随着人工种植及采挖成本的提高，价格回升为 50 ~ 60 元/kg。

四、濒危情况、资源利用和可持续发展

20 世纪 70 年代，牛大力开始用于中成药的生产，相关产品有益智康脑丸、桂龙药膏、舒筋健腰丸等，原料以野生资源为主。

2021 年，广东省卫生健康委员会发布《广东省食品安全地方标准 牛大力》（DBS44/016–2021），牛大力已成为广东常用的煲汤材料，还有牛大力茶、牛大力酒等其他产品。广东江门牛大力被评为国家农产品地理标志产品。

美丽崖豆藤生长缓慢，尽管栽培资源已有较大产能，野生品仍被认为功效更佳，价格更高。野生资源被过度采挖，濒临灭绝，栽培资源种源品质差异大、种苗繁育效率低、采收困难、产品开发程度低等，需要重视牛大力资源的可持续发展。

参考文献

[1] 莫火月，郑海，黄意成，等. 南药牛大力本草考证及性状鉴别[J]. 时珍国医国药，2018，29（6）：1361-1362.

[2] 翟勇进，黄浩，白隆华. 牛大力规范化种植技术[J]. 安徽农学通报，2018，24（9）：35-37.

[3] 陈黄保. 甜牛大力和苦牛大力的生药研究[J]. 中草药，2001，32（9）：843-845.

（彭泽通　潘超美）

芸香科 Rutaceae 柑橘属 *Citrus*

化州柚 *Citrus grandis* 'Tomentosa'

| 凭证标本号 | 440883180326028LY、440982150121004LY。

| 药 材 名 | 橘红珠（药用部位：幼果）、化橘红（药用部位：未成熟或近成熟的外层果皮。别名：化州橘红、毛橘红）。

| 植物形态 | 常绿乔木。小枝扁，被柔毛，有微小针刺。单身复叶互生，宽卵形至椭圆状卵形，长 8 ~ 20 cm，宽 3 ~ 6 cm，有钝锯齿，叶两面主脉上均有柔毛，叶质肥厚柔软；叶柄有倒心形宽翅。花单生或簇生于叶腋；花萼长约 1 cm；花瓣反曲；雄蕊 20 ~ 25；子房圆球形。果实大，球形至扁球形或梨形，直径 10 ~ 25 cm；幼果密被茸毛，茸毛随果实成熟渐稀少；瓤囊 16 瓣。

化州柚

栽培资源

一、生长环境

喜温暖湿润的气候，不耐干旱，抗寒性差，较喜阴，尤喜散射光。宜选择在丘陵或低山地带坡度小于25°、土层深厚、富含腐殖质、疏松肥沃、排水良好的山坡地、中性或微酸性土壤中栽培，冲积土、红壤土、黄壤土、紫壤土均可。适宜种植的温度为10 ~ 35 ℃，适宜生长温度为22 ~ 26 ℃，最低生长温度为11 ℃，温度达到35 ℃会抑制化州柚生长。化州柚主要生长区域生态因子阈值见表2–8–1。

表2–8–1 化州柚主要生长区域生态因子阈值

生态因子	生态因子数值范围
最冷季度平均温度 / ℃	0.5 ~ 16.4
最热季度平均温度 / ℃	16.2 ~ 28.8
年平均温度 / ℃	18.7 ~ 23.2
年平均相对湿度 / %	66.68 ~ 76.85
平均年降水量 / mm	1 099 ~ 1 730
年平均日照强度 /（W/m²）	124.18 ~ 151.82

二、栽培区域

化州柚主要栽培于广东茂名化州平定镇、中垌镇、丽岗镇、新安镇、官桥镇、合江镇等地，近年来，广东茂名（电白、信宜）、湛江（遂溪、廉江）等地有引种栽培。

三、栽培要点

化州柚栽培方法主要有种子繁殖、压条繁殖、嫁接繁殖三种，以嫁接繁殖法为主。苗木有嫁接苗、圈枝苗两种，圈枝苗能较好地保证母树品质，但根系生长较浅，高山或迎风处易遭受风害，故多选择嫁接苗。一般选用苦柚、枳作为化州柚的嫁接砧木，嫁接时注意对齐嫁接部位，砧木和接穗切面平滑、清洁，形成层对齐、密贴，接口扎紧，遵循“直、平、快、齐、洁、紧”的原则，以提高嫁接的成活率。嫁接后15 ~ 20天检查成活情况，新梢长25 ~ 30 cm时解除薄膜带，及时除掉弱芽和歪芽。

化州柚嫁接繁殖

四、面积与产量

目前，广东化州化州柚种植面积达 11.62 万亩，千亩以上的种植基地 10 个，已建成的专业种植镇 9 个，千亩以上高标准生产示范基地 5 个，种源复壮育苗基地 25 个，培育的优良品种鲜果最高亩产 4 t，种植农户超过 30 万人，相关产品加工企业 70 家，年加工量达 5 万 t。

采收加工

橘红珠：化州柚成果 34 天时采摘，杀青，干燥；或杀青后压制成圆柱形，干燥；或杀青后纵切成 2 或 4 瓣，干燥；或切片，杀青，干燥。

化橘红：5 ~ 8 月采摘未成熟或近成熟的果实，置沸水中略烫，将果皮割成 5 或 7 瓣，除去果瓤和部分中果皮，压制成形，干燥。

采收的化州柚幼果

| 药材性状 | **橘红珠：** 本品呈近球形、圆柱形、半球形、四分之一球形或类圆片状，直径不超过 6 cm。表面黄绿色至墨绿色或棕褐色，密布茸毛，有皱纹及小油室。中果皮黄白色至黄棕色，有脉络纹。完整者先端有花柱脱落的痕迹，基部有圆形果柄的疤痕。质坚硬，不易切开，切面平整，外缘有 1 列不整齐的下凹的油室，内侧可见细小的瓤囊，黄棕色至棕褐色；类圆片状者质硬脆，受潮后稍柔韧。气芳香，味苦、微辛。

橘红珠药材

化橘红：本品呈对折的七角形或展平的五角星状，也有单片者呈柳叶形，完整者展平后直径 15 ～ 28 cm，厚 0.2 ～ 0.5 cm。外表面黄绿色，密布茸毛，有皱纹及小油室；内表面黄白色或淡黄棕色，有脉络纹。质脆，易折断，断面不整齐，外缘有 1 列不整齐的下凹的油室，内侧质稍柔韧而有弹性。气芳香醇厚，味苦、微辛。

化橘红药材

| 功能主治 | **化橘红、橘红珠：**辛、苦，温。归肺、脾经。理气宽中，燥湿化痰。用于咳嗽痰多，食积伤酒，呕恶痞闷。

| 用法用量 | **化橘红：**内服煎汤，3 ～ 6 g；或入丸、散剂。

橘红珠：内服煎汤，3 ～ 10 g；或入丸、散剂。

| 附　　注 | 一、道地沿革

化橘红药用历史悠久，是广东的道地药材。据考证，化州柚始种于梁朝，至今已有 1 600 多年的历史，现存较早的文字记载见于明万历年间编纂的《高州府志》，该书记载："化橘红唯化州独有。"《本草纲目》《本草原始》《本经逢原》等本草中也有记载。

2006 年，原国家质检总局批准对化橘红实施地理标志产品保护。2015 年，"化橘红""化州橘红"的地理标志证明商标经原国家工商总局商标局批准注册。目前，化橘红主产于广东化州。

二、市场信息

2012—2018 年，广东化州化州柚鲜果收购价为 10 ～ 70 元/kg。近年来，广东化州化州柚鲜果产量不断增加，已从 2010 年的 3 000 t 增加到 2022 年的 60 000 t，种植加工销售总产值累计超过 35 亿元。从事化橘红产品交易的电子商务企业约 600 家，化橘红产品单项电子商务交易额超过 6 000 万元。据报道，广东省内与化橘红相关的企业有 455 家，化橘红产品加工企业有 70 多家，其中"药"字号企业 4 家，"食"字号企业 10 家，较大规模的化橘红产品经营企业有 9 家。目前，出口的化橘红系列产品有 50 多个，远销美国、日本及欧洲等 20 多个国家和地区。

三、濒危情况、资源利用和可持续发展

2000 年前后，化橘红一度被列为濒危中药材。在国家各项中药材资源利好政策的引导下，2022 年，化州柚种植面积达 11.62 万亩，鲜果产量达 60 000 t。目前，化橘红作为传统药材和现代医药原料，相关产品已有上百种，涵盖药品、食品、工艺品、香料等领域。

化橘红是橘红丸、橘红颗粒、橘红梨膏、止咳橘红口服液、橘红化痰胶囊、止咳橘红合剂、橘红化痰片、橘红痰咳液、橘红痰咳煎膏等中成药的主要成分。根据国家药品监督管理局网站公布的数据（截至 2024 年 3 月 20 日），以化橘红为组方君药生产的药品已有超过 200 个获得批准文号，其中橘红丸最多，共计 231 个，橘红颗粒共计 28 个，橘红痰咳颗粒共计 14 个，止咳橘红口服液共计 7 个，橘红枇杷片共计 4 个，止咳橘红丸共计 3 个。

以化橘红为主要原料制作的食品类产品有橘红膏、橘红蜜、橘红糖、橘红茶饼、橘普茶、橘红酒、干果、蜜饯等，含有化橘红片的组合花茶有橘红栀子茶、橘红罗汉茶等。

以化橘红为原料制成的佩坠、佩珠、项链、烟斗、茶叶缸、葫芦、烟盒等工艺品不仅具有观赏价值，还具有特殊的香味，倍受消费者青睐。

四、其他

柚 *Citrus grandis* (L.) Osbeck 是化橘红的另一基原植物，该种的情况如下。

凭证标本号：440883180326028LY、440982150121004LY。

药材名：化橘红（药用部位：未成熟或近成熟的外层果皮。别名：柚皮橘红、光橘红）。

植物形态：本种与化州柚的区别在于本种叶基部阔圆形，边缘有圆锯齿，上面暗绿色，有光泽，下面疏被毛，叶质薄。幼果茸毛无或极少，成熟果实无毛。

柚

栽培资源：①生长环境，适宜于通气良好、水源和光照充足、土壤肥沃疏松、土层深厚、有机质含量丰富的平地或坡度小于 30° 的山地。②栽培区域，分布于广东梅州（梅县）、湛江（遂溪）、肇庆（怀集）、茂名（化州、电白）等地。

采收加工：夏季果实未成熟或近成熟时采收，置沸水中略烫，将果皮割成 5 或 7 瓣，除去果瓤和部分中果皮，压制成形，干燥。

药材性状：本品外表面黄绿色至黄棕色，体轻，无毛。气香较弱。

化橘红药材

功能主治：辛、苦，温。归肺、脾经。理气宽中，燥湿化痰。用于咳嗽痰多，食积伤酒，呕恶痞闷。

用法用量：内服煎汤，3 ~ 6 g；或入丸、散剂。

参考文献

[1] 陈建华，林焕泽，廖景辉．化橘红生源化州柚与柚的生药学研究[J]．中国当代医药，2011，18（35）：56-57．

[2] 莫小路，蔡岳文，曾庆钱．中药化橘红的研究进展[J]．食品与药品，2007，9（6）：39-41．

[3] 许翔翔，刘淼，李西文．南药化橘红全球产地适宜性分析[J]．世界中医药，2017，12（5）：992-995．

[4] 岑庆源，郑明涛，董汉武，等．道地化橘红产业发展现况及品质调控展望[J]．广州化工，2021，49（5）：33-37．

[5] 林励，李向明，万建义，等．化橘红药材质量评价、监测与应用研究[J]．中国现代中药，2010，12（8）：21-26，36．

[6] 广东省药品检验所．广东省地方中药材化橘红胎（化橘红珠）质量标准（草案）的公示[EB/OL]．（2020-12-24）[2022-01-19]．http://gdidc.gd.gov.cn/gdidc/notice/paper/content/mpost_3157342.html．

[7] 国家药典委员会. 中华人民共和国药典：2020 年版 [M]. 北京：中国医药科技出版社，2020.
[8] 李晓光，林励，陈志霞. 化州柚与柚的性状及组织显微鉴别 [J]. 中药材，2002，25（6）：401-402.
[9] 化州市人民政府办公室. 化州市人民政府办公室关于印发《化州特色农业发展总体规划（2018 — 2035）》《化州市化橘红（化州橘红）产业发展总体规划（2018 — 2035）》的通知 [EB/OL].（2020-05-13）[2022-01-19]. http://www.huazhou.gov.cn/wgk/jcgk/jchgc/content/post_951488.html.
[10] 梁小静. 茂名市化橘红地理标志的品牌提升研究 [D]. 湛江：广东海洋大学，2021.
[11] 张志标，杜小珍，陶星星，等. ‘桂柚 1 号’在广东的引种表现及栽培技术要点 [J]. 东南园艺，2022，10（5）：377-380.
[12] 何天富. 中国柚类栽培 [M]. 北京：中国农业出版社，1999.

（肖凤霞）

茜草科 Rubiaceae 巴戟天属 *Morinda*

巴戟天 *Morinda officinalis* How

| 凭证标本号 | 441324180803007LY、441226141217082LY、441781150126008LY。

| 药 材 名 | 巴戟天（药用部位：根。别名：巴戟、鸡肠风、兔儿肠）。

| 植物形态 | 藤本灌木。根肉质，圆柱形，呈不规则地断续膨大，状似念珠，分枝，根肉略紫红色，干后紫蓝色。嫩枝被小粗毛，老枝无毛，具纵棱，棕色或蓝黑色。叶纸质，单叶对生，长圆形、卵状长圆形或倒卵状长圆形，长 6 ~ 13 cm，宽 3 ~ 6 cm，先端急尖或具小短尖，基部钝圆或楔形，全缘，上面初时疏被紧贴的长粗毛，后变无毛；叶柄长 4 ~ 11 mm，密被粗毛；托叶顶部平截，干膜质，易碎落。头状花序呈伞形排列于枝顶；花序梗长 5 ~ 10 mm，被短柔毛；花 4 ~ 10，无花梗；花萼倒圆锥状，下部合生，顶部具 2 ~ 3 波状齿；花冠白色，肉质，近钟状，长 6 ~ 7 mm，花冠管顶部收狭成壶状，内

巴戟天

巴戟天的托叶鞘和叶序

面中部以下至喉部密被短粗毛；雄蕊与花冠裂片同数，着生于裂片侧基部，花丝极短，花药背着；花柱外伸，柱头不膨大，通常 2 裂，子房 2 ~ 4 室，每室具 1 胚珠，着生于隔膜下部。聚花核果扁球形或近球形，直径 5 ~ 11 mm；核果具三棱形分核，果柄极短；种子略呈三棱形。花期 5 ~ 7 月，果熟期 10 ~ 11 月。

| 野生资源 |

一、生态环境

巴戟天生于热带、亚热带温暖湿润的山谷、溪边或次生林下，喜温暖潮湿的气候，不耐寒，要求降水丰沛，以土层深厚、湿润肥沃的赤红壤或黄壤土为宜。

二、分布区域

主要分布于广东清远（英德）、韶关（新丰）、河源（连平、和平）、梅州（五华、兴宁、大埔）、惠州（博罗）、珠海、广州（从化）、肇庆、江门（恩平）、云浮、阳江、茂名等地。

三、蕴藏量

广东第四次中药资源普查的数据显示，广东巴戟天野生资源的蕴藏量为 6 544.8 kg/km^2。

| 栽培资源 |

一、生长环境

巴戟天喜温暖湿润的气候，幼苗应避免阳光直射，成株需要充足的阳光，不耐霜冻，较耐旱，要求有丰沛的降水，以年降水量超过 1 200 mm 为宜。栽培土壤以土层深厚、湿润、肥沃疏松、排水良好的赤红壤或黄壤等酸性砂壤土为宜，含氮量过高的土壤不利于巴戟天生长，可通过增加土壤中磷与钾的含量提高土壤肥力。巴戟天对光照的适应性较强，适合在郁闭度＜ 30% 的环境中生长。

二、栽培区域

巴戟天是广东的道地药材，道地产区为广东肇庆德庆，种植面积最大的镇为高良镇，高峰期种植面积超过 3 万亩，肇庆市区（如高要）也有种植。此外，广东梅州、揭阳、韶关、云浮、茂名、湛江等地亦有种植。

广东肇庆高要禄步镇巴戟天种植基地

广东云浮郁南巴戟天种植基地

三、栽培要点

巴戟天的繁殖方式包括扦插繁殖、块根繁殖和种子繁殖三种。

扦插繁殖：选择二年生至三年生健壮、无腐烂、无病虫害、抗病能力强、优质高产的藤条作种源，截成长 5 cm 的单节或长 10 ～ 15 cm、具 2 ～ 3 节的枝条作插条，上端节间挨节剪平，第 1 节的叶片保留，其他叶片剪除，下端剪成斜口；按行距 15 ～ 20 cm 开沟，然后将插条按株距 1 ～ 2 cm 整齐地斜放在沟内，覆黄心土或经过消毒的细土，使插条稍露出地面。一般扦插后 20 天即可生根，成活率超过 80%。

巴戟天种苗繁育（扦插繁育）

已长出新根的巴戟天插穗

块根繁殖：选肥大均匀、根皮不破损、无病虫害的根茎作种苗，截成长 10 ~ 15 cm 的小段，在整好的苗床上按行距 15 ~ 20 cm 开沟，然后将块根按株距 5 cm 整齐地斜放在沟内，覆土压实，使块根露出土面约 1 cm。

种子繁殖：10 ~ 11 月采收果实，除去果皮，阴干即可播种；或用湿沙与种子混合，置通风处，翌年 3 ~ 4 月播种。由于种子不宜久藏，应尽量随采随播。撒播的密度不宜过大。播种后覆土约 1 cm 厚，1 ~ 2 个月便可出芽，幼苗成活率可达 90%。

春、秋季均可定植，以春季为好。定植时按株距 30 ~ 50 cm 挖穴，每穴栽苗 1 ~ 2 株，根系要舒展，栽后压实，插芒箕遮阴。定植后前 3 年生长缓慢，每年春、秋季宜进行除草、培土和地面覆盖。

巴戟天的病害主要是茎基腐病，可与禾本科植物轮作，选择在微酸性至中性砂壤土中种植，避免暴晒，增施钾肥。发病初期用等量的草木灰与石灰混合粉或 50% 多菌灵 1 000 倍液浇灌，10 天 1 次，连续数次。

巴戟天育苗大棚

四、面积与产量

据统计，广东巴戟天种植面积约为 70 000 亩，干药材年产总量为 2 500 ~ 3 000 t。

| 采收加工 |

采收时间：栽培 6 ~ 7 年即可采收，全年均可采收。

加工方式：先将植株整株挖起，抖去泥土，摘下肉质根，洗净，除去杂质，修剪成段，晒至五成干，人工抽去木心，晒干或低温烘干。

刚采收的巴戟天根

采收后清洗巴戟天根

晾晒场上的巴戟天根

人工抽去巴戟天根的木心

抽去木心后晾晒巴戟天根

| 药材性状 | 本品呈扁圆柱形或圆柱形，略弯曲，长短不等，直径 0.5 ~ 2 cm。表面灰黄色或暗灰色，具纵纹及横裂纹，有的皮部横向断离，露出木部。质坚韧；断面皮部厚，紫色或淡紫色，易与木部剥离，木部坚硬，黄棕色或黄白色，直径 1 ~ 5 mm。气微，味甘、微涩。以条粗壮、连珠状、肉厚、断面色紫者为佳。

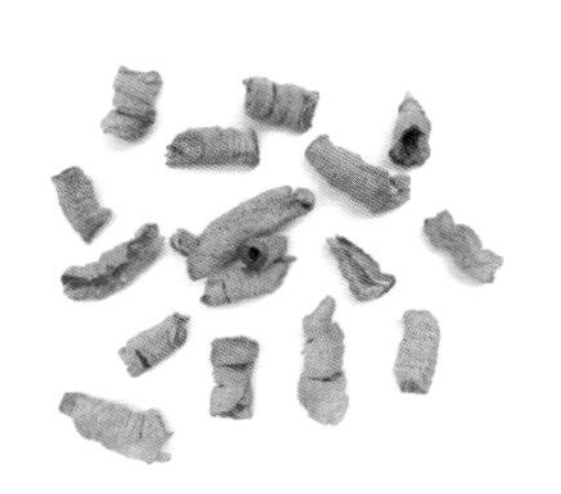
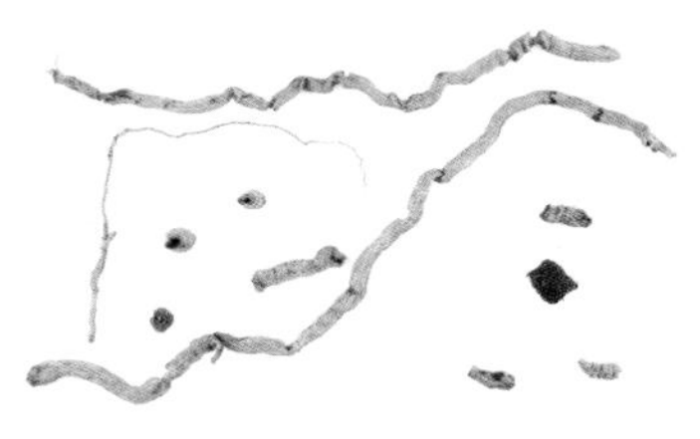

巴戟天药材

| 化学成分 | 本品的主要成分有蒽醌类、酯类、环烯醚萜类、三萜类、甾体类和糖类等化合物。蒽醌类化合物含量最高，主要包括茜草素型蒽醌、大黄素型蒽醌、非羟基型蒽醌和还原蒽醌等。

| 功能主治 | 甘、辛，微温。归肾、肝经。补肾阳，强筋骨，祛风湿。用于阳痿遗精，宫冷不孕，月经不调，少腹冷痛，风湿痹痛，筋骨痿软。

| 用法用量 | 内服煎汤，3 ~ 10 g。

| 附　　注 | 一、道地沿革

巴戟天最早记载于《神农本草经》，陶弘景在《名医别录》中记载了巴戟天的产地："生巴郡及下邳山谷，二月、八月采根阴干。"然而，有学者们经过考

证发现古代所用的巴戟天与现代所用的巴戟天很可能不是来源于同一物种。1958 年，侯宽昭教授通过调查发现，当时市售的巴戟天药材为茜草科植物巴戟天 *Morinda officinalis* How 的根，为巴戟天药材的正品。

巴戟天是广东的道地药材，20 世纪 60 年代开始进行栽培，20 世纪 90 年代开始进行较大规模的栽培。

由于巴戟天具有连作障碍，加上山地种植采挖易造成水土流失和塌方等，在道地产区，政府鼓励农户采用套种的方式种植巴戟天，即巴戟天与肉桂、罗汉松、杉、美丽崖豆藤等套种，以解决大规模开山种植造成的水土流失问题。近年来，巴戟天的主产区逐渐向广东云浮郁南的缓坡台地迁移，目前，种植最集中、规模较大的产区主要在广东云浮郁南。

二、物种鉴别

巴戟天药材的易混淆品有羊角藤、副巴戟天、四川虎刺、虎刺和短刺虎刺。

羊角藤为巴戟天属植物印度羊角藤 *Morinda umbellata* L. 的根或根皮，呈圆柱形，略弯曲，直径 1 ~ 1.5 cm，表面灰黄色或暗灰色，具不规则的皱纹和较粗的横纹及横裂纹，有的皮部横向断离出木心，呈长短不一的节状。

副巴戟天为巴戟天属植物假巴戟 *Morinda shuanghuaensis* C. Y. Chen et M. S. Huang 的根或根皮，呈长圆形或不规则的片状，直径 1.2 ~ 2 cm，外表灰褐色，粗糙，有纵皱纹。

四川虎刺为虎刺属植物四川虎刺 *Damnacanthus officinarum* Huang 的根，呈短圆柱形，直径 0.3 ~ 1 cm，表面土棕黄色至棕褐色，具不规则的纵皱纹或细横纹。

虎刺为虎刺属植物虎刺 *Damnacanthus indicus* Gaertn. f. 的根，弯曲，呈连珠状，膨大部分直径 0.5 ~ 1.5 cm，表面灰白色，有细纵纹，膨大部分为一端带表皮的木心。

短刺虎刺为虎刺属植物短刺虎刺 *Damnacanthus giganteus* (Makino) Nakai 的根，呈圆柱形，自然缢缩成念珠状，缢缩处常有表皮包被而不露出木质部，直径 4 ~ 9 mm，表面棕褐色，有不规则的纵皱纹，横纹明显。

三、市场信息

2010—2012 年，巴戟天药材价格处于上涨期，各地对巴戟天的种植热情很高，种植面积不断扩大。2013—2016 年，价格下跌至低谷，种植户急忙大量采收并抛售。2017 年，《广东省岭南中药材保护条例》实施后，巴戟天药材价格再次上涨。据统计，近年来，全国巴戟天干品的年需求量为 2 200 ~ 2 500 t，主要作为食用原料。目前，市售的巴戟天药材 90% 产于广东，10% 产于福建、广西等地。

四、濒危情况、资源利用和可持续发展

巴戟天具有增强免疫力、抗肿瘤、抗抑郁等作用，目前已被开发为一系列药品，如巴戟补肾丸、巴戟滋补膏及抗精神病制剂等。此外，巴戟天富含维生素C、胶质、人体必需氨基酸及糖类化合物，被用于保健食品及药膳的开发，如巴戟饮料、巴戟黑米酒、巴戟乌鸡精等。

随着生活水平的提高，人们更加注重养生与保健。近年来，巴戟天需求量日益增加，野生巴戟天遭到掠夺式采挖，资源几近枯竭。目前，市售的巴戟天药材99%以上来源于栽培资源。巴戟天栽培年限为6～7年，且具有连作障碍，因此，可栽培面积逐年减少，为保证资源的可持续发展和利用，应提高巴戟天的繁育技术水平。

巴戟天作为滋补类中药和药食同源品种，具有巨大的药用价值和经济价值。因此，在保证道地性的前提下，"优质优产"是巴戟天资源可持续发展的重要命题，需要从以下几个方面着力发展：①收集并评价巴戟天种质资源，培育优良品种；②建立巴戟天绿色高效生态种植技术体系；③建立巴戟天药材溯源体系；④开发高附加值产品，赋予巴戟天更高的经济价值，促进产业的高质量发展。

参考文献

[1] 宋开蓉，高建德，刘雄．巴戟天现代研究进展[J]．中兽医医药杂志，2018，37（3）：79-82.

[2] 冼丽铧，吴道铭，隆曼迪，等．土壤养分、种植年限和种植方式对巴戟天寡糖含量的影响[J]．华南农业大学学报，2021，42（3）：75-85.

[3] 徐鸿华．30种岭南中药材规范化种植（养殖）技术（中）[M]．广州：广东科技出版社，2011.

[4] 崔国静，梁展，周东升．巴戟天的种植、炮制与加工[J]．首都医药，2013，20（21）：44.

[5] 陈秋铃．中药巴戟天的化学成分研究[D]．广州：暨南大学，2022.

[6] 国家药典委员会．中华人民共和国药典：2020年版[M]．北京：中国医药科技出版社，2020.

[7] 官璐，汪鹏，谭瑞湘，等．南药巴戟天的全球产地区划[J]．世界中医药，2017，12（5）：986-988.

（郑夏生　潘超美）

瑞香科 Thymelaeaceae 沉香属 *Aquilaria*

白木香 *Aquilaria sinensis* (Lour.) Gilg

| 凭证标本号 | 441900180712067LY、440923140717011LY、440982150426001LY。

| 药 材 名 | 沉香（药用部位：含树脂的木材。别名：莞香、女儿香、黎峒香）。

| 植物形态 | 乔木，高 5 ~ 15 m。树皮暗灰色，纤维坚韧；小枝圆柱形，具皱纹，幼时疏被柔毛，后毛逐渐脱落至无毛或近无毛。叶革质，圆形、椭圆形至长圆形，有时近倒卵形，长 5 ~ 9 cm，宽 2.8 ~ 6 cm，先端锐尖或急尖而具短尖头，基部宽楔形；叶柄长 5 ~ 7 mm，被毛。花芳香，黄绿色，多朵组成伞形花序；花梗长 5 ~ 6 mm，密被黄灰色短柔毛；萼筒浅钟状，两面密被短柔毛，5 裂，裂片卵形，长 4 ~ 5 mm，先端圆钝或急尖，两面被短柔毛；花瓣 10，鳞片状，着生于萼筒喉部，密被毛；雄蕊 10，排成 1 轮，花丝长约 1 mm，花药长圆

白木香

白木香果实

形，长约 4 mm；子房卵形，密被灰白色毛，2 室，每室具 1 胚珠，花柱极短或无，柱头头状。蒴果卵球形，幼时绿色，长 2 ~ 3 cm，直径约 2 cm，先端具短尖头，基部渐狭，密被黄色短柔毛，2 瓣裂，2 室，每室具 1 种子，果柄短；种子褐色，卵球形，长约 1 cm，宽约 5.5 mm，疏被柔毛，基部具附属体，附属体长约 1.5 cm，上端宽扁，宽约 4 mm，下端呈柄状。花期春、夏季，果期夏、秋季。

野生资源

一、生态环境

白木香为多年生常绿乔木，主要生于南亚热带到北热带季风区，向北可伸延至南亚热带北缘，稍超过北回归线，是热带、南亚热带常绿季雨林和山地雨林的常见树种。喜阳光充沛、高温潮湿的环境，适宜在低海拔、土壤肥沃、土层深厚、疏松的弱酸性砖红壤土或山地黄壤土中生长。

二、分布区域

主要分布于广东中山、东莞、江门（新会）、广州（番禺）、茂名（电白）等地。

三、蕴藏量

由于沉香价格相当昂贵，人们对白木香进行掠夺式采伐，原始林遭到严重破坏，加之白木香种子不易发芽，天然更新能力弱，白木香野生种群较为少见。

栽培资源

一、生长环境

白木香栽培于低海拔的山地、丘陵及路边向阳处的疏林，栽培区域海拔 50 ~ 500 m，无霜期较长，约 352 天，年平均气温 21.8 ℃，最热月 7 月，最冷

月 1 月，平均年降水量 1 734 mm。栽培土壤要求土层深厚、腐殖质多、湿润而疏松的弱酸性砖红壤土或山地黄壤土。本种常与托盘青冈、黄桐、橄榄、水石梓等混生。幼龄树耐阴，成龄树喜光。在富含腐殖质、土层深厚的土壤中生长较快，但结香不多；在瘠薄的土壤中生长缓慢，长势差，但利于结香。

二、栽培区域

主要栽培于广东茂名（电白）、湛江（遂溪、徐闻）、汕尾（陆丰、陆河）、江门（新会）、中山、东莞等。广东惠州（惠东）、肇庆（广宁）、江门（鹤山）等地也有不同规模的栽培。

广东中山五桂山街道桂南村白木香种植基地

三、栽培要点

白木香以种子繁殖为主，种子一定要在 10 年以上的母树上采选。6 ~ 8 月果实由青绿色转黄白色、种子呈棕褐色时，连果枝一并剪下，选择重约 110 g 的种子播种，随采随播。幼苗高 10 cm 时注意浇水，保持土壤湿润，每月除草 1 次，适当修剪分枝，促进主干生长，苗高 15 cm 时，勤施薄肥，每 2 个月施 1 次有机肥，随苗木生长适当增加有机肥浓度。培育 1 ~ 1.5 年，苗高 50 ~ 80 cm 时即可移栽。

选择背阴、空气湿度较大、坐西向东的缓坡或平地，提前深翻细耙，将地整成宽 1 m、高 20 cm 的平畦。立春后，春梢尚未萌动前移栽。起苗应多带宿土，将幼苗下部的侧枝以及叶片剪去，只保留上部的部分枝叶，修剪过长的主、侧根，蘸上鲜牛粪黄泥浆，扶正，分层覆土压实，浇足定根水，最后覆上一层土。

根据白木香不同生长阶段的特点，加强田间管理。白木香结香期需注意观察树的外貌和形态，在正常情况下，如枝叶出现生长枯黄、局部枯死等现象，一般可以判定已经结香，故有“有伤疤就有香，有虫蚁就有香”的说法。白木香的茎干未受伤前是不结香的，只有经过刀砍、虫蛀或病腐后被真菌感染，在菌丝所分泌的酶类作用下，木材发生一系列的变化，最后形成香脂。

四、面积与产量

截至 2022 年 12 月，广东白木香种植面积约为 36.4 万亩。因大部分产区种植时间不长，故目前产出量不大。各产区种植情况见表 2-10-1。

表 2-10-1　广东白木香种植面积统计表

产区	种植面积 / 万亩	产区	种植面积 / 万亩
阳江阳西	4.3	东莞	0.7
茂名电白	12.0	潮州	1.0
茂名化州	7.0	惠州惠东	9.0
湛江廉江	0.6	江门恩平、开平	1.0
湛江遂溪	0.3	肇庆广宁、高要	0.5

采收加工

采收时间：取决于树干内是否结香。白木香经过刺激，一般 3 ～ 5 年即可结香，有的 1 ～ 2 年或 10 ～ 20 年结香。为了便于菌种在采收后继续生长，通常于春季对化学试剂结香或人工接菌结香者进行采收。

加工方式：选取有黑褐色或棕褐色芳香性树脂的树干部分，分割截取，残存活株仍可结香，待树干结香一直延伸到根部后，一并挖起。用具有半圆形刀口的小凿和刻刀剔除不含香脂的白色轻浮木质和腐朽木质，加工成块状、片状或小块状，阴干，用木箱装载放于阴凉干燥处，也可捣碎或研成细粉，密闭保存，忌高温、潮湿。

沉香的采收

| 药材性状 | 本品呈不规则块状、片状或盔帽状，有的为小碎块，表面凹凸不平，有刀痕，偶有孔洞，可见黑褐色树脂与黄白色木部相间的斑纹，孔洞及凹窝表面多呈朽木状。质较坚实，横断面刺状，可见褐色斑点，大多不沉于水，燃烧时发出浓烟及强烈香气，并有黑色油状物渗出。气芳香，味苦。以质坚、体重、含树脂多、香气浓且温和者为佳。

沉香药材

| 化学成分 | 本品的有效成分是挥发油类，主要包括倍半萜类化合物、三萜类化合物、2-（2-苯乙基）色酮类化合物、芳香族化合物等。不同国家及地区沉香的化学成分含量存在明显差异。进口沉香中芳香族化合物含量多，倍半萜类化合物含量少；倍半萜类化合物为海南沉香的主要成分；广东沉香中芳香族化合物和倍半萜类化合物的含量比例接近进口沉香，2-（2-苯乙基）色酮类化合物的含量高于进口沉香与海南沉香。

不同产地、不同品种沉香的挥发油、醇溶性浸出物的含量也不尽相同。国产沉香的挥发油、醇溶性浸出物含量比进口沉香偏低，国产沉香挥发油含量约 2%，醇溶性浸出物含量一般为 10% ~ 20%，进口沉香挥发油含量可达 5.5%，醇溶性浸出物含量多为 20% 以上。2020 年版《中国药典》规定，沉香醇溶性浸出物不得少于 10.0%。

| 功能主治 | 辛、苦，微温。归脾、胃、肾经。行气止痛，温中止呕，纳气平喘。用于胸腹胀闷疼痛，胃寒呕吐呃逆，肾虚气逆喘急。

| 用法用量 | 内服煎汤，1.5 ～ 4.5 g，后下。

| 附　　注 | 一、栽培历史

我国古代白木香资源丰富，最早主产于广东西部。明代时在广东珠江三角洲开始栽培。自清代以来，由于自然灾害和人为的滥采滥伐，白木香野生资源日趋枯竭，特别是 20 世纪 90 年代以来，人们对白木香的需求迅猛上升，导致其野生资源被破坏殆尽。1998 年，白木香被列入《濒危野生动植物种国际贸易公约》（CITES）附录Ⅱ，1999 年被列为国家二级保护野生植物，2003 年被载入《广东省珍稀濒危植物图谱》。为保护好这一珍贵的药用野生植物资源，各地积极开展白木香人工栽培，20 世纪 80 年代，白木香种植项目被列入国家星火计划和国家科技攻关项目。目前，我国广东、广西、海南等地均有种植，以广东茂名（电白）、湛江（遂溪）、中山、东莞和海南屯昌种植最为集中。

广东是最早种植白木香的省份之一，也是业内公认沉香质量最好的产区。茂名市南药药业有限公司、广东君元药业有限公司投资 2 400 万元，在广东茂名电白观珠镇种植了 100 多万株白木香，面积达 6 000 亩，现白木香已成林，该基地是目前国内最大的符合 GAP 要求的种植示范基地。中山市林业科学研究所育苗基地从 2002 年开始进行白木香苗木的培育工作，通过在当地自采树种、繁育，经过不断攻关， 2006 年上半年，繁育出 1.5 万多株健壮的白木香苗并移种至当地多个山头，此后，由于需求不断增大，该基地不断增加培育的数量，截至 2015 年 12 月底，广东中山人工栽植的白木香达 400 多万株。莞香历来是广东东莞的特产，2001 年，东莞植物园在其珍稀植物园内特设了一个莞香园，成功育苗 4 000 多株。此外，广东湛江（徐闻）、汕尾（陆丰、陆河）、江门（新会、鹤山）、肇庆（广宁）等地均有小规模种植。

二、物种鉴别

沉香在各中草药志中多有记载，基原较为统一。国产沉香为本种含树脂的木材，主产于广东、广西、海南、福建、台湾。进口沉香为瑞香科植物沉香 *Aquilaria agallocha* (Lour.) Roxb. 含树脂的木材，主产于印度尼西亚、越南、老挝等国家，我国广东、广西亦有。

沉香 *Aquilaria agallocha* (Lour.) Roxb. 与本种的区别在于沉香高达 30 m，叶片椭圆状披针形、披针形或倒披针形，先端渐尖，叶脉模糊；花白色，与小花梗等长或较小花梗稍短，花被裂片卵形，雄蕊 10，其中 5 雄蕊较长；蒴果密被灰白色绒毛，种子通常1，密被锈色绒毛，基部具角状附着物，附着物长约为种子的2倍。

三、传统医药知识

在岭南地区，人们用沉香煎汤服，治疗胃肠道疾病；在北方，人们将沉香打粉，然后将其与其他药物混合制成药丸，早晚口服，可降血压，治疗心脑血管疾病。除此之外，还可用沉香等芳香药制成烟熏剂、香囊、药枕、药帽等来防病治病，有文献报道睡前用电熏香炉烤炙沉香熏3 h，能显著改善失眠障碍患者的睡眠质量，降低失眠严重程度，同时还能缓解患者的焦虑、抑郁等。另外，民间还用沉香等芳香药煎汤洗浴，防治风疹、皮炎、皮肤瘙痒等。

四、市场信息

目前，我国大陆地区对沉香产品（不包括衍生品）的年需求量超过500 t，预计未来10年，沉香的年需求量可超过2 000 t。

近年来，由于人们收入水平的提高和市场对沉香产品价值的挖掘，沉香的需求量不断增加，价格上涨较快。上好品相的沉香连续多年价格涨幅超过30%，品质较好的沉香市场价格早已超过1万元/kg，最高可达20万元/kg，有些极品沉香的价格甚至比黄金价格高出数百倍，达到收藏级别的沉香每千克以百万元计价，沉香摆件在拍卖会的价格甚至高达几千万元。

五、濒危情况、资源利用和可持续发展

白木香野生资源日趋枯竭，属国家二级保护野生植物。为保护好这一珍贵的药用野生植物资源，在白木香主产区建立规范化种植基地，发展人工种植培育技术。在广东茂名（电白）、中山、东莞、深圳等地，选择适宜白木香生存的环境，指派专人对白木香现有种群进行保护，保证种质资源在原生境存活生长，以保留不同的生态型种源，实现资源的可持续利用。

随着社会的发展和市场需求的增加，沉香的应用范围不断扩大，除可作为传统药材和现代医药原料外，还可作为日化行业的重要原料。

沉香是著名的“粤八味”之一，药用价值极高。《中国基本中成药》中，以沉香为组方原料的中成药达47种，常用的有时疫救急丹、大活络丹、沉香化滞丸、沉香化气丸、理气舒心片、十香返生丹、清心滚痰丸、妇宁丸、妇科通经丸等，民间应用沉香的验方更是多达数百种，此外，沉香还是藏药、蒙药等民族药的常用药材。由于沉香的药用需求非常广泛，保守估计，未来10年，我国沉香的药用需求量每年可超过100 t。在临床上，沉香被广泛用于治疗消化系统、呼吸系统、心脑血管系统疾病及风湿、肿瘤等疾病，现代研究表明，沉香是治疗胃癌的特效药和很好的镇痛药。

近年来，随着社会经济的发展和人民生活水平的不断提高，人们对沉香药用价值的认识越来越深，产品需求不断增加。

近年来，各地十分注重对白木香非药用部位的综合开发利用，开展了对白木香叶的药理作用研究，并与沉香的药理作用进行对比，探索白木香叶与沉香不同的药理作用，为寻找和扩大新药源提供理论依据，并在此过程中，研制开发出沉香叶茶等新产品，提高了沉香资源的综合利用价值及经济效益。

为保证资源的可持续发展，满足中医药产业发展以及社会其他产业的需求，需做好以下工作：①大力发展白木香人工种植基地建设，提高栽培品的品质；②开展对沉香采收加工的研究，加强质量控制；③加强规范化、规模化生产和综合利用技术研究，提高生产技术和综合利用水平；④调动企业和农民参与资源保护和利用的积极性；⑤加大对白木香非药用部位叶、花、果实的研究与应用，开发新的药用资源。

参考文献

[1] 梅全喜．沉香的研究与应用[M]．北京：中国中医药出版社，2020.

[2] 梅全喜．香药——沉香[M]．北京：中国中医药出版社，2016.

[3] 梅全喜，李汉超，汪科元，等．南药沉香的药用历史与产地考证[J]．今日药学，2011，21（1）：3-5.

[4] 梅全喜，吴惠妃，梁食，等．中山沉香资源调查与开发利用建议[J]．今日药学，2011，21（8）：487-490.

[5] 李红念，梅全喜，吴惠妃，等．沉香的资源、栽培与鉴别研究进展[J]．亚太传统医药，2011，7（2）：134-136.

[6] 林焕泽，李红念，梅全喜，等．沉香叶的研究进展[J]．今日药学，2011，21（9）：547-549.

[7] 宋叶，梅全喜，成金乐，等．沉香炮制方法及入药方式探讨[J]．中药材，2018，41（10）：2467-2470.

[8] 梅全喜，汪科元，林焕泽，等．沉香的结香、采收与鉴别方法[J]．中国医药指南，2013，11（12）：268-269.

[9] 吴惠妃，梅全喜，冯淑霞，等．沉香质量考察[J]．今日药学，2013，23（2）：84-86.

[10] 梁食，梅全喜，吴惠妃，等．沉香资源质量的研究现状与等级划分的方法[J]．时珍国医国药，2013，24（7）：1735-1737.

[11] 梅全喜，李红念，林焕泽，等．沉香叶与沉香药材降血糖作用的比较研究[J]．时珍国医国药，2013，24（7）：1606-1607.

[12] 李月菲，田从魁，孟嘉星，等．沉香的化学成分及药理作用研究进展[J]．国际药学研究杂志，2019，46（7）：498-506.

[13] 童娅，刘浩．沉香与一种沉香伪品的鉴别研究[J]．时珍国医国药，2006，17（12）：2552-2553.

[14] 陈宗樑，翁荣珍，陈玉谊．国产、进口沉香及伪品落水沉香的鉴别[J]．海峡药学，1999，11（2）：47.

[15] 刘继云，陈海东．基于价格形成机制的沉香产业发展问题研究[J]．海派经济学，2019，17（4）：135-143.

[16] 雷莉，张婷，高东，等．沉香熏香疗法对失眠障碍患者的临床疗效研究[J]．中风与神经疾病杂志，2019，36（7）：609-612.

（曾聪彦　梅全喜）

樟科 Lauraceae 樟属 *Cinnamomum*

肉桂 *Cinnamomum cassia* Presl

凭证标本号

440785180708015LY、445322141225007LY、445381160730009LY。

药材名

肉桂（药用部位：树皮、枝皮。别名：玉桂、官桂、板桂）。

植物形态

常绿大乔木。一年生枝条圆柱形，黑褐色，有纵向细条纹，略被短柔毛；当年生枝条多少四棱形，黄褐色，具纵向细条纹，密被灰黄色短绒毛。叶互生或近对生，长椭圆形至近披针形，长 8 ~ 16 cm，宽 4 ~ 5.5 cm，先端稍急尖，基部急尖，革质，边缘软骨质，内卷，上面绿色，有光泽，无毛，下面淡绿色，晦暗，疏被黄色短绒毛，离基三出脉，侧脉近对生；叶柄粗壮，长 1.2 ~ 2 cm，被黄色短绒毛。圆锥花序腋生或近顶生，长 8 ~ 16 cm，三级分枝，分枝末端为具 3 花的聚伞花序；总花梗长约为花序长的一半，与各级花序轴均被黄色绒毛；花白色，长约 4.5 mm；花梗长 3 ~ 6 mm，被黄褐色短绒毛；花被内外两面密被黄褐色短绒毛；能育雄蕊 9，药室 4；子房卵球形。果实椭圆形，

肉桂枝叶

肉桂茎皮表面的地衣斑

长约 1 cm，宽 7 ～ 8 mm，成熟时黑紫色，无毛。花期 6 ～ 8 月，果期 10 ～ 12 月。

野生资源

一、生态环境

肉桂是喜温暖湿润气候的常绿乔木，耐短期低温，怕霜雪，喜酸性、微酸性土壤，适合生于无霜环境下背阴的红褐壤土或山地黄红壤土中，以年平均气温 20 ℃以上、平均年降水量 1 200 ～ 1 400 mm、空气相对湿度 80% 以上为佳。

二、分布区域

广东各地均有分布。

三、蕴藏量

肉桂主要来源于栽培资源，现有的数据信息不能满足统计学意义上的计算条件，故广东第四次中药资源普查未能计算出肉桂野生资源的蕴藏量。

| 栽培资源 |

一、生长环境

肉桂多栽培于气候温暖潮湿的低海拔山地，土壤类型以黄壤土为宜，在土层深厚、土质疏松肥沃、湿润且排水功能良好的砂壤土中长势良好。

二、栽培区域

肉桂种植区域主要分布于广东云浮、肇庆。云浮种植面积最大的为罗定、郁南，其中罗定被国家林业和草原局认定为“中国肉桂之乡”，种植品种为罗定肉桂。肇庆西江流域的地理环境、土壤、水质、气候等条件比较适合肉桂生长，已有约300年的种植历史，是肉桂的重要产区，种植区域主要集中在高要、广宁、四会、怀集、封开、德庆等地，种植品种为西江肉桂。

肉桂种植园

三、栽培要点

肉桂可在4月播种，种子直播入沟内，畦面盖稻草，出苗后遮阴。一般在幼苗长出3 ~ 6片真叶时施入稀薄的腐熟人畜粪水，每隔30天左右追肥1次。培育1年，苗高约30 cm时，在3月下旬移栽。新造肉桂幼林要每年除草松土、施肥2次， 每次施复合肥100 g。肉桂种植过程中比较常见的病害主要包括根腐病与褐斑病。褐斑病发病初期，喷施比例为1：1：100的波尔多液，10天左右喷洒1次，喷洒3次即可。根腐病需要及时拔除病株，并在病株根穴位置施50%退菌特可湿性粉剂2 000倍液浇灌。

四、面积与产量

广东肉桂种植面积约 8.9 万 hm^2，主要分布于广东肇庆（高要、广宁、四会、怀集、封开、德庆）、云浮（罗定、郁南），种植面积、产量和产值见表 2-11-1。

表 2-11-1　广东肉桂主产区种植规模

主要种植区域	主要分布地区	种植面积 / $(\times 10^4\ hm^2)$	产量 / $(\times 10^7\ kg)$	农业产值 / $(\times 10^8$ 元)
云浮	罗定	2.93	1.5	3.0
云浮	郁南	1.60	1.0	1.2
肇庆	高要、广宁、四会、怀集、封开、德庆	7.07	4.7	3.5

| 采收加工 |

采收时间：一般于种植后 4 ～ 6 年进行第 1 次采收，采收后根部长出萌蘖，4 ～ 6 年后进行第 2 次采收，此后每年皆可采收。采收时间一般为 4～6 月或 9 月，两个时段采收的肉桂分别称为“春桂”和“秋桂”，以秋桂质量为佳。

加工方式：肉桂树皮按照部位和加工方法的不同可分为板桂、桂通、烟仔桂、桂碎、肉桂粉等。板桂质量上乘，通常由树龄 10 年以上的肉桂树皮加工而成，先将树皮晒软，夹在平直的木制夹板内，整齐的叠在一起，两端及中间用绳绑紧，晒至九成干，解除绑绳，置于室内干燥通风处，将树皮纵横堆叠，上面用石块加压，放置 1 个月至树皮完全干燥。桂通是将剥下的肉桂树皮和粗枝皮置于阳光下晒软，用手搓卷成整齐的单筒或双筒而成。烟仔桂是将削去外表皮的肉桂树皮切成方块，加工成形似香烟的卷筒而成。桂碎是将加工剩余的或不符合加工规格的肉桂树皮去净杂质，晒干而成。肉桂粉是将肉桂树皮加工成粉末而成。

剥下树皮

树皮去栓皮后裁成段

板桂的加工

| 药材性状 | 本品呈槽状或卷筒状，长 30 ~ 40 cm，宽或直径 3 ~ 10 cm，厚 0.2 ~ 0.8 cm。外表面灰棕色，稍粗糙，有不规则的细皱纹和横向凸起的皮孔，有的可见灰白色斑纹；内表面红棕色，略平坦，有细纵纹，划之显油痕。质硬而脆，易折断，断面不平坦，外层棕色而较粗糙，内层红棕色而油润，两层间有一黄棕色的线纹。气香浓烈，味甜、辣。

板桂药材

桂通药材

| 功能主治 | 辛、甘，热。归肾、脾、心、肝经。补火助阳，引火归元，散寒止痛，温通经脉。用于阳痿宫冷，腰膝冷痛，肾虚作喘，虚阳上浮，眩晕目赤，心腹冷痛，虚寒吐泻，寒疝腹痛，痛经经闭。

| 用法用量 | 内服煎汤，1 ~ 5 g；或研末冲，1 ~ 2 g。

附　注　一、道地沿革

肉桂原产于我国西南地区，被《神农本草经》列为上品。关于肉桂原植物的记载最早见于晋代嵇含编著的《南方草木状》，该书记载："桂有三种，叶如柏叶，皮赤者，为丹桂；叶似柿叶者，为菌桂；其叶似枇杷叶者，为牡桂。"至今已有千年的栽培历史，为"参、茸、燕、桂"四大补品之一。广东地处中国大陆南端，是我国光、热和水资源最丰富的地区之一，历代本草认为两广地区是肉桂的道地产区，清代《本草求真》记载："桂出岭南，色紫肉厚，体松皮嫩，辛甘者佳。"广东罗定被认定为"中国肉桂之乡"，广东高要也是首批"中国名特优经济林肉桂之乡"。

二、物种鉴别

肉桂药材的基原较为统一，多为樟科樟属植物肉桂 *Cinnamomum cassia* Presl，在我国福建、台湾、广东、广西、云南等地均有栽培，尤以广西栽培为多。其变种大叶清化桂 *Cinnamomum cassia* Presl var. *macrophyllum* Chu 原产于越南，我国于 1962 年引种，在广东、广西等地有大面积栽培，广西产量最大，又名清化桂或南玉桂，其树皮亦作药材使用，与国产肉桂药材相似，嚼之特别清香，品质较优。

大叶清化桂与肉桂的主要区别在于前者叶片甚大，长 25 ~ 35 cm，宽 8 ~ 11 cm，花丝近无毛。

目前，市场上肉桂药材的伪品有肉桂同属植物天竺桂 *Cinnamomum japonicum* Sieb.、柴桂 *Cinnamomum tamala* (Buch.-Ham.) T. Nees et (C. H.) Eberm 等的树皮，其性状、气味与肉桂相似，容易混淆，区别主要在于伪品划之油痕不明显或几乎不显，有大叶桉气味或樟气等。

三、传统医药知识

临床上肉桂用药配伍较为灵活，可治疗多种疾病，常与其他药材配伍发挥温阳散寒的作用。岭南地区常用肉桂配伍其他药材治疗肾阳虚导致的不孕及阳痿、肺气虚损型喘证、脾胃虚寒导致的慢性胃炎、虚寒型痢疾、小儿脾脏虚寒型夜啼、肝肾阳虚导致的骨质疏松等多种疾病，用肉桂油配伍其他药材治疗软组织挫伤等。《岭南民间验秘方大全》记载，麻黄、紫苏、杏仁、肉桂、陈皮、薄荷（后入）、甘草、桑白皮、大腹皮各 10 克，乌梅 1 枚，生姜 3 片，水煎服，可治疗哮喘。广东地区常用肉桂煲汤，如人参肉桂炖乳鸽，可缓解久病虚弱、肾精不足、消渴、健忘、妇女血虚、心神不定等症状，羊肉肉桂汤有温中健胃、暖腰膝的作用。

四、市场信息

我国肉桂种植面积达 3.3×10^5 hm^2，年产桂皮 1.3×10^8 kg、桂油 2×10^6 kg，种植面积和年产量均居世界首位。从 2013 年开始，我国成为全球肉桂第一大产区，除 2015 年产量稍有下滑外，我国肉桂产量基本处于全球第一。2017 年肉桂出口额近 1 亿美元，在出口药材中居第 3 位。肉桂价格随着种植面积及供求关系的变化而波动，2014 年价格约为 20 元/kg，2015 年上半年降为 9.2 元/kg。近年来，肉桂价格波动不大，干皮 15 ~ 16.4 元/kg，鲜皮 8 ~ 10 元/kg，干枝叶约 900 元/t，鲜枝叶约 600 元/t。

广东肉桂多产于云浮、肇庆等地。云浮罗定有 7 家桂皮加工厂、11 家桂油加工厂，年产桂皮 2×10^7 kg、桂油 1.5×10^6 kg，年产值超过 6 亿元。其中桂皮主要出口亚洲其他国家和地区，其次是非洲、欧洲等地，桂油主要出口美国。

五、濒危情况、资源利用和可持续发展

桂皮制成的多种产品，如桂通、油桂、卷筒桂等是我国、日本、新加坡等一些国家和地区传统的中药。现有的清凉油、风湿油等皆含有桂油成分。肉桂的其他副产品如桂枝、桂子、桂丁、桂盅等都有不同的药理作用，应用广泛。

肉桂作为一种药食同源品种，常作为食品添加剂和调味品使用，具有杀菌、保鲜、除臭等功能以及良好的持香作用，常被研发成新型的食品防腐剂、香料、抑菌剂和杀虫剂等。此外，作为重要的有机物合成中间体，肉桂还被广泛用于化合物的合成。肉桂醛有极佳的抑菌和除臭作用，常被应用于药膏、口气清新剂等产品中，对大肠杆菌、枯草芽孢杆菌、金黄色葡萄球菌、沙门菌、变形链球菌、黏性放线菌、黄曲霉、烟曲霉、黑曲霉等有良好的抑制作用。同时，肉桂醛具有杀虫的作用，以肉桂油为原料制成的杀虫剂天然无害，值得推广。以肉桂醛为原材料可加工其他化合物，如苯甲醛、肉桂醇、氢化肉桂酸以及广泛应用于集成电路等领域的聚乙烯醇肉桂酸酯等。

肉桂的传统药用部位为树皮和枝皮，肉桂叶富含挥发油、萜类、黄酮类、苯丙素类等化学成分，具有抗菌、抗氧化、调节免疫等作用，其功效和成分与传统肉桂相似，且肉桂叶资源丰富，再生能力比树皮或枝皮等部位强，近年来，逐渐被开发成一些大健康产品。

目前，我国肉桂产品多以药材和粗加工产品为主，精深加工技术和精细化产品欠缺，多为单一产品的生产和销售，产品档次低，这些问题大大降低了肉桂加工企业的综合效益，从而影响了肉桂产业的可持续发展。因此，发展肉桂精深加工终端产品，将是实现我国肉桂资源可持续发展的重要措施。

参考文献

[1] 伍彩红，舒眉，李倩，等．广东、广西产肉桂资源调查研究[J]．现代中药研究与实践，2017，31（5）：14-17，21．

[2] 林兴军，周海生，邬华松，等．广东省肉桂产业调研报告[J]．热带农业科学，2016，36（1）：80-84．

[3] 杨得坡，叶华谷，张丽霞，等．中国南药资源研究与应用图鉴：上卷[M]．广州：广东科技出版社，2022．

[4] 国家药典委员会．中华人民共和国药典：2020年版[M]．北京：中国医药科技出版社，2020．

[5] 中国科学院中国植物志编辑委员会．中国植物志：第三十一卷[M]．北京：科学出版社，1982．

（杨得坡　冯　冲）

姜科 Zingiberaceae 豆蔻属 *Amomum*

阳春砂 *Amomum villosum* Lour.

| 凭证标本号 | 441781140715022LY、441224181010001LY、440785180506059LY。

| 药 材 名 | 砂仁（药用部位：果实。别名：春砂仁）。

| 植物形态 | 多年生草本，高 1.5 ~ 2.3 m。茎直立。根茎匍匐于地面，节上被褐色膜质鳞片。叶 2 列，披针形或矩圆状披针形，先端具尾状细尖头，基部近圆形，无叶柄；叶舌短；叶鞘上具凹陷的方格状网纹。穗状花序椭圆形；总花梗长 4 ~ 8 cm，被膜质鳞片，具披针形苞片及管状小苞片；花萼管白色，先端 3 浅裂，基部疏被柔毛；花冠裂片卵状矩圆形，白色，唇瓣圆匙形，先端 2 裂，反卷，具黄色小尖头，中脉凸起，紫红色，其余白色；药隔先端附属体半圆形，两边有耳状突起。蒴果椭圆形，长 1.5 ~ 2 cm，成熟时紫红色，干后褐色，

阳春砂

表面被不分裂或分裂的柔刺；种子多数，黑色，多角形，外被膜质假种皮。

| 栽培资源 |

一、生长环境

阳春砂为半阴生植物，对温度、光照、湿度、地形、地势等生态环境要求苛刻。栽培地块一般位于两山间的谷地，或一面开旷、三面环山的山窝地。栽培土壤以底土为黄泥，表土层肥沃疏松、腐殖质丰富、保水保肥强的砂壤土为宜。适宜生长温度为 24 ~ 28 ℃，适宜郁闭度为 40% ~ 60%，幼苗期郁闭度为 70% ~ 80%，空气湿度＞ 90%，土壤含水量 25% ~ 27%。

二、栽培区域

阳春砂主要分布于广东阳江（阳春）、茂名（高州、信宜）、肇庆（广宁、怀集、封开）、云浮（罗定、郁南、新兴）等地，清远（佛冈）、湛江（吴川）等地也有栽培。

三、栽培要点

采用分株繁殖和种子繁殖的方法。大面积种植以种子繁殖为主。此外，栽培地区与苗地距离较远时，为减少运苗困难，宜采用种子繁殖。

四、面积与产量

据统计，广东阳江阳春砂种植面积约为 10 万亩，其中，阳东、阳西种植面积共 2 万亩，阳春种植面积为 8 万亩。年产鲜果 1 900 t，年产干药材总量约为 430 t。

| 采收加工 |

采收时间：阳春砂一般于 8 月中旬果实成熟时采收，用剪刀将果柄剪断，整穗取下。

加工方式：采收后及时干燥。如一时未能干燥，堆放时要摊开，厚度小于 10 cm，堆放时间最长不超过 5 天，如继续堆放，则需放入冷库。干燥方法有焙干法、晒干法、半焙半晒法和电烘箱烤干法。

（1）焙干法。利用山坡斜度，掘土设一土灶（灶壁高 1 m，深 1 m，宽 1 m 以上），灶上架一铁线筛（铁筛长 90 cm、宽 60 cm，筛眼直径 0.3 cm），每筛可装鲜果 8 ~ 10 kg。焙干法分“杀青”“回潮”“复火”3 个加工工序。

1）杀青。将鲜果置于筛上，摊平，盖上湿麻袋，先用少量干柴起火，后加湿柴，以暗火（80 ~ 90 ℃）熏焙。若灶中起明火，即拨入湿谷壳或湿木糠加以控制。熏焙 2 ~ 3 h，中间翻动 1 ~ 2 次，待果皮收缩变软 6 ~ 7 成即可。

2）回潮。取出杀青后的果实，装入麻袋或竹箩内，稍压实，封闭袋口或将竹箩用麻袋盖好，闷一夜，使其发汗回潮，取出进行复火。

3）复火。把回潮后的果实摊放于筛上，用炭火慢火烤干。复火温度以 70 ℃为宜，复火 6 ~ 8 h，即可完全干燥，取出，放凉后即可入包。

焙干法加工时间只需 1 天，干燥后的果实紧凑沉实，果皮与种子团紧贴，长时间保存不易发霉，果壳外皮红褐色，颜色较均匀，有浓烈香气。但该法燃料用量较大，成本较高，1 kg 鲜果需耗柴火 1 kg，因无保温和热量循环设施，热量利用率不及 20%（极低），且只能用于少量鲜果的加工，如加工大量鲜果，必须采用土炉或热风干燥机。

传统的柴火焙干

广东阳春合水镇合作社改进的焙干装置

（2）晒干法。将鲜果摊于晒场，傍晚回收，第 2 天回晒，天气晴朗时反复 6 ~ 7 天即可晒干。此法简易，成本低，但果实膨胀，果皮与种子团分离，形成空隙，久置易发霉，香气弱。晒干过程中常因雨天导致霉变，影响品质。

（3）半焙半晒法。只有“杀青”和“晒干”2个加工工序，但时间较长，一般用木桶盛装50 kg果实，置于烟灶上，以湿麻袋盖好，密封桶口，生火熏烟至果实发汗，取出，晒干。

（4）电烘箱烤干法。将鲜果置于电烘箱内，加热烘干即可。采用电烘箱烤干的砂仁无烟熏味。

药材性状

本品呈椭圆形或卵圆形，具不明显的3钝棱，长0.7 ~ 2.3 cm，直径0.5 ~ 1.5 cm；表面黄棕色至黑褐色，密生软刺或刺状突起，先端有花被残基，基部常有果柄，果皮薄而软。种子团3瓣，具3钝棱，中间有白色隔膜，每瓣有种子8 ~ 26；种子呈不规则的多面体形，直径2 ~ 3 mm，表面棕红色或暗褐色，有细皱纹，外被淡棕色膜质假种皮。质硬。气芳香浓烈，味辛、微苦，凉。

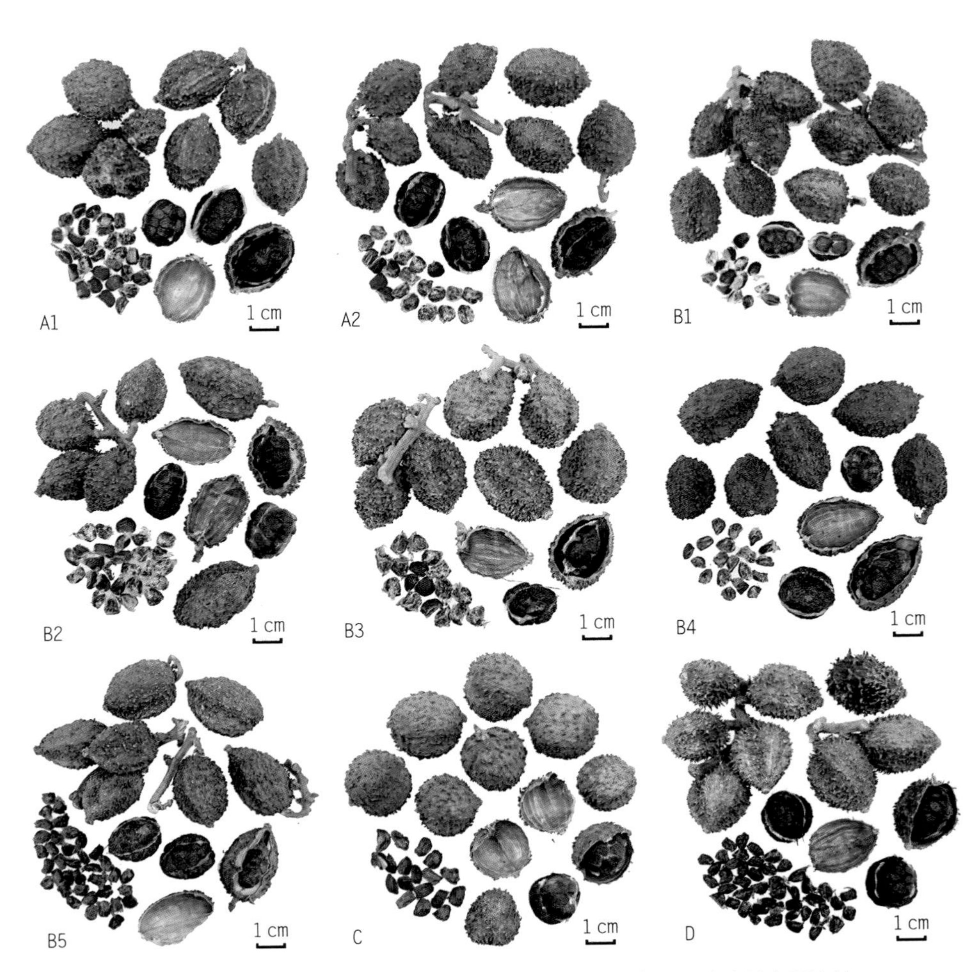

A1. 蟠龙村金花坑；A2. 蟠龙村五楞歪；B1. 春湾镇湴坑村；B2. 春湾镇九仔坑村；B3. 春湾镇钟蕉垌村；B4. 春湾镇叮当盎坑；B5. 春湾镇担水侬；C. 永宁镇高寨村；D. 合水镇。

广东不同产地的砂仁药材

| 功能主治 | 辛，温。归脾、胃、肾经。化湿开胃，温脾止泻，理气安胎。用于湿浊中阻，脘痞不饥，脾胃虚寒，呕吐泄泻，妊娠恶阻，胎动不安等。

| 用法用量 | 内服煎汤，3 ~ 6 g，后下；或入丸、散剂。

| 附　　注 | 一、本草记述

砂仁古称“缩沙蜜”，始载于唐代甄权《药性论》，该书记载：“出波斯国，味苦、辛。能主冷气腹痛，止休息气痢劳损，消化水谷，温暖脾胃。”唐代李珣《海药本草》记载：“生西海及西戎诸地。味辛，平，咸……多从安东道来。”

宋代对砂仁的记载比较丰富、翔实。刘翰等编著的《开宝本草》记载：“生南地。苗似廉姜，形如白豆蔻。其皮紧厚而皱，黄赤色，八月采。”苏颂《本草图经》记载：“今惟岭南山泽间有之。苗茎作高良姜，高三、四尺；叶青，长八、九寸，阔半寸已来；三月、四月开花在根下；五、六月成实，五、七十枚作一穗，状似益智，皮紧厚而皱如栗文，外有刺，黄赤色。皮间细子一团，八漏可四十余粒，如黍米大，微黑色，七月、八月采。”并附新州缩沙蜜图。从上述记载来看，宋代砂仁的生长环境、形态特征、采收季节与现代砂仁基本一致。

明代对砂仁的记载基本上沿用了唐、宋本草的记载。李时珍在《本草纲目》中谓：“此物实在根下，仁藏壳内。”这与《本草图经》中的描述相似。“补肺醒脾，养胃益肾，理元气，通滞气，散寒饮胀痞，噎膈呕吐，止女子崩中，除咽喉口齿浮热，化铜铁骨哽”是李时珍对缩沙蜜功效的总结。刘文泰《本草品汇精要》记载的“道地：新州。春生苗，七八月取实暴干，类白豆蔻，皮紧厚而皱，黄赤色”，也沿用了宋代唐慎微的说法。从上述记载看出，明代所用的砂仁包括唐代从海外引进的“缩沙蜜”和宋代的“新州缩沙蜜”两种。

清代，缩沙蜜逐渐改称“砂仁”之名，并沿用至今。汪昂辑著的《本草备要》云：“砂仁即缩砂蔤。”严洁等《得配本草》云：“缩砂密俗呼砂仁。”而“阳春砂”“阳春砂仁”之名，于李调元《南越笔记》中始有记载：“阳春砂仁，一名缩砂蜜，新兴也产之，而生阳江者大而有力。曰缩砂者，言其壳；曰蜜者，言其仁；鲜者曰缩砂蜜；干者曰砂仁。”吴其濬《植物名实图考》称：“苗茎似高良姜，今阳江产者形状殊异，俗呼草砂仁。”从上述记载看出，清代所用砂仁以广东阳春产者为佳。但阳春从何时开始种植阳春砂，至今仍未有确切考证。

本草记载阳春砂有国产与进口之分，国产者与现今所用阳春砂基本一致。

二、物种鉴别

砂仁的基原还有本种同属植物绿壳砂 *Amomum villosum* Lour. var. *xanthioides* (Wall. ex Baker) T. L. Wu et Senjen、海南砂 *Amomum longiligulare* T. L. Wu。绿壳砂主产于云南，如今仅有少数植株零散分布，国内产量极低，目前绿壳砂主要分布于越南、老挝等。绿壳砂果实加工干燥后整体颜色较浅，表面黄白色、灰绿色或浅黄棕色，刺稍稀疏而短，余同阳春砂，但在 2020 年版《中国药典》中，绿壳砂与阳春砂的药材性状一致，并未严格区分。海南砂野生资源分布于海南琼中等地，广东湛江有极少量的栽培，仅供研究，未形成产量，市场难见。海南砂与阳春砂差异较大，无需人工授粉亦可结果，亩产量较高。果实长椭圆形或卵圆形，棕黑色至紫黑色，栽培品色浅，棕色，毛刺稀疏，片状，基部宽扁，刺先端分枝，三棱明显；果皮厚硬；种子团较小，每瓣有种子 5 ~ 20；气稍淡，味较苦、涩，质较差。

A1、A2、A3. 绿壳砂；B1、B2、B3. 海南砂。

绿壳砂、海南砂

A1、A2. 绿壳砂；B. 海南砂。

绿壳砂、海南砂药材

目前，市场上流通的砂仁主要为云南引种品，少量为广西引种品，福建长泰及同安亦有极少量分布。此外，市场上还有老挝、越南进口的砂仁。与道地砂仁相比，引种砂仁表面毛刺稀疏，果壳鼓，不贴种子团，内面色浅（烤干或晒干），果壳厚（福建砂仁果壳薄）；种子团大，隔膜多数外延，种子多，直径小；气香，味微酸、微涩、微苦，辛凉感不足。

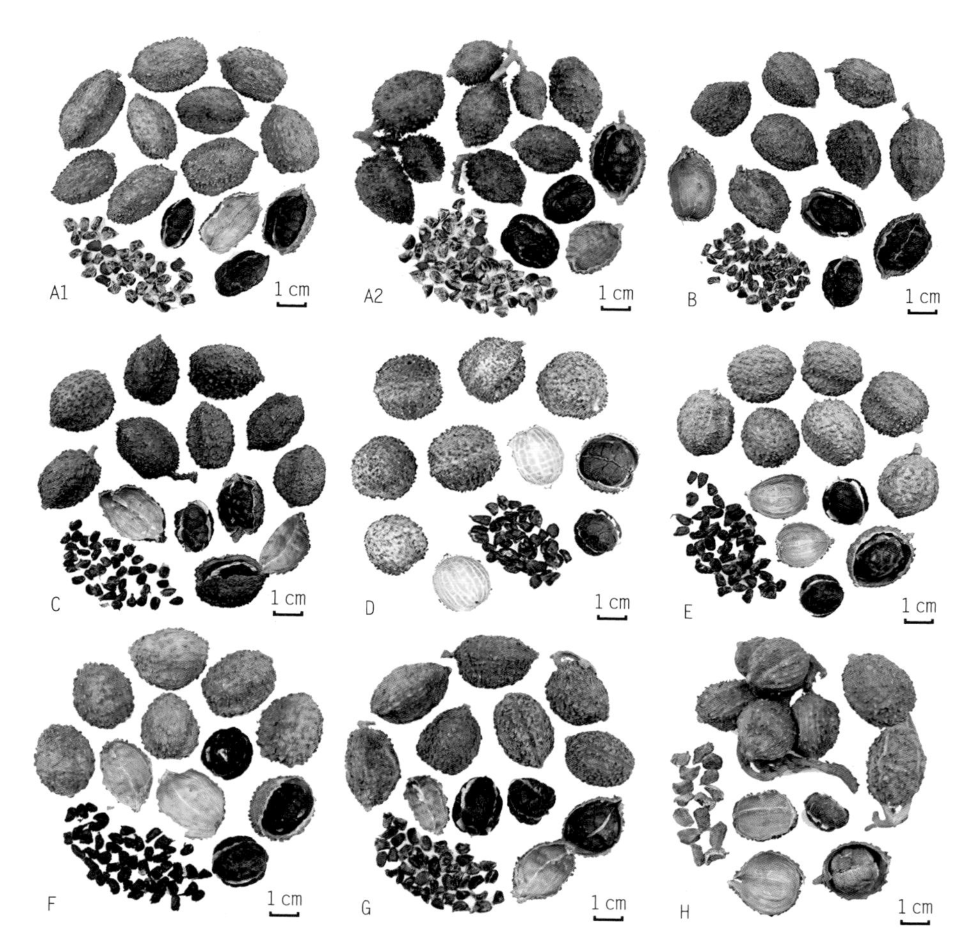

A1. 广西（长果）；A2. 广西（圆果）；B. 云南西双版纳傣族自治州；C. 云南普洱；D. 云南红河哈尼族彝族自治州；E. 云南文山壮族苗族自治州；F. 福建；G. 老挝；H. 越南。

不同产地的砂仁药材

目前，市场上常见的伪品有云南景洪巴色砂、老挝巴色砂、老挝巴双砂、缅甸砂、红壳砂、海南假砂仁等。老挝巴色砂、老挝巴双砂及缅甸砂最常见，常冒充阳春砂或掺入阳春砂中出售，非专业人士难以辨别，其基原不明，因分别产自老挝巴色、巴双和缅甸而得名。红壳砂为姜科豆蔻属植物红壳砂仁 *Amomum neoaurantiacum* T. L. Wu et al. 的果实，产于老挝、越南以及我国云南西双版纳

傣族自治州等地，年产量近 100 t。海南假砂仁为姜科豆蔻属植物海南假砂仁 *Amomum chinense* Chun ex T. L. Wu 的果实，产于海南白沙等地，常冒充海南砂。伪品与砂仁的区别为：云南景洪巴色砂和老挝巴色砂瘦长，圆形或长卵形，棕褐色或黑褐色，毛刺稀疏，细纵棱多而明显，先端长尖。老挝巴双砂小，卵形，先端略歪斜。缅甸砂灰棕色至灰褐色，毛刺短小稀疏，果皮厚硬，不易撕裂，细密纵棱多而清晰。云南景洪巴色砂、老挝巴色砂、老挝巴双砂和缅甸砂均味苦、微涩，辛凉感弱，气香怪异，似山姜果。红壳砂长橄榄形或长椭圆形，红棕色至红褐色，毛刺片状，稀疏，果皮薄脆，花被残基明显；种子团干瘪紧实；具明显的花香味。海南假砂仁黄棕色至黄褐色，毛刺稀疏，倒钩状，多分布在不连续的果棱上，果皮厚硬，不易撕裂；种子团圆润饱满，种子呈不规则的卵圆形，光滑；味淡，气香怪异，似山姜果。

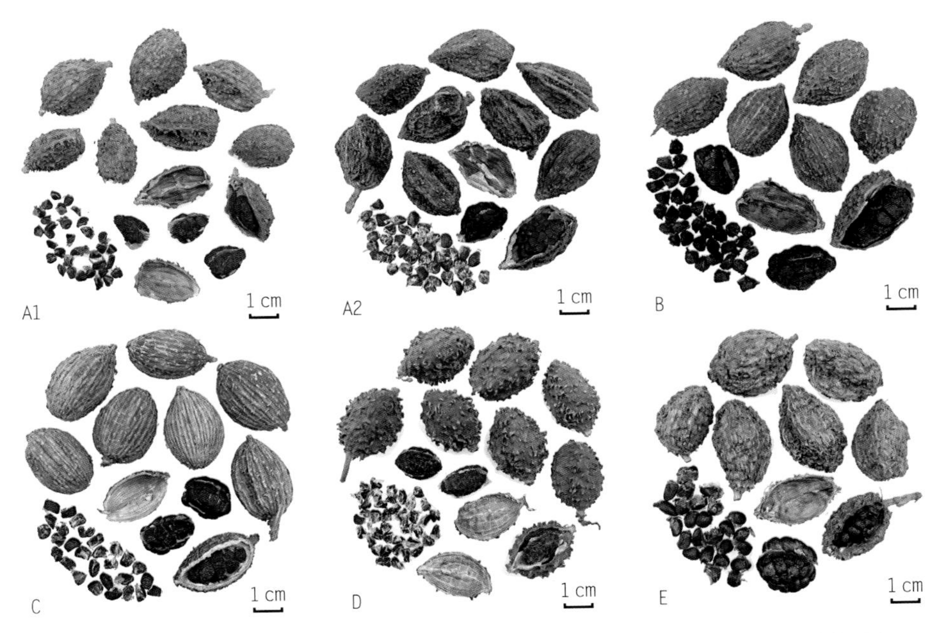

A1. 云南景洪巴色砂；A2. 老挝巴色砂；B. 老挝巴双砂；C. 缅甸砂；D. 红壳砂；E. 海南假砂仁。

砂仁伪品

三、传统医药知识

《全国中草药汇编》记载，阳春砂、木香、陈皮、甘草、法半夏、党参、白术、茯苓煎汤，可治疗脾虚食欲不振，腹痛泄泻，咳嗽多痰；阳春砂、木香、枳实、白术煎汤，可治疗胃腹胀痛，食积不化。《灵验偏方治百病》记载，民间用砂仁、小米、绿豆入砂锅煮成粥，治疗老年性白内障。《实用临床中药学》记载，民间用砂仁粉末与少许糯米饭混匀，搓成花生米大小，外裹消毒的青布（必须是棉制品）塞鼻，治疗乳腺炎。此外，据阳春当地药农反馈，阳春砂叶油具有极好的促进刀伤愈合的作用。

四、市场信息

近年来，砂仁需求量呈逐年增长的趋势。2021年，全国砂仁总产量约为5 000 t，广东道地产区所产的砂仁多供内销，极少流入国外市场，产地价格为1 600 ～ 6 000元/kg。广西所产的阳春砂七八成熟的果实被做成砂仁蜜饯、砂仁酒等，成熟果实则被运往广东阳春，焙干后冒充道地砂仁销售，牟取暴利。云南是目前砂仁的主产区，年产量约为2 600 t，产地价格为130 ～ 500元/kg。此外，老挝砂仁年产量约为1 300 t，越南砂仁年产量约为500 t，缅甸砂仁年产量约为80 t，我国进口砂仁的价格每千克仅数十元。

五、濒危情况、资源利用和可持续发展

阳春砂原产于广东阳春，二十世纪六七十年代，因供不应求，被引种至广西、云南、福建等地，随后砂仁产量大幅度增加，并能满足市场需求，目前，引种区砂仁产量占据市场总量的80%以上，表明广西、云南、福建等地的生态环境极适宜阳春砂的生长。近年来，随着引种区的扩增，砂仁的产量不断增加，目前各地已形成了较为成熟的栽培及加工技术，建立了产业化、规模化的生产基地，保证了砂仁药用资源的可持续发展。

阳春砂的植株可用于提取挥发油，挥发油又称“砂仁叶油”，可内服及外用；根茎及果壳可用作保健食品汤料。

根据国家药品监督管理局网站公布的数据，截至2024年4月，以砂仁为主要原料生产的中成药已超过400种，其中丸剂最多，共计367个品种和规格，砂仁颗粒共计21个品种和规格，砂仁胶囊共计15个品种和规格，砂仁散剂共计7个品种和规格，砂仁片剂共计5个品种和规格，砂仁合剂共计2个品种和规格，砂仁口服液共计1个品种和规格，砂仁驱风油共计1个品种和规格，砂仁乳剂共计1个品种和规格。砂仁不仅具有温脾止泻、理气安胎等功效，还是传统的香辛料，可用于烹调各种菜式。近年来，随着社会的发展和市场需求的变化，砂仁被广泛应用于食品、保健品等领域，如用砂仁浸提液研制的新型砂仁风味发酵乳，其助消化功能和营养价值大大提高，具有广阔的市场前景。

为保证阳春砂资源的可持续发展，满足中医药产业发展以及社会其他产业的需求，需做好以下工作：①大力发展阳春砂人工种植基地建设，提高阳春砂栽培品的质量；②开展对阳春砂加工方式的研究，加强质量控制；③加强规范化、规模化生产和综合利用技术研究，提高生产技术和综合利用水平；④综合利用资源，调动企业和药农参与资源保护和利用的积极性。

参考文献

[1] 张丹雁，赖小平，熊清平．四大南药：阳春砂[M]．武汉：湖北科学技术出版社，2016．
[2] 甄权．药性论[M]．尚志钧，辑校．芜湖：皖南医学院科研科，1983．
[3] 李珣．海药本草（辑校本）[M]．尚志钧，辑校．北京：人民卫生出版社，1997．
[4] 刘翰，马志．开宝本草（辑复本）[M]．尚志钧，辑校．合肥：安徽科学技术出版社，1998．
[5] 苏颂．本草图经[M]．尚志钧，辑校．合肥：安徽科学技术出版社，1994．
[6] 李时珍．本草纲目（点校本）[M]．马美著，点校．北京：人民卫生出版社，1985．
[7] 刘文泰．本草品汇精要[M]．北京：人民卫生出版社，1964．
[8] 汪昂．本草备要[M]．陈赞育，点校．沈阳：辽宁科学技术出版社，1997．
[9] 严洁，施雯，洪炜．得配本草[M]．姜典华，校注．北京：中国中医药出版社，1997．
[10] 李调元．南越笔记[M]．新1版．北京：中华书局，1985．
[11] 吴其濬．植物名实图考[M]．北京：商务印书馆，1957．
[12] 陈仁山．药物出产辨[M]．广州：广东中医药学校，1930．
[13]《全国中草药汇编》编写组．全国中草药汇编：上[M]．2版．北京：人民卫生出版社，1996．
[14] 申鸿砚．灵验偏方治百病[M]．石家庄：河北科学技术出版社，1992．
[15] 曾昭龙，张旮．实用临床中药学[M]．北京：学苑出版社，2001．
[16] 严娅娟，张丹雁，鲁轮．阳春砂杂交新种选育及其与母本的生长特性及形态特征比较研究[J]．种子，2014，33（12）：98-101．

（张丹雁　班梦梦）

睡莲科 Nymphaeaceae 芡属 *Euryale*

芡 *Euryale ferox* Salisb.

| 凭证标本号 | 441900231126007LY。

| 药 材 名 | 芡实（药用部位：种仁。别名：鸡头米、鸡头莲、鸡头荷）。

| 植物形态 | 一年生大型水生草本。沉水叶箭形或椭圆状肾形，长 4 ~ 10 cm，两面无刺，叶柄无刺；浮水叶革质，椭圆状肾形至圆形，直径 10 ~ 130 cm，盾状，有或无弯缺，全缘，下面带紫色，有短柔毛，两面在叶脉分枝处有锐刺；叶柄及花梗粗壮，长可达 25 cm，皆有硬刺。花长约 5 cm；萼片披针形，长 1 ~ 1.5 cm，内面紫色，外面密生稍弯的硬刺；花瓣矩圆状披针形或披针形，长 1.5 ~ 2 cm，紫红色，呈数轮排列，向内渐变成雄蕊；无花柱，柱头红色，呈凹入的柱头盘。浆果球形，直径 3 ~ 5 cm，污紫红色，外面密生硬刺；种子球形，直径 10 mm，黑色。花期 7 ~ 8 月，果期 8 ~ 9 月。

芡

芡叶背面

芡叶表面

芡花蕾、幼叶

芡花

栽培资源

一、生长环境

芡适宜栽培于池塘、水库、沟渠、沼泽地及湖泊中，水底土壤以疏松、中等肥沃的黏泥为好。带沙的溪流和酸性大的污染水塘不宜栽种。

二、栽培区域

芡主要分布于广东肇庆鼎湖、四会，云浮郁南等地也有一定规模的栽培。

广东肇庆鼎湖沙浦镇芡种植基地

三、栽培要点

栽培区域要求气候温暖潮湿、光照充足、雨量充沛、风速平稳、大风灾害少、没有污染、水源充足、排灌方便，栽培土壤要求肥沃松软、pH6.5 ～ 8.5、有机质含量 2% ～ 4%、耕作层厚度≥ 20 cm、犁底层厚 5 ～ 7 cm、保水保肥且渗透性好，土壤质地在砂壤土和黏壤土之间，以水深 50 ～ 100 cm 的浅水塘或水田为宜。选择纯度好、健康饱满、粒大的种子，于立春前后播种，一般采用直播的方式，播种前浸种催芽，待种子露白后放入苗池，灌水 10 cm，后随作物生长渐灌深水。中期管理宜浅水轻露晒塘，加施基肥，除虫拔草，促进植株开花结实。开花结果期植株需要大量养料，应加强田间管理，防治病、虫、螺害，提供足够的养分，保护功能叶，延长叶片寿命，促进芡开花结果，提高结籽率和籽粒充实度。主要病害有斑腐病、炭疽病和叶瘤病，主要虫害有长腿水叶甲和

缢管蚜，主要螺害有福寿螺和椎实螺，尤以福寿螺为甚。为减少病、虫、螺害，可实行水旱轮作，浸种前将种子消毒，冬季排水晒田至田地龟裂并撒施熟石灰，清除田间杂草以减少病、虫、螺宿主。叶面喷药要在无雨天的早上或午后进行，喷药后 3 h 内遇雨需补喷。

四、面积与产量

2018 年，广东芡种植面积为 5 723 亩，总产量为 2 241 t。2019 年，广东芡种植面积为 6 409 亩，总产量为 2 751 t。2020—2021 年，种植面积基本维持不变。

| 采收加工 |

采收时间：进入冬季后气温下降，芡植株衰亡，芡叶枯烂后，用竹或藤编制的捞箕采捞水中的果实，筛选，去泥留实。

加工方式：20 世纪 80 年代，采用肇实开边器去壳，将铁棍首部插入圆台铁砧的圆心里并与刀片接合，人坐在木板一端或将木板平放在地上，把带壳的种子放进圆台槽中，握住铁棍向圆台槽中用力一拉即可。20 世纪 90 年代初，采用肇实剪去壳，把带壳种子置于刀刃圆弧中，稍微用力握刀柄，外壳即可一分为二脱落。近年来，采用机械芡实剥壳机去壳。脱壳后晒干或烘干。

芡实的加工

芡实的晾晒

| 药材性状 | 本品呈类球形，多为破粒，完整者直径 5 ~ 8 mm；表面有棕红色内种皮，一端黄白色，约占全体的 1/3，有凹点状种脐痕，除去内种皮后显白色。质较硬，断面白色，粉性。气微，味淡。以颗粒饱满、均匀、粉性足、断面色白、无碎末及皮壳者为佳。

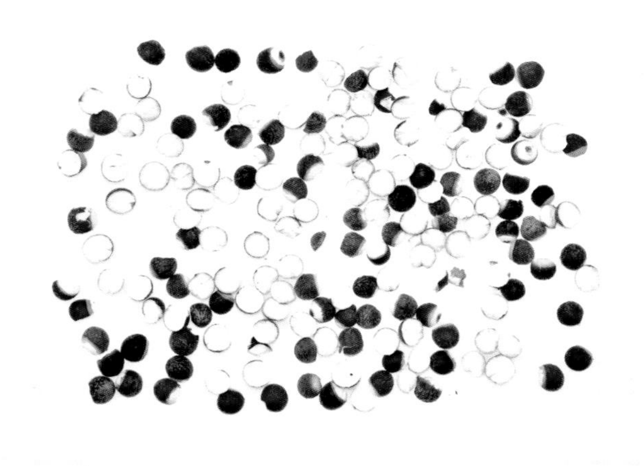

芡实药材

| 化学成分 | 本品的活性成分主要有木脂素类、脑苷脂类、生育酚类、环二肽、多酚类、甾醇类、黄酮类、酯类、烷烃类化合物及多种营养物质。本品含有的主要营养物质是碳水化合物，包括淀粉、糖类和粗纤维，淀粉含量≥ 70%。本品中蛋白质含量丰富（超过 10%），氨基酸种类齐全，配比合理，必需氨基酸占氨基酸总量超过 40%，可作为人体优质蛋白的理想来源。本品中维生素含量丰富，包括 β- 胡萝卜素、维生素 B 和维生素 E 等，食用本品可以缓解部分维生素缺乏引起的疾病。此外，本品中还含有多种与人体生命健康有关的必需微量元素。

| 功能主治 | 甘、涩，平。归脾、肾经。益肾固精，补脾止泻，除湿止带。用于遗精滑精，遗尿尿频，脾虚久泻，白浊，带下。

| 用法用量 | 内服煎汤，15 ~ 30 g；或入丸、散剂；或煮粥。

| 附　　注 | 一、道地沿革

明代嘉靖《广东通志》记载：“芡叶似荷而大，实有芒刺，其裹如珠，鸡头实也，出肇庆。”可见明代肇庆已有栽培芡实。清代《广东新语》记载：“七星岩西有仙掌峰，峰下有湖曰黄塘，相连数塘为一，广百余顷，野生荷花、菱、芡之属甚众。”道光《高要县志》记载：“沥湖在县北五里，北山诸涧之水，汇为黄塘、上榄塘……春夏潦涨，极目浩淼，多蒲、鱼、菱、芡之利。”“沥湖”即今天的肇庆星湖，清代广东地方志中多以“芡”统称芡实，这一时期的肇庆芡实以野生为主，并未开始批量生产，也未启用“肇实”这一专称。

“肇实”这一名称是随着肇庆芡实产量的增加而被当地居民认可的，在 1985 年出版的《广东风物志》中首次提到。据《广东土特产品》记载：“肇实主产区为永安、沙浦镇。”沙浦镇水源充足，地势平坦宽阔，有着悠久的渔业养殖历史，20 世纪 80 年代，沙浦镇人成功将沙浦镇肇实从野生品种变成家种品种。据《肇庆市鼎湖区志》记载，1988—2000 年肇实种植面积为 1 500 ~ 2 200 亩，随后沙浦镇的种植户将肇实种植区向周边地区扩大，肇实种植面积不断增加，但肇庆鼎湖沙浦镇仍是业内公认最好的产区。2012 年，原国家工商总局为“肇实”颁发了国家地理标志证明商标。

二、物种鉴别

芡按果实有无刺可分为有刺种和无刺种。有刺种俗称北芡或野芡，常见的有紫花、白花 2 种，在我国南方各地浅水湖泊和沼泽中多有分布。该种植株个体较小，成龄叶一般长为 0.7 ~ 0.8 m，最长可达 2 m，地上部分全体密生刺，采收比较困难，种子和种仁近圆形，较小，欠整齐，粳性，品质中等，但外种皮薄，适应性强。无刺种俗称苏芡或南芡，有紫花、白花、红花 3 种，是长期选育而成的栽培种，原产于江苏苏州，在明代《吴邑志》中就有“芡出横山南荡”的记载。该种植株个体较大，成龄叶一般长为 1 ~ 1.5 m，最长可达 2.5 m，地上部分除叶背外均无刺，采收较容易，种子和种仁近圆形，较大，糯性，品质优，但外种皮较厚，适应性差。

值得注意的是，肇实与一般的芡实成熟度不同，一般的芡实于果实成熟后采摘，而肇实则是让果实自然跌落水中，浸得结结实实后采捞，俗称“水浸”或

“水下熟”，采收时用竹编的肇实铲把浸在水中的果实铲起来，带壳干燥，连续晒太阳一周，需要出售时，利用开边器、肇实剪脱壳，筛选优品。

三、传统医药知识

民间常用芡实进行食疗和保健。将芡实与红枣、枸杞等食材一起煮粥食用，可以起到补血养颜、滋阴补肾的作用。将芡实磨成粉后加入面粉中制作糕点，可以起到健脾开胃的作用。

四、市场信息

2017—2018年，芡实价格为40 ~ 60元/kg。2019—2023年，由于供大于求，芡实价格维持在20 ~ 30元/kg。肇庆为广东芡实的主产区，年产量2 000 ~ 2 700 t。

五、濒危情况、资源利用和可持续发展

芡实作为传统药材和现代医药原料，广泛用于临床。目前最常见的芡实药用方剂为水陆二仙丹和芡实合剂。水陆二仙丹出自《洪氏经验集》，由芡实和金樱子两味中药组成，主要用来治疗糖尿病肾病等相关疾病。芡实合剂用来治疗慢性肾炎、脾肾两虚所致的蛋白尿等。据统计，以芡实为原料生产的中成药共计91种，如千斤肾安宁胶囊、肥儿口服液、健脾消疳丸、和胃疗疳颗粒、小儿化滞健脾丸、小儿渗湿止泻散、小儿止泻灵颗粒、抗衰灵口服液、水陆二味丸、龟鹿二胶丸、金锁固精丸等；国产保健食品共计36种，如芡实胶原蛋白大豆蛋白粉、芡实钙咀嚼片、芡实山楂茯苓咀嚼片、参杞鹿龟口服液等。

现代研究发现，芡实中含有丰富的营养物质，主要有碳水化合物、蛋白质、氨基酸、维生素、矿物质、脂类物质等。近年来，研发出的芡实相关产品日益增多，如芡实粉条、芡实糕、芡实蛋卷、芡实麦片、芡实奶粉、芡实酸奶、芡实果醋、芡实罐头、芡实保健茶等。

芡的传统药用部位是种仁，其根、茎和种壳亦有多种价值。芡根煮水服用可治疗肾炎，煲茶、煮粥有祛湿补肾的功用。芡茎中多糖和膳食纤维含量丰富，多糖类物质含有大量的亲水性羟基，具有保湿、抗氧化、抗炎、修复皮肤组织等功效，可开发成化妆品原料，膳食纤维对改善肠道微环境具有一定的积极作用。芡壳三萜类提取物有降血糖的功效，芡壳与棉籽壳混合可作为食用菌的培养基料，此外，芡壳还可作为多孔碳材料的碳源，其提取物可用作染料。

参考文献

[1] 国家药典委员会. 中华人民共和国药典: 2020年版[M]. 北京: 中国医药科技出版社, 2020.
[2] 宋晶, 吴启南. 芡实的本草考证[J]. 现代中药研究与实践, 2010, 24(2): 22-24.
[3] 吴颖. 肇实的历史、发展与保护建议[J]. 南方农业, 2018, 12(21): 101-103.
[4] 邱卓荣. 肇实高产优质栽培技术[J]. 热带农业工程, 2016, 40(3): 32-36.
[5] 邓秋童, 齐英, 王秋红. 芡实的炮制沿革及现代研究进展[J]. 中国药房, 2022, 33(15): 1911-1915.
[6] 吴颖. 肇实农业的发展史与综合利用研究[D]. 广州: 华南农业大学, 2020.
[7] 俞乐, 袁伟超, 何宝文, 等. 肇实种子萌发与生长特性研究[J]. 种子, 2015, 34(3): 12-17.
[8] 何春林. 肇实中化学成分及应用开发研究展望[J]. 广东化工, 2019, 46(4): 91-92.
[9] 高要县地方志编纂委员会. 高要县志[M]. 广州: 广东人民出版社, 1996.
[10] 广东省地方史志编纂委员会. 广东省志·农业志[M]. 广州: 广东人民出版社, 2002.
[11] 肇庆市鼎湖区地方志编纂委员会. 肇庆市鼎湖区志[M]. 北京: 中华书局, 2012.
[12] 薛峰, 孙锦杨, 刘琪, 等. 芡实精深加工研究进展[J]. 食品工业科技, 2016, 37(11): 390-394.
[13] 詹若挺, 刘军民, 陈立凯, 等. 广东省中药资源区划及栽培类药材的生产规划[J]. 广州中医药大学学报, 2021, 38(6): 1298-1304.

(刘基柱)

芸香科 Rutaceae 花椒属 *Zanthoxylum*

两面针 *Zanthoxylum nitidum* (Roxb.) DC.

| 凭证标本号 | 440783190812012LY、440923140723019LY、440224190315023LY。

| 药 材 名 | 两面针（药用部位：根。别名：双面针、上山虎、下山虎）。

| 植物形态 | 常绿木质藤本，高 1 ~ 2 m。根黄色。茎枝、叶轴背面和小叶两面中脉上均有钩状皮刺。羽状复叶互生；小叶 3 ~ 11，对生，革质，卵形至卵状长圆形，长 4 ~ 11 cm，宽 2 ~ 6 cm，有油点，边缘疏具波状锯齿，基部圆形或宽楔形。伞房状圆锥花序腋生；花小，单性；萼片 4；花瓣 4；雄蕊 4，药隔先端有短的突尖体，退化心皮先端常 4 裂；退化雄蕊极短小，心皮 4，柱头头状。蓇葖果紫红色，干时硬而皱，有粗大腺点；种子近球形，黑色，光亮。花期 3 ~ 4 月，果期 9 ~ 10 月。

两面针

两面针叶

两面针果实

两面针花枝

野生资源

一、生态环境

两面针喜光照充足、温暖湿润的环境，耐阴，生长适宜温度为 30 ℃。

二、分布区域

分布于广东广州（花都、从化）、深圳（宝安）、汕头、佛山（南海）、江门（新会、台山、开平）、湛江（遂溪、徐闻、廉江）、茂名（高州、信宜）、肇庆（广宁、怀集、封开、高要）、惠州（博罗、惠东、龙门）、梅州（梅县、丰顺）、河源、阳江（阳春）、清远（阳山、英德）、东莞、云浮（新兴、郁南、罗定）等。

三、蕴藏量

据调查，两面针的野生资源总蕴藏量为 10 718 t，经济量为 7 498 t，年允收量为 2 499 t。

栽培资源

一、生长环境

适宜栽培于海拔 400 m 以下的低山或丘陵疏林地，以年平均气温 20 ~ 23 ℃、年积温 6 500 ~ 7 600 ℃、年日照时数 1 500 ~ 1 900 h、生育期日照时数大于 1 000 h、平均年降水量 1 500 ~ 2 300 mm、年平均空气相对湿度 75% 以上为宜。地势以湿润、向阳和排灌良好的平地或缓坡为佳，栽培土壤要求 pH5 ~ 7，土层深厚，土质疏松且富含腐殖质的赤红壤、红壤、黄棕壤或石灰土。

二、栽培区域

广东各山区县均有栽培，主要栽培于广东韶关、云浮（罗定）等地。

广东韶关南雄水口镇篛过村两面针种植基地（1）

广东韶关南雄水口镇篛过村两面针种植基地（2）

三、栽培要点

两面针以种子繁殖为主。选地以荒地为佳，要求排灌方便、土层深厚肥沃、富含腐殖质、疏松湿润、透气性良好、保水保肥能力强。先育苗整地，翻耕前除去杂草树叶，消除越冬虫卵和病菌，翻耕后做成高 20 cm、宽 100 ～ 130 cm 的畦，每 667 m^2 施腐熟农家肥 1 000 kg 与复合肥 20 kg，耙平整细后，干沟作床，以待播种。随后移栽整地，平地整理起畦或依照地势整理成带，畦面或带面宽 100 ～ 130 cm，并按株距 70 ～ 80 cm 挖坑，坑长、宽、高均为 30 cm，每坑施有机肥 1 ～ 3 kg，并与土壤拌匀。出苗后，选择 1 ～ 5 月或 10 ～ 11 月的阴雨天进行移栽，壮苗每穴栽 1 株，弱苗每穴栽 2 株，填土踩实，盖土，使土略高于畦面，浇足定根水。追肥可在中耕除草后进行，种植后 2 年内每年施肥 1 ～ 2 次，在距离植株 30 cm 处挖长、宽、高均为 20 cm 的坑或深 20 cm 的环状沟，施复合肥 0.15 kg / 株，然后盖土。当枝条密集丛生或新枝高约 2 m 时打顶。在冬季休眠期剪掉老枝、弱枝、病枝和枯枝，修剪时应保持有效叶片，以保证新枝条抽发和根系生长发育。

| 采收加工 |

采收时间：全年均可采收。

加工方式：采收后洗净，切片或段，晒干。

两面针的加工

| 药材性状 | 本品为厚片或圆柱形短段，长 2 ~ 20 cm，厚 0.5 ~ 6（~ 10）cm。表面淡棕黄色或淡黄色，有鲜黄色或黄褐色类圆形皮孔样斑痕；切面较光滑，皮部淡棕色，木部淡黄色，可见同心环纹和密集的小孔。质坚硬。气微香，味辛、辣，嚼之麻舌而苦。

两面针药材（1）

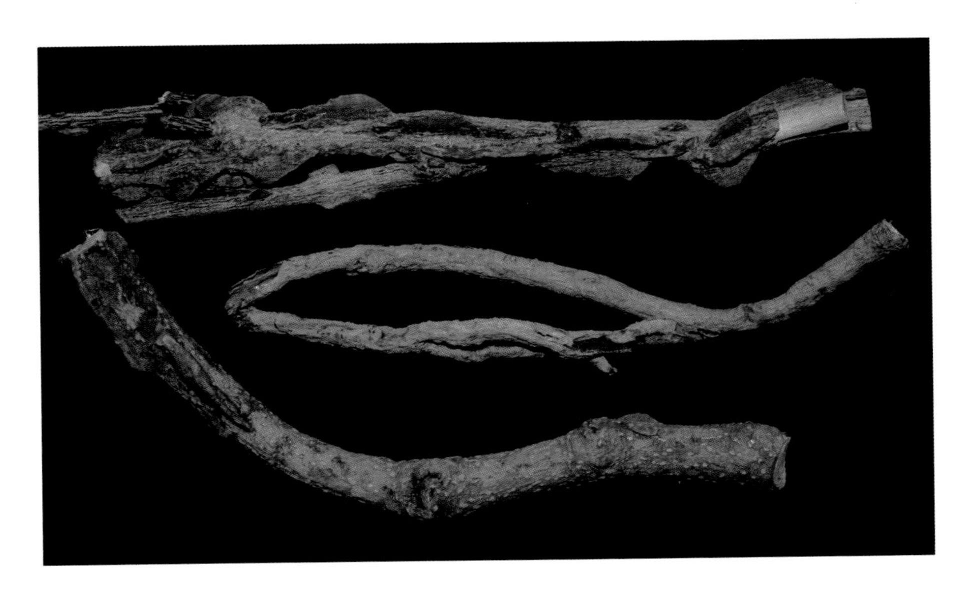

两面针药材（2）

| **化学成分** | 本品的有效成分主要为生物碱，包括光叶花椒碱、光叶花椒酮碱等。2020 年版《中国药典》规定，本品中氯化两面针碱含量不得少于 0.13%。

| **功能主治** | 活血化瘀，行气止痛，祛风通络，解毒消肿。用于跌仆损伤，胃痛，牙痛，风湿痹痛，毒蛇咬伤；外用于烫火伤。

| **用法用量** | 内服煎汤，5 ～ 10 g。外用适量，研末调敷；或煎汤洗。

| **附　　注** | 一、本草记述

两面针以“蔓椒”之名始载于《神农本草经》，被列为下品。《本草经集注》云：“山野处处有，俗呼为樛……不香尔，一名豨椒。”《本草图经》在蜀椒条下记载：“今亦无复分别，或云即金椒是也。”《本草求原》中以“入地金牛根”为名，云“细叶者良”。

二、物种鉴别

两面针药材的基原为芸香科植物两面针，其变种毛叶两面针 *Zanthoxylum nitidum* (Roxb.) DC. var. *tomentosum* Huang 的小叶全缘或近顶部有浅裂齿，小叶柄长 1 ～ 3 mm，分果瓣直径约 5 mm，果期 5 月，可以以此与本种相区别。

三、市场信息

据统计，以两面针为原料的中成药有 63 种之多，两面针药材年需求量约为 3 000 t。2020—2023 年，两面针药材的价格为 10 ～ 40 元/kg，药材基本来源于野生资源，部分为越南进口。市场上两面针统货中，地上部分被称为“阳枝”，价格较低，地下部分被称为“阴枝”，价格偏高。

四、濒危情况、资源利用和可持续发展

据调查，两面针野生资源经过一轮采挖之后，恢复到药用价值的周期一般需8年以上，很多产地采挖过度，幸存留下的植株大都过于矮小，生命力弱，很难抵挡周围高大或优势植物的侵害或荫蔽，致使种源丧失非常严重。目前，部分产地的两面针野生资源濒临枯竭，两面针药材资源已经难以满足中成药生产和市场的需要。因此，开展两面针人工栽培，建立两面针规范化栽培基地，是保护两面针资源，维持和满足药材市场需求的根本措施。

两面针不仅作为传统药材用于中医药临床组方配伍和中成药组方，还在日化市场占据一席之地。知名国产牙膏品牌“两面针”在中药日化领域厚积薄发，坚守“做最好中药牙膏”的初心，打造好产地、好中药、好产品的“三好”优势特色，成就“一口好牙两面针”的品牌价值，为中药两面针的多领域发展作出了巨大贡献。

参考文献

[1] 时群，梁刚，蔡林，等．两面针林下栽培技术[J]．林业调查规划，2013，38（3）：131-134.

[2] 彭招华，吴孟华，谢志坚，等．两面针野生资源现状调查[J]．今日药学，2018，28（7）：500-504.

[3] 赖茂祥，林钻煌，卢栋，等．两面针规范化生产标准操作规程（SOP）[J]．现代中药研究与实践，2011，25（5）：3-5.

[4] 孙世荣，蒋水元，李虹，等．广西两面针种群分布特征[J]．福建林业科技，2010，37（2）：78-81.

[5] 黄宝优，黄雪彦，董青松，等．两面针生态种植技术规程[J]．热带农业科学，2020，40（3）：39-42.

[6] 韩正洲，谈英，覃兰芳，等．两面针野生品与栽培品质量比较研究[J]．现代中药研究与实践，2013，27（2）：65-66，38.

[7] 吴孟华，马志国，张英，等．两面针的本草考证[J]．中国中药杂志，2021，46（20）：5436-5442.

[8] 张振山，严萍，谭志滨，等．两面针商品药材的质量评价[J]．中国实验方剂学杂志，2015，21（6）：57-61.

[9] 余丽莹，黄宝优，谭小明，等．广西两面针野生种质资源调查研究[J]．广西植物，2009，29（2）：231-235，284.

[10] 孙世荣，蒋水元，胡永志，等．两面针繁殖技术研究[J]．安徽农业科学，2008，36（16）：6787-6789.

[11] 韦大器，吴红英，何贵整，等．两面针的组织培养和快速繁殖[J]．植物生理学通讯，2006，42（1）：73.

[12] 王小敏，蒋波，徐敏慧，等．两面针的组织培养与快速繁殖[J]．玉林师范学院学报（自然科学），2005，26（5）：70-73.

（吴孟华　胡书霓）

冬青科 Aquifoliaceae 冬青属 *Ilex*

梅叶冬青 *Ilex asprella* (Hook. et Arn.) Champ. ex Benth.

| 凭证标本号 |

441224180331024LY、440224180528004LY、440781190319036LY。

| 药 材 名 |

岗梅（药用部位：根、茎。别名：点称星、称星树、槽楼星）。

| 植物形态 |

多年生落叶灌木，高达 3 m。具长枝和短枝，长枝纤细，栗褐色，无毛，具淡色皮孔，短枝多褶皱，具宿存的鳞片和叶痕。叶膜质，在长枝上互生，在缩短枝上 1 ~ 4 叶簇生于枝顶，卵形或卵状椭圆形，长 3 ~ 7 cm，宽 2 ~ 3.5 cm，先端尾状渐尖，基部钝至近圆形，边缘具锯齿，叶面绿色，微被柔毛，叶背淡绿色，无毛，主脉在叶面下凹，在叶背隆起，侧脉 5 ~ 6 对；叶柄长 3 ~ 8 mm，上面具槽，下面半圆形，无毛。雄花 2 ~ 3 呈束状或单生于叶腋或鳞片腋内，花 4 ~ 5 基数，花梗长 4 ~ 9 mm，花萼盘状，无毛，花萼裂片 4 ~ 5，啮蚀状，具缘毛，花冠白色，辐状，雄蕊 4 ~ 5；雌花单生于叶腋或鳞片腋内，花梗长 1 ~ 2 cm，花萼裂片边缘具缘毛，花冠辐状。果实球形，直径 5 ~ 7 mm，

梅叶冬青

梅叶冬青果实

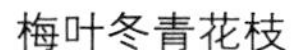

梅叶冬青花枝

梅叶冬青茎干

成熟时变黑色，具纵条纹及沟，基部具平展的宿存花萼，先端具头状宿存柱头。花期 3 月，果期 4 ~ 10 月。

野生资源

一、生态环境

梅叶冬青为多年生落叶灌木，广泛分布于热带和亚热带地区，喜在海拔 200 ~ 1 000 m 的山地疏林或路旁灌丛中生长，土壤以偏酸性红壤土、黄壤黏质土为宜。

二、分布区域

广东各地均有分布，主要集中于梅州、河源、揭阳、茂名及周边沿海地区。

三、蕴藏量

梅叶冬青以野生资源为主，每年采收量大导致数据变动大，现有的数据信息不能满足统计学意义上的计算条件，故广东第四次中药资源普查未能计算出野生资源的蕴藏量。

栽培资源

一、生长环境

梅叶冬青为半喜阴植物，在土层深厚、疏松肥沃、排水良好的微酸性或中性红壤土、黄壤黏质土中长势较好，喜温暖湿润、背风向阳、光照充足的环境。适宜生长温度为 20 ~ 30 ℃；15 ℃以下生长缓慢；温度升至 35 ℃以上时嫩枝叶

易被灼伤，生长停滞；温度降至 8 ℃以下时开始落叶，停止生长；遭遇霜冻时嫩枝叶易被冻伤而干枯。

二、栽培区域

梅叶冬青主要栽培于梅州、揭阳、河源、茂名、阳江、韶关等地，肇庆（怀集）、清远（清新）等地也有不同规模的栽培。

三、栽培要点

梅叶冬青的栽培方式主要为育苗繁殖。采收成熟果实后清洗果皮及果肉并阴干，播种前 2 ～ 3 个月进行湿沙储藏处理，打破种子休眠，缩短萌芽期，提高种子萌发率。育苗过程中注意保水、除草、施肥、间苗，苗期需防治枯枝病，加强田间管理，及时排除积水，控制种苗密度，注意通风，病害发生时喷施苯甲・嘧菌酯 1 200 倍液并修剪病枝。种苗达到二级标准（表 2-15-1）后，可于 12 月至翌年 4 月的阴雨天移栽至山上，视土壤湿度浇灌定根水，提高成活率。种植后前 2 ～ 3 年需做好植株管护工作，定期除草、施肥，种植 3 年后植株封行，可减少管理，以施肥为主。

表 2-15-1　梅叶冬青种苗质量标准

级别	一级	二级	三级
苗高 /cm	≥ 60	40 ～ 60	≤ 40
茎直径 /mm	≥ 5	3 ～ 5	≤ 3
生长情况	主干直立，生长健壮，叶片绿色、完整	主干直立，生长健壮，叶片绿色、完整	主干直立，生长健壮，叶片绿色、完整
其他	无病虫害、无损伤	无病虫害、无损伤	无病虫害、无损伤

岗梅育苗基地

岗梅种植基地

四、面积与产量

广东省中药原料质量监测技术服务中心的数据显示，广东梅叶冬青种植面积为 3 ~ 5 万亩，种植年限一般为 4 ~ 6 年，亩产干药材总量 1 t 以上。

| 采收加工 |

采收时间：选择 8 ~ 12 月晴天少雨的秋、冬季采收，除去细小侧枝，于近地面 1 ~ 1.5 m 处砍断主茎，进一步深挖以减少断根，挖出后去净泥土。

加工方式：采收后趁鲜切片或段，晒干或烘至水分≤ 13%。

岗梅的人工采收

岗梅的机械采收

采收的岗梅鲜药材

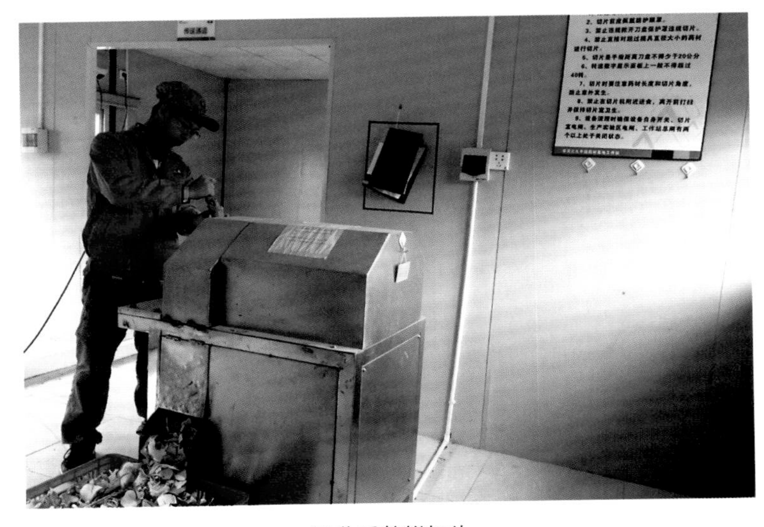

采收后趁鲜切片

切片后晾晒

| 药材性状 | 本品为类圆形或不规则片、段，片者厚 0.5 ~ 1.2 cm，段者长 2 ~ 5 cm。根表面浅棕褐色、灰黄棕色或灰黄白色，稍粗糙，有的有不规则的纵皱纹或龟裂纹；茎表面灰棕色或棕褐色，散有多数灰白色的类圆形点状皮孔，似秤星。外皮稍薄，可剥落，剥去外皮处显灰白色或灰黄色，可见较密的点状或短条状突起。质坚硬，不易折断，断面黄白色或淡黄白色，有的略显淡蓝色，有放射状及不规则纹理。气微，味微苦、甘。

岗梅药材

岗梅斜切面观

岗梅横切面观

岗梅表面观

| 功能主治 | 苦、微甘，凉。归肺、脾、胃经。清热解毒，生津止渴，利咽消肿，散瘀止痛。用于感冒发热，肺热咳嗽，热病津伤口渴，咽喉肿痛，跌打瘀痛。

| 用法用量 | 内服煎汤，15 ～ 30 g。外用适量，捣敷。

| 附　　注 | 一、栽培历史

梅叶冬青广泛分布于我国南方地区，广东、广西、湖南、江西、福建、浙江、台湾、香港等地均有野生资源。岗梅始载于康熙年间岭南本草《生草药性备要》，该书记载的中药材均为当时岭南地区的常用药材。民国时期对岗梅的记载较少，主要见于《岭南采药录》《山草药指南》等岭南本草中。

岗梅为岭南地区常见中药材，由华润三九医药股份有限公司完成野生转家种研究，建设岗梅 GAP 种植基地，实现人工栽培。近年来，华润三九医药股份有限公司在广东及周边地区推广种植梅叶冬青，每年新增种植面积数万亩，目前，广东东部，广东西部的茂名、阳江以及广西南宁、富川种植面积较大，茂名、阳江拥有大量土地资源，已成为华润三九医药股份有限公司岗梅 GAP 种植基地的重点发展区域，将有可能成为岗梅新的主产地。

二、市场信息

据统计，以岗梅为原料生产的中成药有 15 种，含有岗梅的医院制剂有 17 种。岗梅主要来源于野生资源，随着岗梅需求量的逐年增长，野生资源已无法满足市场需求，药材价格亦逐年攀升。2018—2019 年，岗梅价格为 3.5 ～ 4.5 元/kg。2020—2021 年，受新型冠状病毒感染疫情的影响，岗梅需求量剧增，价格也随之攀升为 5 ～ 6.5 元/kg。

三、濒危情况、资源利用和可持续发展

岗梅不仅是传统药材和现代医药原料，还是国家级非物质文化遗产“凉茶”的重要原料之一。

岗梅为多年生药材，生长速度缓慢，目前主要来源于野生资源。近年来，由于大规模的采挖，生态环境遭到破坏，其野生资源的蕴藏量已经不能满足市场需求，通过栽培增加药材产量是解决岗梅资源短缺、保证岗梅药材产业可持续发展的唯一途径。自 2010 年开始，华润三九医药股份有限公司根据企业需求，通过“公司 + 公司 + 农户”“公司 + 合作社 + 农户”和订单农业等模式，已推广种植数万亩，为岗梅的可持续发展作出了巨大贡献。目前，全国梅叶冬青种植面积达数万亩，每年的种植面积稳定提升。

参考文献

[1] 陈蔚文，徐鸿华．岭南道地药材研究[M]．广州：广东科技出版社，2007.
[2] 何克谏．生草药性备要[M]．影印本．广州：广东科技出版社，2009.
[3] 广东省药品研究所．关于发布修订后的岗梅地方药材及饮片质量标准的通告（2021 年第 4 号）[EB/OL]．（2021-10-20）[2022-01-19]．http://gdidc.gd.gov.cn/gdidc/notice/pub/content/post_3581671.html.
[4] 湖南省食品药品监督管理局．湖南省中药材标准（2009 年版）[M]．长沙：湖南科学技术出版社，2010.
[5] 谈英，邢建永，韩正洲，等．岗梅规范化生产标准操作规程[J]．广州中医药大学学报，2020，37（3）：539-542.
[6] 李俊仁，陈秀珍，梁凌玲，等．岗梅种苗质量分级标准研究[J]．种子，2016，35（3）：115-117.
[7] 陈彩英，黄永秋，贺小英，等．南药岗梅本草溯源[J]．辽宁中医药大学学报，2017，19（9）：117-120.

（韩正洲　黄煜权）

蓼科 Polygonaceae 藤蓼属 *Pleuropterus*

何首乌 *Pleuropterus multiflorus* (Thunb.) Nakai

|凭证标本号| 441226141220035LY、440982160811003LY、441324181215029LY。

|药 材 名| 何首乌（药材部位：块根）。

|植物形态| 多年生缠绕草本。根细长，先端膨大成块根，表面红褐色。茎缠绕，多分枝，无毛，下部木质化。单叶互生，卵状心形，长 3 ~ 7 mm，宽 2 ~ 5 mm，先端渐尖，基部心形，全缘，无毛；托叶鞘膜质，偏斜，无毛，抱茎。圆锥花序顶生或腋生，分枝开展，具细纵棱；花梗细弱，下部具关节，果时延长；花小而密；花被 5 深裂，白色或绿白色，大小不等，外侧 3 花被片背部有翅；雄蕊 8，花丝下部较宽，短于花被；子房三角形，花柱 3，极短，柱头头状。瘦果卵形，具 3 棱，黑色，有光泽，包于翅状花被内。

何首乌

野生资源

一、生态环境

何首乌为多年生草本，生于海拔 200 ~ 1 900 m 的山谷灌丛、山坡林下、沟边石隙中。

二、分布区域

广东各地均有分布。

三、蕴藏量

广东省第四次中药资源普查显示，何首乌野生资源的蕴藏量约为 5.2×10^6 kg。

栽培资源

一、生长环境

何首乌为喜光植物，在肥沃疏松、排水良好的微酸性或中性砂壤土中长势较好，适宜在海拔 200 m 以下的盆地或平原栽培，不宜在盐碱地栽培。

二、栽培区域

何首乌主要分布于广东肇庆（德庆、广宁）、茂名（高州）、云浮（新兴）等地。

广东肇庆德庆县何首乌种植基地

三、栽培要点

何首乌栽培有压条繁殖和扦插繁殖两种方法。压条繁殖集中于肇庆德庆，扦插繁殖广泛适用于各栽培区。压条繁殖一般于 4 月育苗，7 月移栽至大田，起苗后，基部留长 20 ~ 30 cm 的茎段，剪掉其余部分，并将不定根和小薯块一起剪掉。扦插繁殖于 4 月种植，无移栽过程。种植选择在气温较高时进行，以借助充足的阳光促进种苗新根膨大，提高产量，但不宜超过 8 月。当天起苗后即种植，以提高种苗存活率。种植前应在土壤中施入适量基肥，种植后前期施有机肥、中期施钾肥、后期不施肥。苗高 30 ~ 60 cm 时，需搭架以供茎藤攀缘。秋、冬季应结合中耕除草，追施肥料，并在根际培土。何首乌没有大规模的病害和草害，虫害以红蜘蛛较为常见，一般每年 7 月红蜘蛛出现之前喷洒杀虫剂即可。

四、面积与产量

广东省中药原料质量监测技术服务中心的数据显示，广东何首乌种植面积约为 394 hm^2，年产干药材总量约为 8 865 t。

| 采收加工 |

采收时间：何首乌以种植 2 年以上为好，于秋、冬季落叶后或早春萌发前采挖，一般秋季落叶后采挖最好。

加工方式：采挖后洗净，个大者切成块，烘干或晒干。烘干一般是将鲜品置于温度为 70 ~ 75 ℃的烘箱中 6.5 h，烘至含水量约为 10% 即可。晒干是把鲜品置于太阳房内的通风处晾晒，每隔 3 h 翻动一次，当含水量约为 10% 时即可。

何首乌的采收

何首乌的加工

| 药材性状 | 本品呈团块状或不规则纺锤形，长 6 ～ 15 cm，直径 4 ～ 12 cm。表面红棕色或红褐色，凹凸不平，有不规则皱纹及纵沟，皮孔横长，两端各有一明显的根痕；切面黄棕色或浅红棕色，粉性，皮部有 4 ～ 11 异型维管束，形成云锦状花纹环列，中央木部发达，有的呈木心。质坚实，体重，不易折断。气微，味微苦、甘、涩。

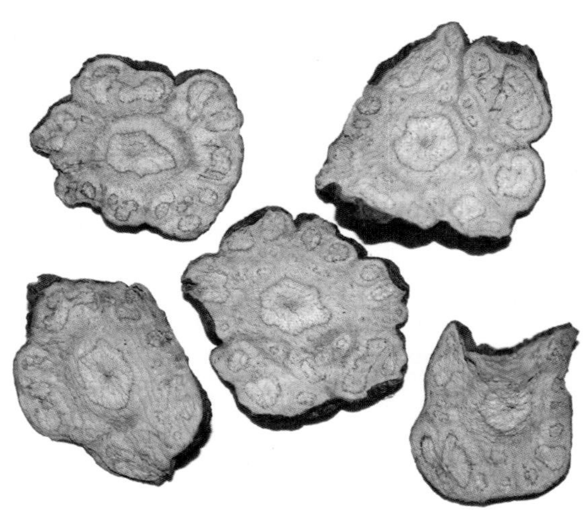

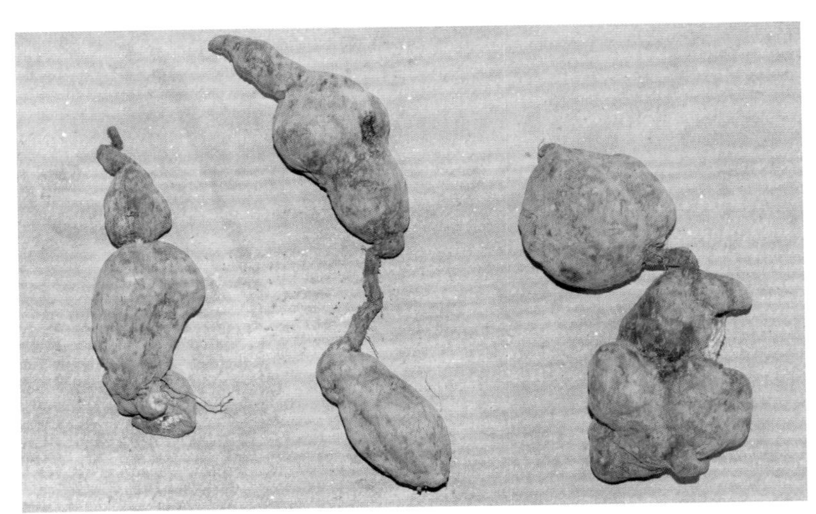

何首乌药材

| 化学成分 | 本品的主要成分有二苯乙烯苷、蒽醌类、黄酮类、儿茶素类等，其中二苯乙烯苷和蒽醌类是本品质量控制的主要指标。不同产地、不同采收期、不同生长年限的何首乌的有效成分含量不同。炮制后的何首乌中，二苯乙烯苷和结合蒽醌含量均降低，游离蒽醌含量增加。2020 年版《中国药典》规定，何首乌中二苯乙烯苷含量不得少于 1.0%，游离蒽醌含量不得少于 0.1%；制何首乌中二苯乙烯

苷含量不得少于 0.7%，游离蒽醌含量不得少于 0.1%。

| 功能主治 | 苦、甘、涩，微温。归肝、心、肾经。解毒，消痈，截疟，润肠通便。用于疮痈，瘰疬，风疹瘙痒，久疟体虚，肠燥便秘。

| 用法用量 | 内服煎汤，6 ~ 12 g；或熬膏；或浸酒；或入丸、散剂。外用适量，煎汤洗；或研末撒或调涂。

| 附　　注 | 一、道地沿革

广东德庆是何首乌的道地产区，栽培历史悠久，药材生长周期短，质优效佳，被誉为“首乌之乡”。2016 年，《广东省岭南中药材保护条例》将何首乌列入第一批保护的岭南中药材。2018 年，农业农村部批准对“德庆何首乌”实施农产品地理标志登记保护。近年来，德庆当地农户种植积极性降低，可作药用的何首乌种植面积减小，何首乌产量难以满足市场需求，何首乌主产区逐渐由南向北、由发达地区向山区转移。

二、物种鉴别

何首乌始载于《何首乌录》。历代本草认为何首乌有雄雌之分，赤者为雄，白者为雌，赤何首乌为蓼科植物何首乌 *Fallopia multiflora* (Thunb.) Harald.，白何首乌疑为何首乌不同的生长状态或其变种棱枝何首乌 *Polygonum multiflorum* Thunb. var. *angulatum* S. Y. Liu。何首乌的常见混淆品种有同属植物毛脉蓼 *Fallopia multiflora* (Thunb.) Harald. var. *ciliinerve* (Nakai) A. J. Li。毛脉蓼分布于湖北、辽宁南部、甘肃南部、河南、青海东部、四川等地，植物形态与何首乌相似，区别在于毛脉蓼叶下面沿叶脉具乳头状突起。

值得注意的是，近年来，萝藦科植物牛皮消 *Cynanchum auriculatum* Royle ex Wight、白首乌 *Cynanchum bungei* Decne.、隔山消 *Cynanchum wilfordii* (Maxim.) Hemsl.、青羊参 *Cynanchum otophyllum* Schneid. 等常冒充白何首乌。

三、传统医药知识

民间用炙何首乌、枸杞、当归、茯苓、菟丝子、牛膝与黑芝麻炒过的补骨脂研末，水煎 3 次后浓缩，加等量蜂蜜制成膏，治疗肝肾不足、遗精早泄、须发早白等。

四、市场信息

何首乌除药用外，还广泛用于保健食品、化妆品的生产和园林绿化等领域。2015 年，我国何首乌年产量达 1.3 t。2017 年，何首乌鲜品价格为 10 ~ 12元/kg，干品价格为 25元/kg。2021 年，何首乌价格为 15.5 ~ 16元/kg。

广东何首乌种植、栽培、生产相关企业共 116 家。2019 年，广东何首乌种植面

积为4.47万亩，年产量为8.13万t，总产值为8.47亿元。

五、濒危情况、资源利用和可持续发展

何首乌主产于广西、贵州、四川、广东、河南、江苏等地，药材主要来源于野生资源。20世纪50年代，我国何首乌野生资源尚未被大量开发利用，进入80年代，何首乌年产量约为1 000 t，国内基本产销平衡。2000年，随着市场需求的增加，何首乌价格开始上扬，产区群众一哄而起，滥采滥挖，甚至连幼根也不放过，何首乌野生资源遭到严重破坏，产量逐年递减。

据统计，目前含有何首乌的中成药有300多种，口服制剂占比高达96%，外用制剂相对较少，仅占4%。随着临床应用与研究的增多，研发出了首乌丸、养血生发胶囊、首乌延寿片、首乌片等中成药，且被纳入处方药管理。进一步分析含何首乌的中成药中生品及炮制品的应用情况发现，口服制剂中，生品入药的有80余种，炮制品入药的有200余种，且炮制品入药的中成药中，制首乌占比较高，黑豆酒炙何首乌则十分少见。此外，何首乌具有抗衰老、降血脂、抗心肌缺血、改善脑缺血、抗癌等功效，在食品、保健品、日化用品等领域用途广泛。

为保证何首乌资源的可持续发展，满足中医药产业发展以及社会其他产业的需求，需做好以下工作：①保护野生何首乌资源，建立何首乌优质药材生产基地；②大力发展何首乌人工种植基地建设，提高何首乌良种繁育技术；③加强规范化、规模化生产和综合利用技术研究；④加强对何首乌肝毒性的研究，健全何首乌产业链以及质量体系。

参考文献

[1] 张春荣，程轩轩，周良云，等．广东省野生与栽培何首乌资源调查[J]．中国现代中药，2018，20（6）：648-651．

[2] 王浩．何首乌药材生产技术研究[D]．广州：广东药科大学，2020．

（严寒静）

眼镜蛇科 Elapidae 环蛇属 *Bungarus*

银环蛇 *Bungarus multicinctus* Blyth

凭证标本号 441900231126004LY。

药 材 名 金钱白花蛇（药用部位：幼蛇全体。别名：小白花蛇、白花蛇、金钱蛇）。

动物形态 成蛇全长约 1 m。头椭圆形，与颈略可区分。体较细长，尾末端尖细。头部黑色或黑褐色，躯干及尾背面黑色或黑褐色，有白色横纹，躯干部 20 ～ 50，尾部 7 ～ 17，腹面乳白色，有的缀以黑褐色细斑。无颊鳞；眶前鳞 1，眶后鳞 2；颞鳞 1+2；上唇鳞 2-2-3 式；背鳞平滑，通身 15 行，脊鳞扩大成六角形；腹鳞 203 ～ 231；肛鳞完整；尾下鳞单行，37 ～ 55。

银环蛇

野生资源

一、生态环境

银环蛇喜温和凉爽的环境，栖息于丘陵、坡地、田埂、路旁近水处。

二、分布区域

广东各地均有分布。

三、蕴藏量

据系统抽样调查，银环蛇种群密度为 1 ～ 2 条 / km^2，蕴藏量约为 72.8 万条。

养殖资源

一、生长环境

根据银环蛇的生活习性，在建设人工蛇园时宜选僻静、地势较高、干燥的近水源处，面积大小视养蛇多少而定。蛇园内基本设施包括蛇窝、水池、饲料池、产卵室及活动场地五个部分。通常围墙高 2 ～ 2.5 m，墙脚用水泥灌注，内壁涂抹水泥，要抹光滑，围墙四角砌成圆弧形以防蛇逃越。园内活动场地可种植阔叶树或灌木，但不能靠近围墙，且树枝不能伸出墙外，地面种植苔藓植物、地衣等，使园内形成一个较背阴的环境，并堆放石块，有利于夏季遮阴降温，同时为蛇提供良好的蜕皮环境，还可防御部分天敌。

二、养殖区域

广东惠州博罗建有银环蛇饲养场。

三、养殖要点

银环蛇的食量不大，1 条蛇 1 年吃食物 1 ～ 2 kg，主要以水蛭、黄鳝、泥鳅为食。每天傍晚在银环蛇出窝前把少量泥鳅、黄鳝等放入饲料池中，饲料量以吃完为准。蛇只吃活食，不吃死食，池中死物应及时捞出。5 月初银环蛇出蛰后身体虚弱，11 月入蛰之前需要补充养分准备冬眠，因此，在这两个采食高峰期应尽量多喂、饱喂，这是人工养蛇的关键措施。

银环蛇多在 5 ～ 6 月发情，通常 1 条雄蛇可以连续与 4 ～ 6 条雌蛇交配，故蛇园中的雌雄比例以（1∶5）～（1∶10）为宜。银环蛇每年 6 月下旬至 8 月下旬产卵，产卵后 7 天内要及时取出孵化，若放置过久孵化率会降低。在孵化前应精心挑选优质卵，以卵壳有光泽、饱满、白中带淡青色者为优，其人工室内孵化率可高达 99%，若卵壳较软，颜色带青蓝色，其孵化率只有 30% 左右。孵化的方法主要有坑孵法、缸孵法和箱孵法三种，以缸孵法最为常用。缸孵法的具体操作是：用陶制瓦缸装入厚 30 ～ 50 cm 洁净松软的泥土或细沙，湿度以“手握成团，撒手即散”为宜，把蛇卵放在上面，横卧排成 3 层，放平，在蛇卵上面覆盖一层稍湿润的稻草或伸筋草，每隔 4 ～ 5 天更换一次，每天翻动蛇卵一次。一般一只容量 150 L 的大水缸可孵化 300 ～ 400 枚蛇卵，缸口要加盖通风的铁丝网或透气的木盖，以防老鼠进入吃卵和仔蛇爬出缸外。孵化的适宜温度为 20 ~ 27 ℃，湿度为 50% ~ 70%，孵化期约 42 天。

人工饲养期注意防治口腔炎、霉斑病、急性肺炎。口腔炎治疗方法：先用雷夫奴尔溶液冲洗口腔，然后用龙胆紫溶液涂搽病蛇两颌，每天冲洗和涂药 1 次，10 天左右可痊愈。预防措施：食、用具经常消毒，保持环境卫生等。霉斑病治疗方法：用 2% 碘酊涂搽患处，每日 2 次，1 周左右可愈。预防措施：消除积水、湿源，降低蛇窝湿度，改善通风换气条件。急性肺炎治疗方法：用链霉素、青霉素、庆大霉素等皮下注射、肌内注射或经口灌服，一般 3 ~ 5 天即痊愈。预防措施：用清洁水冲洗蛇窝，并打开蛇窝通道门，使蛇窝通风、阴凉。

| 采收加工 | 采收时间：8 月下旬至 9 月上旬采捕幼蛇。

加工方法：将出壳 7 ~ 15 天的幼蛇置酒精内或装入布袋内，扎紧袋口，沉入水中，闷死，用小刀或剪刀在蛇的腹面从头至尾剖开，除去内脏，擦净血迹，用酒精或酒浸泡一昼夜，取出，晾晒或用文火烘至半干，将蛇体盘绕成圆盘形，头位于盘中央稍翘起，尾部在外，并纳于口内，用预先准备好的 2 根竹片交叉成十字架穿过蛇体圆盘，晒干或烘干。烘烤时，不能直接用火烘烤，以免黄焦或断头断尾。

| 药材性状 | 本品呈圆盘状，盘径 3 ~ 6 cm，蛇体直径 0.2 ~ 0.4 cm，头在盘中间，尾细，常纳口内，上颌骨前端有毒沟牙 1 对，鼻间鳞 2，无颊鳞，上下唇鳞通常各 7。背部黑色或灰黑色，有白色环纹 45 ~ 58，黑白相间，白环纹在背部宽 1 ~ 2 行鳞片，向腹部渐增宽，黑环纹宽 3 ~ 5 行鳞片，背部正中具明显凸起的 1 脊棱，脊鳞扩大成六角形，细密，通身 15 行，尾下鳞单行。气微腥，味微咸。

金钱白花蛇药材

| 化学成分 | 本品含有蛋白质、脂肪、氨基酸及钙、磷、镁、铁、铝、锌、锶、钛、锰、钒、铜等 21 种元素。蛇体灰分 19%，干燥失重 11.63% ~ 12.45%，水溶性浸出物 1.35% ~ 19.7%，95% 乙醇浸出物 0.54% ~ 5.40%。

| 功能主治 | 甘、咸，温；有毒。归肝经。祛风，通络，止痉。用于风湿顽痹，麻木拘挛，中风口眼歪斜，半身不遂，抽搐痉挛，破伤风，麻风，疥癣。

| 用法用量 | 内服煎汤，3 ~ 4.5 g；或研末，1 ~ 1.5 g。

| 附　　注 | 一、养殖历史

“金钱白花蛇”一名出现时间较晚，历代本草中未见有对其产地的记载。

现代本草对金钱白花蛇产区的记载略有不同，从地理分布看，以广东、广西、江西最为集中，安徽、台湾、海南、云南、贵州、湖南、湖北等地有零星分布。

二、物种鉴别

广东有以眼镜蛇科动物金环蛇 *Bungarus fasciatus* (Schneider) 作为“花蛇”入药，该种通身具黑色与黄色相间的环纹，黑环与黄环近等宽，枕部及颈部有污黄色“∧”形斑，背脊隆起，躯干横切面略呈三角形，尾末端钝圆而略扁，可以以此与本种相区别。

蝰科动物尖吻蝮 *Deinagkistrodon acutus* (Günther)、游蛇科动物乌梢蛇 *Zaocys dhumnades* (Cantor) 为常见的蛇类药材的基原，偶见将二者幼蛇用褪色药水或白漆涂成黑白环以冒充金钱白花蛇。

另有游蛇科动物赤链蛇 *Lycodon rufozonatus* Cantor、黄链蛇 *Lycodon flavozonatus* (Pope)、黑背白环蛇 *Lycodon ruhstrati* (Fischer)、双全白环蛇 *Lycodon fasciatus* (Anderson)、铅色水蛇 *Hypsiscopus plumbea* (Boie)、中国水蛇 *Myrrophis chinensis* (Gray)、黄斑渔游蛇 *Xenochrophis flavipunctatus* (Hallowell)、赤链华游蛇 *Sinonatrix annularis* (Hallowell)、横纹环游蛇 *Trimerodytes balteatus* Cope、黑眉锦蛇 *Elaphe taeniura* Cope、滑鼠蛇 *Ptyas mucosa* (Linnaeus) 等，均有被充作金钱白花蛇的报道，特别是以赤链蛇、水赤链游蛇制作的伪品，市场上多见。上述物种尾下鳞均为双行，可以以此与本种相区别。

三、濒危情况、资源利用和可持续发展

金钱白花蛇主要来源于野生资源，由于过度捕猎等原因，其栖息地遭到破坏，数量有减少的风险，在《中国濒危动物红皮书》中被列为易危。

除幼蛇外，银环蛇的其他部位也具有药用价值。蛇肉具有补气血、强筋骨、通经络等作用。蛇胆是中成药制剂的重要原料，常用的中成药有蛇胆川贝液（散）、蛇胆川贝枇杷露、蛇胆陈皮液、蛇胆半夏散、蛇胆丸等，在临床上用于治疗神经衰弱、小儿惊风、半身不遂、痔疮红肿等均有较好的疗效。蛇蜕是蛇自然蜕下的表皮膜，具有祛风、清热解毒的功效，《本草纲目》记载："辟恶去风杀虫。烧末服，治妇人吹奶，大人喉风，退目翳，消木舌。傅小儿重舌重腭，唇紧解颅，面疮月蚀，天泡疮。大人疔肿，漏疮肿毒。煮汤，洗诸恶虫伤。"蛇毒中含有多种生物活性物质，具有抗凝血、抗血栓形成、提高造血功能、消除自由基等作用，可用于治疗脑血栓形成、血栓闭塞性脉管炎、冠心病、心肌梗死、肺部疾患、震颤麻痹、银屑病、系统性红斑狼疮、糖尿病、中风等。

据不完全统计，我国现有的 1 800 多种药用动物中，不少是濒危动物或珍稀动物，银环蛇即为其中之一。1987 年，国务院发布《野生药材资源保护管理条例》，规定了国家重点保护的野生药材物种，其中银环蛇被列为二级保护野生药材物种。2023 年，国家林业和草原局发布《有重要生态、科学、社会价值的陆生野生动物名录》，银环蛇位列其中。银环蛇资源保护和开发利用已成为现代研究的热点。

银环蛇资源保护要从可持续发展的战略出发，采取切实可行的措施，保护与管理相结合，科研与生产相结合，一般保护与重点保护、综合保护相结合，单纯保护与利用保护相结合，静态保护与动态保护相结合，社会效益、经济效益与生态效益相结合。保护栖息地生态环境，促进银环蛇自然繁衍；建立多功能、综合性自然保护区，创造适宜的生境，提高银环蛇种群数量；提高银环蛇人工繁育技术，发展养殖业，减轻野生资源的压力；建立银环蛇饲养繁殖放归基地，补充野生种群数量，维持自然平衡。

参考文献

[1] CHAO Z，LIAO J，LIANG Z B，et al. Cytochrome C oxidase subunit I barcodes provide an efficient tool for Jinqian Baihua She (Bungarus Parvus) authentication[J]. Pharmacogosy Magazine，2014，10（40）：449-457.

[2] 廖婧，梁镇标，张亮，等. 常见药用蛇类的 DNA 条形码研究 [J]. 中国药学杂志，2013，48（15）：1255-1260.

[3] 刘振启，刘杰. "金钱白花蛇"与混乱品种的鉴别 [J]. 首都医药，2011，18（9）：45.

[4] 王义权，周开亚. 蛇类药材的本草考证 [J]. 基层中药杂志，1995，9（3）：3-6.

[5] 张耀忠. 我国蛇类资源保护管理存在的问题与对策 [J]. 蛇志，2010，22（4）：343-344.

[6] 周正彦，李丕鹏，陆宇燕，等. 中国特有蛇类资源及保护建议 [J]. 四川动物，2008，27（1）：44-47.

[7] 钟福生，刘军，刘振湘. 湖南省几种主要经济蛇类资源调查研究 [J]. 湖南林业科技，2005，32（3）：16-18.

[8] 张桂兰，耿新生，杨亚蕾. 金钱白花蛇药酒对佐剂性足跖肿胀大鼠的干预效应 [J]. 中国组织工程研究与

临床康复，2007，11（32）：6397-6401.
[9] 鄢顺琴，凤良元，丁荣光. 金钱白花蛇抗炎作用的实验研究[J]. 中药材，1994，17（12）：29-30.
[10] 陈龙全，肖本见，杨和春. 白花蛇抗炎镇痛作用的实验研究[J]. 中国医药学报，2004，19（9）：567-568.
[11] 常弘，卢开和. 广东省养蛇业的现状与发展策略的研究[J]. 蛇志，2004，16（4）：5-9.
[12] 陈龙全，杨和春. 金钱白花蛇的人工繁殖与采收加工[J]. 湖北民族学院学报（医学版），2004，21（1）：37-38.
[13] 陈金印，张华安，丁志山. 我国蛇类养殖业发展的现状与思考[J]. 蛇志，2011，23（2）：117-121，125.
[14] 李丕鹏，王维胜，吕晓平. 中国蛇类保护和利用概述：历史、现状和未来[J]. 沈阳师范大学学报（自然科学版），2013，31（2）：129-135.

（晁 志 李晓蕾 林 慧）

豆科 Fabaceae 黄檀属 *Dalbergia*

降香黄檀 *Dalbergia odorifera* T. Chen

凭证标本号 441802200812064LY、440523190728009LY、440111201017114LY。

药材名 降香（药用部位：树干和根的心材。别名：降真香）。

植物形态 乔木，高 10 ~ 15 m，除幼嫩部分、花序及子房略被短柔毛外，其余均无毛。树皮褐色或淡褐色，粗糙而有浅纵裂，内皮黄褐色；小枝有小而密集的皮孔。奇数羽状复叶长 12 ~ 25 cm；托叶早落；小叶通常 9 ~ 13，稀 7，近革质，卵形或椭圆形，长 3.5 ~ 8 cm，宽 1.5 ~ 4 cm，全缘；小叶柄长 3 ~ 5 mm。圆锥花序腋生，长 8 ~ 10 cm；基生小苞片近三角形，长 0.5 mm；花两性，细小，长约 5 mm，初时密生于花序分枝先端，后渐疏离；花梗长约 1 mm；花萼长约 2 mm，下方 1 萼齿较长，披针形，其余萼齿阔卵形，先端急尖；花冠乳白色或淡黄色，蝶形。荚果不开裂，舌状长椭圆形，长 4.5 ~ 8 cm，宽 1.5 ~ 1.8 cm，果瓣革质，中部荚室隆起，干时褐色；种子 1，稀 2。

降香黄檀

降香黄檀枝叶、花、花序、果实

降香黄檀树皮表面的裂纹

降香黄檀茎杆剖面、横断面观

栽培资源

一、生长环境

降香黄檀属阳性树种，粗生易长，适生性强。生长适宜温度为 20 ～ 30 ℃，较耐旱而不耐涝，喜光照。对土壤要求不严，干旱瘦瘠的地方乃至陡坡、山脊、石头边都可生长，以地势开阔、土层深厚肥沃的坡地为宜，可在石灰岩山区种植。在密林中无法生长，在郁闭度较小的疏林中可长成直干大材。抗寒性能较好，能够耐受 -3 ℃的低温。

二、栽培区域

主要分布于广东江门（开平、恩平、鹤山）、阳江（阳东、阳西）、茂名（电白、高州、化州、信宜）、湛江（廉江、遂溪、雷州、徐闻）等地。

三、栽培要点

降香黄檀栽培有种子繁殖、扦插繁殖两种方式，目前以种子繁殖为主。选择排水良好的砂壤土整地作苗床，于 3 ～ 4 月平均气温 18 ～ 22 ℃时播种。播种前用清水浸种 24 h，晾干后均匀撒播于床面上，然后覆土盖草，晴天早晚浇水，保持床面湿润，约 10 天开始发芽。种子发芽后约 20 天幼苗长出真叶，待苗高 4 ～ 5 cm 时可分床移栽或移入容器袋内培育。约半个月苗木长出新根，1 个月抽梢生长，其间勤施、薄施氮肥，以后苗木生长逐渐加快，要供给足够的水肥，促进苗木健壮生长。一年生容器苗，苗高 25 ～ 30 cm 时即可出圃造林。如在天

然次生林或疏林地中补植，建议用高 50 ～ 100 cm 的二年生大苗，可缩短幼林抚育期。

造林前要细致整地，穴长 50 cm、宽 40 cm、高 40 cm，穴内施入钙镁磷肥或复合肥 100 g 作基肥，以促进种植后第一年的树干生长，有助于形成优良主干。初植密度一般为 90 ～ 110 株 / 亩，立地条件好的林地可适当稀植。一般于 3 ～ 4 月造林，成活率为 95% 左右。造林后 1 ～ 3 年要注意修枝和抹芽，前 5 年需要用木棍或竹竿捆扶幼树，以培育优良干形。幼林应加强砍杂、除蔓、松土、扩穴等抚育管理，立地条件差的林地，可根据幼株生长情况适时适量追施氮肥，施肥量依立地条件和林龄而定。降香黄檀抗病虫害能力强，从引种试验来看，尚未发现病虫害的发生。

广东茂名高州降香黄檀种植基地

| 采收加工 | 采收时间：全年均可采收。

加工方式：采收后锯成段，除去边材，将心材切成块、片。

降香黄檀的采收

| 药材性状 | 本品呈类圆柱形或不规则块、片状，表面黄棕色至紫红色或红褐色，切面有致密的纹理，有时可见狸猫样花纹，光滑且有光泽。质坚硬且重，有油性。气香，味微苦。烧之香气浓烈，有油流出，烧后残留有白色灰烬。

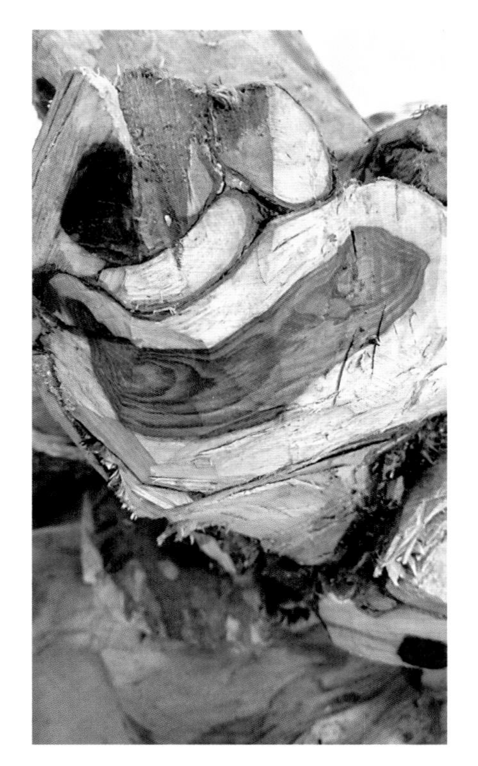

降香药材

| 化学成分 | 本品的主要成分是挥发油类和黄酮类化合物。挥发油类主要包括 β- 甜没药烯、橙花叔醇、α- 白檀油醇等。黄酮类化合物包括甘草黄酮、芒柄花素、异甘草素等。2020 年版《中国药典》规定："本品含挥发油不得少于 1.0%（ml/g）。"

| 功能主治 | 化瘀止血，理气止痛。用于吐血，衄血，外伤出血，肝郁胁痛，胸痹刺痛，跌仆伤痛，呕吐腹痛。

| 用法用量 | 内服煎汤，9 ~ 15 g，后下。外用适量，研末敷。

| 附　　注 | 一、本草记述

降香在历史上亦称为“降真香”，最早记载于《海药本草》中，该书记载：“降真香，徐表《南州记》云：生南海山，又云生大秦国。味温，平，无毒。主天行时气，宅舍怪异，并烧悉验。又按仙传云：烧之，或引鹤降。醮星辰，烧此香甚为第一。度箓烧之，功力极验，小儿带之能辟邪恶之气也。”在之后的本草中，关于降香的记载大多转述自《海药本草》。《经史证类备急本草》记载：“降真香，出黔南。伴和诸杂香，烧烟直上天，召鹤得盘旋于上。海药云：徐表《南州记》云：生南海山。又云：生大秦国。味温，平，无毒。主天行时气，宅舍怪异，并烧悉验。又按《仙传》云：烧之，或引鹤降。醮星辰，烧此香甚为第一，度箓烧之，功力极验。小儿带之，能辟邪恶之气也。”《本草蒙筌》记载：“降真香热，烟直上天；召鹤成群，盘旋于上。主天行时疫狂热，驱宅舍怪异响声。小儿佩之，辟恶邪气。”并附一图，似木质藤本。《本草纲目》记载：“降真香，今广东、广西、云南、安南、汉中、施州、永顺、宝靖及占城、暹罗、渤泥、琉球诸番皆有之。朱辅溪蛮丛笑云：鸡骨香即降香，本出海南，今溪峒僻处所出者，似是而非，劲瘦不甚香。周达观真腊记云：降真出丛林中，番人颇费砍斫之功，乃树心也。其外白皮厚八九寸或五六寸，焚之气劲而远。”由此可见，古代所用降香可能有多个基原。

降香黄檀 *Dalbergia odorifera* T. Chen 于 20 世纪 60 年代才成为降香的基原，在 1963 年被植物学家陈德昭正式命名为降香黄檀之前，其名为黄花梨、花梨木或花梨母。《格古要论》记载花梨木：“木与降真香相似，亦有香。其花有鬼面者，可爱，花粗而色淡者，低。”《崖州志》记载：“花梨，紫红色，与降真香相似。气最辛香。质坚致，有油格、糠格两种，油格者不可多得。”

二、物种鉴别

本种同属植物海南黄檀 *Dalbergia hainanensis* Merr. et Chun，别名花梨公、海南檀，此种没有心材，偶见由于遭受自然灾害或虫害产生的含树脂的木材，紫红色或红褐色，常作为珍贵香料使用。

另有同属植物斜叶黄檀 *Dalbergia pinnata* (Lour.) Prain、两粤黄檀 *Dalbergia benthami* Prain，此二种均为木质藤本，有时为乔木或灌木，没有心材，遭受自然灾害或虫害产生含有树脂的木材，紫红色或红褐色，常扭曲，可见明显的茎节。

三、濒危情况、资源利用和可持续发展

降香黄檀是国家二级保护植物，野生资源日趋枯竭。据称，海南 100 年以上的

降香黄檀已经砍伐殆尽。

降香除用于医院配方外，还用于多种中成药制剂的生产，如复方丹参注射液、冠心丹参片、冠心丹参胶囊、精制冠心口服液、十八味降香丸、化癥回生片、梅核气丸、温中镇痛丸、十香定痛丸、十香止痛丸、克痛酊、羊痫疯癫丸等。

降香黄檀是我国特有的物种资源，大力推广种植降香黄檀是我国重要的战略任务。降香黄檀作为一种经济林木，其种植可以极大地增加我国的国民财富，而且作为豆科植物，具有改良土壤的作用，能够改善石灰质山地土壤的结构和肥力。此外，降香黄檀作为硬阔叶树种，生态效益和环境效益也非常显著。因此，大力推广种植降香黄檀，把降香黄檀作为我国南方石漠化地区的主栽树种，不仅可以推进我国石漠化治理进程，改善生态环境，还能加快贫困地区农民脱贫致富的步伐，对我国生态建设和经济建设都有极其重要的意义。

参考文献

[1] 国家药典委员会．中华人民共和国药典：2020 年版 [M]．北京：中国医药科技出版社，2020．
[2] 李珣．海药本草（辑校本）[M]．尚志钧，辑校．北京：人民卫生出版社，1997．
[3] 陈嘉谟．本草蒙筌 [M]．北京：人民卫生出版社，1988．
[4] 李时珍．本草纲目（校点本）[M]．刘衡如，校点．北京：人民卫生出版社，1982．
[6] 曹昭．格古要论 [M]．杨春俏，编著．北京：中华书局，2012．
[7] 张嵩，邢定纶，赵以谦．崖州志 [M]．郭沫若，点校．广州：广东人民出版社，1983．
[8] 梁肇斌，倪新建，田立文，等．降香的本草新考 [J]．中药材，2017，40（4）：982-985．

（李书渊）

姜科 Zingiberaceae 山姜属 *Alpinia*

草豆蔻 *Alpinia katsumadai* Hayata

| 凭证标本号 | 440883180725024LY、441523190515036LY、441823200903018LY。

| 药 材 名 | 草豆蔻（药用部位：种子团。别名：大草蔻、偶子、草蔻仁）。

| 植物形态 | 植株高达 3 m。叶片线状披针形，长 50 ~ 65 cm，宽 6 ~ 9 cm，先端渐尖，并有 1 短尖头，基部渐狭，两边不对称，边缘被毛，两面均无毛，有的叶背被极疏的粗毛；叶舌长 5 ~ 8 mm。总状花序顶生，直立，长达 20 cm；花序轴淡绿色，被粗毛；花萼钟状，长 2 ~ 2.5 cm，先端不规则齿裂；花冠管长约 8 mm，花冠裂片边缘稍内卷，具缘毛；无侧生退化雄蕊；唇瓣三角状卵形，长 3.5 ~ 4 cm，先端 2 浅裂，自中央向边缘具放射状彩色条纹；子房被毛，直径约 5 mm；药室长 1.2 ~ 1.5 cm。果实球形，直径约 3 cm，成熟时金黄色。

草豆蔻

草豆蔻花枝

草豆蔻果实

野生资源

一、生态环境

草豆蔻野生资源常见于山坡草丛、灌木林缘或林下山沟湿润处。

二、分布区域

主产于广东湛江（徐闻、雷州、遂溪）、茂名、江门、肇庆等地，韶关（曲江、乳源、乐昌）、清远（佛冈）、汕尾（海丰、陆丰）、梅州（兴宁）、珠海（斗门）、佛山（三水、高明）等地也有分布。

栽培资源

一、生长环境

草豆蔻喜温暖湿润的半阴环境，多种植于田边山坎、山沟荒隙地。以年平均气温 18 ～ 20 ℃、郁闭度 40% ～ 60%、年平均相对湿度 80% 左右为宜，以疏林下土层深厚、疏松、富含腐殖质的砂壤土为佳。

二、栽培区域

草豆蔻在广东雷州半岛有栽培。

三、栽培要点

草豆蔻栽培有种子繁殖和分株繁殖两种方式。种子繁殖需选有一定荫蔽条件的地块作苗床，6 ～ 7 月按行距 20 cm 开沟条播，覆土 2 ～ 3 cm 厚，出苗后及时除草、追肥，翌年春季，按行距 80 cm、株距 80 cm 定植。分株繁殖于 2 ～ 3 月将母株挖起，选一至二年生健壮而且尚未结果的分蘖株作种移栽，定植后注意中耕除草、培土、追肥，干旱时及时灌水，雨季及时排水。根据草豆蔻生育期要求的光强调整郁闭度，郁闭度过大时砍除过多的荫蔽树枝，郁闭度过小时补种荫蔽树。种植期间需注意防治病虫害，立枯病严重时会造成幼苗成片倒苗死亡，可将病株拔除，周围撒石灰粉或浇灌 50% 多菌灵 1 000 倍液；钻心虫危害草豆蔻的茎部，发生时应及时剪去枯心植株，集中深埋或烧毁，并喷施 5% 杀螟松乳油 800 ～ 1 000 倍液。

四、面积与产量

目前，全国草豆蔻种植面积超过 5 500 亩，年产量超过 4 000 t。

采收加工

采收时间：一般种植后第 3 年开花结果，每年 8 月果实变黄时采收。

加工方式：采收后晒至九成干，剥去果皮，将种子团晒干，或先将果实用沸水略烫，晒至半干，剥去果皮，将种子团晒干。

药材性状

本品呈类球形，直径 1.5 ～ 2.7 cm，表面灰褐色，中间有黄白色隔膜将种子团分成 3 瓣，每瓣有种子多数，粘连紧密，种子团略光滑。种子呈卵圆状多面体形，长 3 ～ 5 mm，直径约 3 mm，外被淡棕色膜质假种皮，种脊为 1 纵沟，一端有种脐；质硬，纵断面呈斜心形，种皮沿种脊向内伸入部分约占整个表面积的 1/2。气香，味辛、微苦。

草豆蔻药材

| 化学成分 | 本品的主要活性成分包括挥发油类、黄酮类和二苯庚烷类化合物。草豆蔻为辛温类中药，挥发油含量较高，具有特殊的芳香气味，其挥发油含量可能会由于生长环境的不同有所差异，2020 年版《中国药典》规定，草豆蔻含挥发油不得少于 1.0%（ml/g）。黄酮类化合物具有抗炎、抗肿瘤的作用，主要包括山姜素和小豆蔻明。二苯庚烷类化合物具有抗氧化、抗肿瘤、止吐的作用。2020 年版《中国药典》规定草豆蔻含山姜素、乔松素和小豆蔻明的总量不得少于 1.35%，二苯庚烷类化合物桤木酮不得少于 0.50%。

| 功能主治 | 辛，温。归脾、胃经。燥湿行气，温中止呕。用于寒湿内阻，脘腹胀满冷痛，嗳气呕逆，不思饮食。

| 用法用量 | 内服煎汤，3 ~ 6 g，后下；或入丸、散剂。

| 附　　注 | 一、本草记述

草豆蔻药用历史悠久。《新修本草》载其“生南海”，《本草图经》载其“生南海，今岭南皆有之”，“南海”指今台湾海峡西南，自福建南部到雷州半岛、海南岛一带。《中药材鉴定图典》记载：“传统经验认为产于海南万宁者佳。”

二、物种鉴别

草豆蔻的常见伪品有同属植物小草蔻 *Alpinia henryi* K. Schum.、云南草蔻 *Alpinia blepharocalyx* K. Schum. 的种子团：草豆蔻无侧身退化雄蕊，小草蔻和云南草蔻侧身退化雄蕊近钻状；草豆蔻种子团大，每瓣种子数远多于小草蔻和云南草蔻。

三、市场信息

2017—2022 年，各大药材市场中草豆蔻统货价格为 22 ~ 40元/kg，货源主要来自海南、广西以及进口，广东也有少量出产。2005 年，我国草豆蔻年需求量在 1 000 t 以上，年产量为 500 ~ 600 t，缺口约 50%。2021 年，草豆蔻年产量超过 4 000 t，使用量超过 3 000 t，全国使用草豆蔻的药企有 117 家，含草豆蔻的中成药制剂有 185 种。

四、濒危情况、资源利用和可持续发展

草豆蔻在广东、广西、海南、云南等地均有分布，野生资源相对丰富。

草豆蔻作为传统药材，广泛用于中医药临床组方和中成药组方。历代本草中含草豆蔻的方剂超过 200 种，常见的有草豆蔻散、草豆蔻汤、草豆蔻丸、草豆蔻饮、大顺饮等。以草豆蔻为原料的中成药制剂有草豆蔻酊、白蔻调中丸、复方龙胆酊、复方大黄酊、紫蔻丸、散风活络丸、调肝和胃丸、健胃片等。

除药用外，草豆蔻也常用作食品调料，入肴调味，可增香添味、去腥解腻，多同八角、肉桂、花椒等配合使用，调制卤料或做火锅。

草豆蔻茎秆富含纤维素，是良好的造纸材料和编织材料。由草豆蔻茎秆编织的提包、花篮等工艺品，在国内深受消费者喜爱，在美国、意大利和日本等国也具有广阔的市场。

受草豆蔻需求量上升和持续高价的影响，海南、广西、广东等地陆续开始栽培草豆蔻，栽培基地采用“林下种植”模式，充分利用林下土地资源，走绿色发展道路。海南、广西、广东森林覆盖率均在50%以上，森林资源丰富，草豆蔻栽培空间大，有利于资源可持续发展。

参考文献

[1] 胡耀华，冯朝阳，陈永辉，等．几种阴生药用植物产销情况的调查报告——Ⅲ草豆蔻产销情况调查[J]．华南热带农业大学学报，2003，9（4）：9-13.

[2] 谢鹏，秦华珍，谭喜梅，等．草豆蔻化学成分和药理作用研究进展[J]．辽宁中医药大学学报，2017，19（3）：60-63.

[3] 陈细钦，冯剑，詹志来，等．经典名方中豆蔻类中药的本草考证[J]．中国实验方剂学杂志，2022，28（10）：22-41.

[4] 胡璇，王丹，于福来，等．草豆蔻的本草考证[J]．中国实验方剂学杂志，2020，26（21）：210-219.

[5] 赵中振，陈虎彪．中药材鉴定图典[M]．福州：福建科学技术出版社，2010.

[6] 吕选民，姬水英．柴草瓜果篇　第三十讲　草豆蔻[J]．中国乡村医药，2017，24（23）：50-51.

（吴孟华　吴洁仪）

爵床科 Acanthaceae 穿心莲属 *Andrographis*

穿心莲 *Andrographis paniculate* (Burm. f.) Nees

| 凭证标本号 | 440923140902012LY、440882180430987LY、440823141123001LY。

| 药 材 名 | 穿心莲（药用部位：地上部分。别名：榄核莲、一见喜、斩舌剑）。

| 植物形态 | 一年生草本。茎高 50 ~ 80 cm，方形，节呈膝状膨大，基部多分枝。叶对生，纸质；叶片卵状矩圆形至矩圆状披针形，长 3 ~ 8 cm，宽 2 ~ 5 cm，先端渐尖或略钝，基部楔形，全缘或有浅齿；叶柄短或近无柄。总状花序顶生和腋生，集成大型圆锥花序；苞片和小苞片微小，长约 1 mm；花萼裂片三角状披针形，长约 3 mm，有腺毛和微毛；花冠白色而小，下唇带紫色斑纹，长约 12 mm，外有腺毛和短柔毛，二唇形，上唇 2 浅裂，下唇 3 深裂；花冠筒与唇瓣等长；雄蕊 2，花药 2 室，1 室基部和花丝一侧有柔毛。蒴果稍扁，长椭圆形，长约 1.5 cm，宽约 0.5 cm，中间有 1 沟，疏生腺毛，成熟时 2 瓣开裂；种子 12，细小，红色，四方形，有皱纹。

穿心莲（1）

穿心莲（2）

栽培资源

一、生长环境

穿心莲为喜光植物，适宜在温暖、湿润、光照充足的环境中生长。适宜生长温度为 25 ~ 30 ℃，15 ~ 20 ℃时生长缓慢，8 ℃以下时叶片出现冻伤而变红色或紫色，生长停滞，0 ℃左右或遇霜冻时植株枯萎死亡。在土质肥沃疏松、排水良好的微酸性或中性砂壤土中长势较好。穿心莲主产区生态因子阈值见表 2–20–1。

表 2–20–1　穿心莲主产区生态因子阈值

生态因子	生态因子数值范围	生态因子	生态因子数值范围
年平均气温 /℃	14.4 ~ 25.2	平均年降水量 /mm	800 ~ 1 956
平均气温日较差 /℃	4.8 ~ 11.9	最湿月降水量 /mm	128 ~ 340
等温性 /%	0.2 ~ 0.6	最干月降水量 /mm	8 ~ 40
气温季节性变动 / 标准差	3.0 ~ 8.2	降水量季节性变化 / 变异系数 %	58 ~ 87
最热月最高温度 /℃	26.5 ~ 34.0	最湿季度降水量 /mm	374 ~ 932
最冷月最低温度 /℃	–1.8 ~ 16.1	最干季度降水量 /mm	29 ~ 131
气温年较差 /℃	16.1 ~ 32.7	最热季度降水量 /mm	349 ~ 932
最湿季度平均温度 /℃	20.9 ~ 28.7	最冷季度降水量 /mm	29 ~ 184
最干季度平均温度 /℃	3.7 ~ 21.8	年平均日照强度 /（W/m^2）	124.2 ~ 152.6
最热季度平均温度 /℃	21.5 ~ 28.8	年平均相对湿度 /%	67.9 ~ 77.8
最冷季度平均温度 /℃	3.7 ~ 20.6		

二、栽培区域

穿心莲主要分布于广东湛江遂溪、雷州、吴川、廉江等地，茂名（电白、化州、高州、信宜）、阳江（阳春）、清远（英德）、云浮（罗定）等地也有不同规模的栽培。

广东湛江雷州客路镇穿心莲种植基地

三、栽培要点

穿心莲人工栽培有种子直播和育苗移栽两种方式。种子直播适宜于春季温暖的地区，特别是有条件采用机械播种、规模化种植的产区（如湛江遂溪），可提高播种效率。粤北地区早春温度较低，不利于出苗，故多采用大棚育苗，回暖后移栽的种植方式。穿心莲种子细小，种皮坚硬，表面有一层蜡质，透水性差，播种前需进行磨砂处理，以提高种子萌发率。栽培过程中注意保水、施肥。幼苗期需防治立枯病，具体措施如降低土壤湿度，用 50% 多菌灵处理土壤，或 1 000 倍液浇灌病区。苗期易发生猝倒病，注意控制温度和通风。黑胫病易在成株期发生，需加强田间管理，及时排除积水，确保药材质量和产量。

四、面积与产量

广东省中药原料质量监测技术服务中心的数据显示，广东穿心莲种植面积约为 1 500 hm^2，年产干药材总量约为 600 t。

| 采收加工 |

采收时间：穿心莲最佳采收期为开花期至盛花前期。粤北地区通常一年采收一次，于 9 月至 10 月上旬齐地割取地上部分。粤西南部及雷州半岛一年采收两次，第 1 次于 8 月下旬至 9 月采收，第 2 次于 11 月采收。

加工方式：采收后晒至七八成干，捆成把，再晒至干燥，或晒干，待药材放软后再打包，否则叶片易脱落和破碎，影响外观。

穿心莲的晾晒

穿心莲的打包

| 药材性状 | 本品茎呈方柱形，多分枝，长 50 ~ 70 cm，节稍膨大。单叶对生；叶柄短或近无柄；叶片皱缩易碎，完整者展平后呈披针形或卵状披针形，长 3 ~ 8 cm，宽 2 ~ 5 cm，先端渐尖，基部楔形下延，全缘或呈波状，上表面绿色，下表面灰绿色，两面光滑。质脆，易折断。气微，味极苦。以身干、色绿、叶多、无杂质、无霉变者为优。

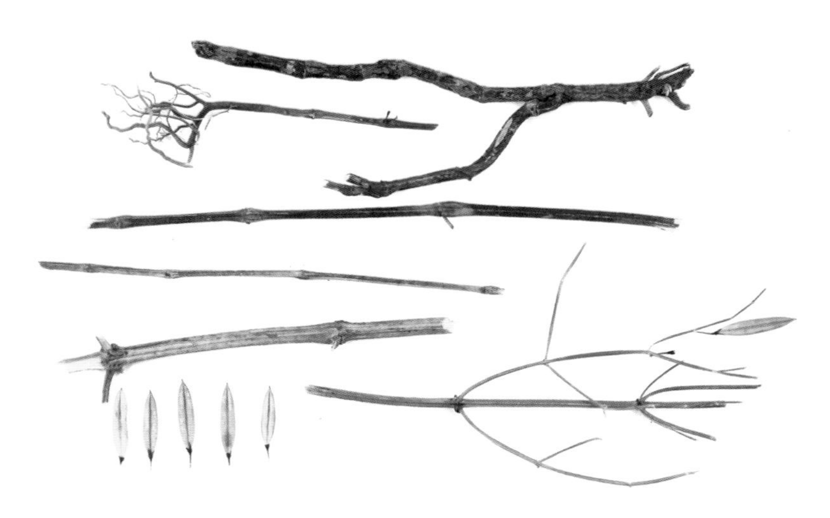

穿心莲药材

| 化学成分 | 本品的有效成分主要是二萜内酯类化合物，其中，穿心莲内酯和脱水穿心莲内酯含量较高。穿心莲不同生长期有效成分含量的变化规律为：总内酯、穿心莲内酯和新穿心莲内酯含量在 9 月现蕾期最少，在 10 月开花结果期最多，脱水穿心莲内酯含量在 8 月最多，在 10 月最少；去氧穿心莲内酯含量在嫩叶中较少，在老叶中较多，总内酯、穿心莲内酯和脱水穿心莲内酯含量均在嫩叶中较多；穿心莲总内酯的含量随贮藏时间延长而下降，脱水穿心莲内酯的含量则随着贮藏时间延长而增加。

比较穿心莲内酯和脱水穿心莲内酯在同一批次穿心莲药材不同部位（茎、叶）中的含量，穿心莲叶中含量最高，穿心莲药材（茎、叶自然混合物）次之，而

穿心莲茎中含量最低，可见穿心莲药用部位以叶为佳。2020年版《中国药典》规定，穿心莲叶不得少于30%。

| 功能主治 | 苦，寒。归心、肺、大肠、膀胱经。清热解毒，凉血，消肿。用于感冒发热，咽喉肿痛，口舌生疮，顿咳劳嗽，泄泻，痢疾，热淋涩痛，痈肿疮疡，毒蛇咬伤。

| 用法用量 | 内服煎汤，6 ~ 9 g。外用适量，捣敷；或制成软膏涂患处；或煎汤滴眼、耳。

| 附　　注 | 一、栽培历史

穿心莲原产于热带地区，20世纪50年代引种至我国广东、广西、福建等沿海地区。第四次全国中药资源普查资料显示，我国广东、广西、福建、海南和云南等地均有种植穿心莲，以广东湛江和广西贵港、南宁、桂林种植最为集中。广东穿心莲种植区主要分布于湛江遂溪、雷州，清远英德也有种植。

广东为最早引种穿心莲的省份之一，也是业内公认穿心莲药材质量最好的产区。广州白云山和记黄埔中药有限公司在湛江遂溪和清远英德大湾镇建立了规模化的穿心莲GAP基地。湛江遂溪是规模化连片种植产区，采用大型喷灌系统，较为先进。

二、物种鉴别

穿心莲在各地方草药志中均有记载，基原较为统一，均为爵床科穿心莲属植物穿心莲 *Andrographis paniculata* (Burm. f.) Nees。

同属植物疏花穿心莲 *Andrographis laxiflora* (Blume) Lindau，别名须药草、白花穿心莲、野榄核莲，该种与穿心莲的区别在于：该种叶通常卵形，长约为宽的2倍；花萼、蒴果无毛；雄蕊内藏，花丝在中部弧形扩大，药室等大。

值得注意的是，现在常见的蔬菜“穿心莲”实为番杏科露草属植物露草 *Aptenia cordifolia* (L. f.) Schwantes，别名花蔓草、心叶番杏、心叶冰花等，原产于非洲，在我国主要分布于广东、福建。露草一直作为观赏类多肉植物，近年来，其嫩茎叶作为蔬菜食用，在蔬菜市场上被误传为“穿心莲”，实非爵床科植物穿心莲。

三、传统医药知识

《全国中草药汇编》记载，民间用穿心莲粉末、纯甘油、乙醇配制成滴剂，治疗化脓性中耳炎。《岭南采药录》《常用中草药手册》等记载，民间以穿心莲粉末加凡士林调制成的膏剂，或浓缩后的穿心莲水煎剂外敷，治疗各种炎症感染如痈疖疔疮、阴囊湿疹、宫颈炎等，疗效较好。穿心莲水煎液加入食醋熏洗，可治疗肛门肿痛。

四、市场信息

2017—2018 年，穿心莲药材价格为 4 ～ 6 元/kg。2019—2020 年，受新型冠状病毒肺炎疫情的影响，穿心莲药材需求量剧增，价格也随之攀升为 7 ～ 8 元/kg。2021 年，价格保持在 7 ～ 8 元/kg。

穿心莲药材全国总产量为 7 000 ～ 10 000 t。广西贵港桥圩镇是目前最大的产区，该区穿心莲药材年产量超过 4 000 t，有时能达 7 000 t。广东湛江遂溪、雷州是全国第二大产区，年产量为 1 000 ～ 2 000 t，茂名、阳江（阳春）、云浮、肇庆（四会）、清远等产区年产量达数百吨，广东穿心莲药材年产量可超过 3 000 t。两广地区穿心莲药材产量占全国总产量的 90% 以上。

五、濒危情况、资源利用和可持续发展

穿心莲除用于医院配方外，还用于多种中成药制剂的生产，常见的中成药有穿心莲片、复方穿心莲片、妇科千金片、消炎利胆片、痢泻灵片、清火栀麦胶囊、穿心莲浸膏、穿心莲内酯片、炎痢净片、止痢宁片、眼净滴眼液及注射剂穿琥宁、炎琥宁、莲必治、喜炎平等。据统计，以穿心莲为原料的中成药种类占国家标准收载中成药的 1.06% 以上。

根据国家药品监督管理局网站公布的数据（截至 2024 年 3 月 20 日），以穿心莲为原料生产的中成药制剂已有超过 600 种获得批准文号，其中穿心莲片最多，共计 347 种，穿心莲胶囊共计 31 种，复方穿心莲片共计 111 种，穿心莲内酯片共计 12 种，清感穿心莲片共计 5 种，穿心莲丸共计 1 种，穿心莲注射液共计 18 种，穿琥宁注射液共计 31 种，注射用炎琥宁共计 109 种。

穿心莲及其提取物可作为添加剂应用到畜禽药物中，治疗仔猪白痢、猪胃肠炎、猪丹毒、兔胃肠臌气、禽霍乱、鸭腹泻、牛感冒、牛血痢、鸡大肠杆菌病等。穿心莲同黄芪、党参、鱼腥草等中药组成纯中药复合畜禽生理平衡剂，添加到饲料中，可提高成活率、生长率、保育率、产蛋率、出壳率，并有效防治鸡传染性法氏囊病、仔猪白痢等疾病，对畜禽呼吸道疾病的防治效果尤为显著。

穿心莲在鱼类养殖业也有较多应用。给草鱼投喂穿心莲的人工配合饲料，结果表明一定浓度的穿心莲可以通过降低优势菌群气单胞菌的组成而对草鱼肠内微生态系统产生影响。在异育银鲫饵料中加入 1% 穿心莲水提物，可使其血液白细胞的吞噬活性有明显提高，同时异育银鲫血清和体表黏液溶菌酶的活性也有明显提高。鲜穿心莲与松脂联合治疗鱼类体外寄生虫鱼虱效果极好，且对鱼类无副作用。

穿心莲的传统药用部位为地上部分，近年来，研究发现穿心莲根含有黄酮类化

合物，可明显抑制血小板聚集，具有改善血液黏稠度、抗血栓、增加心肌血流量的作用，对心肌梗死有防治作用，可用于心血管疾病药物的开发。

为保证穿心莲资源的可持续发展，满足中医药产业发展的需求，需做好以下工作：①大力发展穿心莲人工种植基地建设，提高穿心莲栽培品的质量；②开展穿心莲采收加工的研究，加强质量控制；③加强规范化、规模化生产和综合利用技术研究，提高生产技术和综合利用水平；④综合利用资源，调动企业和农民参与资源保护和利用的积极性。

参考文献

[1] 王雨霞，邹秀崽，李春雨，等．穿心莲种质产量性状与药用成分分析[J]．中山大学学报（自然科学版）（中英文），2023，62（3）：100-108．

[2] 周芳，孙铭阳，梅瑜，等．药用植物穿心莲研究进展[J]．广东农业科学，2021，48（1）：9-16．

[3] 王启超，许玲，王飞扬，等．穿心莲两个主产区品质差异的初步解析[J]，浙江理工大学学报（自然科学版），2021，45（3）：416-422．

[4] 陈东亮，钟楚，林阳．药用植物穿心莲种质资源、育种及栽培研究进展[J]．江苏农业科学，2020，48（21）：34-40．

[5] 崔丹丹．穿心莲药材及饮片质量等级评价研究[D]．广州：广东药科大学，2019．

（夏 静 潘超美）

姜科 Zingiberaceae 山姜属 *Alpinia*

高良姜 *Alpinia officinarum* Hance

| 凭证标本号 | 440982140807009LY、440825150830011LY、445322140804007LY。

| 药 材 名 | 高良姜（药用部位：根茎）。

| 植物形态 | 多年生草本，高 40 ~ 110 cm。茎丛生。根茎圆柱形，横生，棕红色。无叶柄；叶片宽带状线形，长 20 ~ 30 cm，宽 1.2 ~ 2.5 cm，先端长尾尖，基部渐狭，全缘，两面均无毛；叶舌薄膜质，披针形，长 2 ~ 3 cm，不裂。总状花序顶生，直立，花序轴被绒毛；小苞片极小，长不超过 1 mm；花萼筒状，长 0.8 ~ 1.4 cm，先端 3 齿裂，被小柔毛；花冠管漏斗状，花冠裂片 3，长圆形，后方 1 裂片兜状；唇瓣卵形，白色而有红色条纹，长约 2 cm；花丝长约 1 cm，花药长 6 mm；子房 3 室，密被绒毛。蒴果球形，直径约 1.2 cm，成熟时

高良姜

高良姜花

高良姜果实　　高良姜花序

黄色，被绒毛；种子具假种皮，有钝棱角，棕色。花期 4 ~ 9 月，果期 5 ~ 11 月。

| 栽培资源 |

一、生长环境

高良姜喜温暖湿润的环境，耐旱，怕涝，不耐寒霜，以土层深厚、富含腐殖质的酸性或微酸性红壤土为宜。

二、栽培区域

高良姜主产于广东徐闻，遂溪、廉江、雷州、阳西、惠阳等地亦有栽培。

三、栽培要点

高良姜人工栽培有根茎繁殖和种子繁殖两种方式。

根茎繁殖：为当前高良姜的主要繁殖方式，包括整地、种植、田间管理、收获等环节。选择三年生、粗壮、带 5 ~ 7 个芽、无病虫害的根茎株，于春、秋季进行。种植初期杂草较多，需要进行除草、施肥，后期在植株封行以后，多采用粗放型管理。

种子繁殖：随采随播，一般在秋季，以 8 ~ 9 月上旬为好。在整好的苗床上，按行距 10 cm 开浅沟条播，将处理好的种子均匀撒在沟内，覆土后盖草，浇水保湿，大约 20 天种子发芽。

高良姜病虫害较少，但也会出现烂根病、卷叶虫等，故应采取预防措施，综合防治，可使用国家允许使用的农药，既有利于防治高良姜主要病虫害，也有利于保护环境，维持生态平衡。

广东湛江徐闻大水桥高良姜种植基地

广东湛江徐闻下桥镇高良姜种植基地

四、面积与产量

2013 年，广东湛江徐闻高良姜种植面积不足 3 万亩。2016 年开始，高良姜种植面积每年减少 1 000 ～ 2 000 亩。2020 年，高良姜种植面积新增 7 000 ～ 8 000 亩。2022 年，种植面积近 6 万亩。

| 采收加工 |

采收时间：高良姜种植 4 ～ 6 年后可收获，5 ～ 6 年时产量较高，质量较好，通常于 4 ～ 6 月或 10 ～ 12 月采挖。一般选择晴天，先割除茎、叶，然后用犁深翻，挖起根茎。

加工方式：采收后除去地上部分、须根及鳞片，洗净，截成长 5 ～ 6 cm 的小段，晒至六七成干，堆在一起闷放 2 ～ 3 天，晒干。

新鲜采挖的高良姜根茎

采挖后晾晒

| 药材性状 | 本品呈圆柱形，多弯曲，有分枝，长 5 ~ 9 cm，直径 1 ~ 1.5 cm。表面棕红色至暗褐色，有细密的纵皱纹和灰棕色波状环节，节间长 0.2 ~ 1 cm，一面有圆形根痕。质坚韧，不易折断，断面灰棕色或红棕色，纤维性，中柱约占 1/3。气香，味辛、辣。

干燥后的高良姜生药材

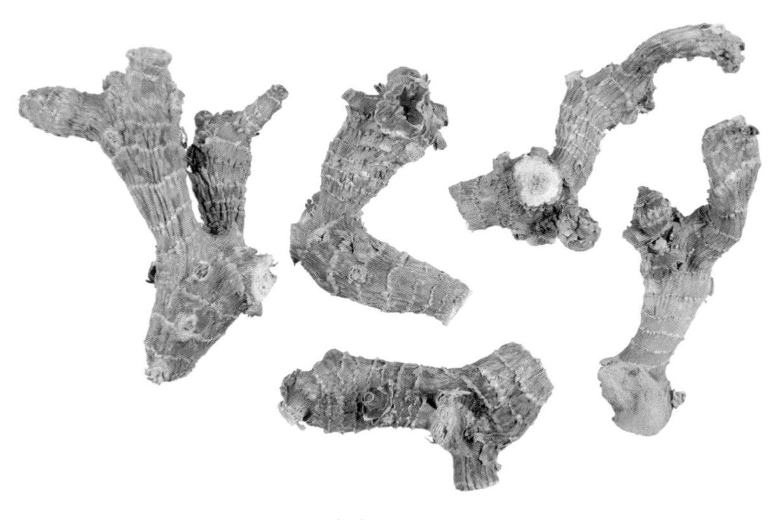

高良姜药材

| 功能主治 | 辛，热。归脾、胃经。温胃止呕，散寒止痛。用于脘腹冷痛，胃寒呕吐，嗳气吞酸。

| 用法用量 | 内服煎汤，3 ~ 6 g；或入丸、散剂。

| 附　　注 | 一、栽培历史

高良姜主要分布于我国广东、海南、广西南部等热带亚热带地区，云南及台湾

也有栽培。广东湛江徐闻为高良姜的道地产区，种植区主要集中于龙塘镇，因此，徐闻龙塘镇有“高良姜之乡”的美称。据《徐闻县志》记载，清代前高良姜在徐闻就有种植，并被列为朝廷贡品。民国四年（1915），徐闻良姜被广东巡按公署批为官府专卖品，但当时种植面积不大，仅龙塘、城南等有种植。1965年后，高良姜种植区域由广东徐闻扩增到遂溪、廉江、雷州，广西博白、陆川及海南文昌、儋州、万宁等地也有种植，种植面积不断扩大。近年来，广东高良姜种植面积逐年减少，部分药农改种香蕉、甘蔗、菠萝等经济作物。海南引进高良姜种植项目，以政府为主导，采取“公司 + 合作社 + 农户”的模式进行规模化种植，目前在海南昌江、东方、白沙、屯昌、陵水、琼海、临高、琼中等地均有种植。

二、市场信息

2000—2001年，高良姜价格为11 ~ 12元/kg。2002—2008年，高良姜价格为5 ~ 7元/kg。2010年后，高良姜价格在10元/kg左右浮动。2016年后，高良姜种植面积逐年萎缩。2020年产新后价格逐步走高。2022年产新后价格继续攀升，超过30元/kg。

三、濒危情况、资源利用和可持续发展

高良姜是一种以栽培为主的中药材，各地区已形成了成熟的栽培技术，并建立了产业化、规模化的生产基地，这不仅保护了高良姜的种质资源，也确保了其作为药用资源的可持续发展。

高良姜是著名的南药，其传统药用部位为根茎，有温胃、祛风、散寒、行气、消食、止痛等功效，是国家卫生健康委公布的药食同源品种。近年来，随着综合开发利用的不断深入，高良姜已经被应用到食品、功能饮料、调味料及保鲜剂等多个领域，在大健康产品和新药开发方面也显示出了巨大的潜力。

参考文献

[1] 国家药典委员会. 中华人民共和国药典：2020年版[M]. 北京：中国医药科技出版社，2020.
[2] 魏娜，张小坡，戴水平，等. 高良姜现代研究[M]. 北京：科学出版社，2015.
[3] 丽静，李积华. 高良姜研究与开发利用[M]. 北京：中国农业科学技术出版社，2016.
[4] 马文英，窦红莉，牛阳，等. 高良姜的本草考证[J]. 中国民族民间医药，2022，31（19）：23-28.

（廖文波　冯大洲　王亚荣）

姜科 Zingiberaceae 山姜属 *Alpinia*

益智 *Alpinia oxyphylla* Miq.

凭证标本号 440983180404055LY、441322160723231LY、440804200919034LY。

药材名 益智（药用部位：果实。别名：益智仁、益智子、摘芋子）。

植物形态 多年生草本，高 1 ~ 3 m。茎丛生。根茎短，长 3 ~ 5 cm。叶片披针形，长 25 ~ 35 cm，宽 3 ~ 6 cm，先端渐狭并具尾尖，基部近圆形，边缘具脱落性小刚毛；叶柄短；叶舌膜质，2 裂，长 1 ~ 2 cm 或更长，被淡棕色疏柔毛。总状花序在花蕾时全部包藏于帽状总苞片中，开花时整个脱落；花序轴被极短的柔毛；小花梗长 1 ~ 2 mm；小苞片极短，膜质，棕色；花萼筒状，长 1.2 cm，一侧开裂至中部，先端具 3 裂齿，外被短柔毛；花冠管长 8 ~ 10 cm，花冠裂片长圆形，长约 1.8 cm，后方 1 裂片稍大，白色，外被疏柔毛；侧生退化雄蕊钻状，长约 2 mm；唇瓣倒卵形，长约 2 cm，粉白色而具红色脉纹，

益智

益智花序

益智果枝

先端边缘皱波状；花丝长 1.2 cm，花药长约 7 mm；子房密被柔毛。蒴果鲜时球形，干时纺锤形，长 1.5 ~ 2 cm，宽约 1 cm，被短柔毛，果皮上有隆起的维管束线条，先端有花萼管的残迹；种子不规则扁圆形，被深棕色假种皮。花期 1 ~ 3 月，果期 4 ~ 6 月。

| 栽培资源 |

一、生长环境

益智的生长条件较为苛刻，喜温暖潮湿，生长环境需要适宜的郁闭度、湿度以及温度。植株幼龄阶段，适宜郁闭度为 70% ~ 80%，植株成龄后则以郁闭度 50% ~ 60% 为宜，空气相对湿度宜 85% ~ 90%、土壤湿度宜 25% ~ 30%，适宜生长温度为 22 ~ 28 ℃，温度低于 20 ℃时，植株不开花或不完全开花，温度低于 8 ℃时，幼果出现生理落果现象。益智的生长发育还受降水量的影响，干旱将减缓植株的生长发育，导致落花落果，还会使叶绿素含量降低，叶片变黄，光合作用减弱。

二、栽培区域

益智栽培区域集中于广东茂名、阳江，湛江、肇庆和云浮等地也有小规模栽培。

三、栽培要点

益智人工栽培有种子繁殖和分株繁殖两种方式。

种子繁殖：选取优良的成熟果实，在阴凉环境中自然晾干，剥去果皮，用细沙轻轻洗去种子外的果肉和假种皮。选择靠近水源、湿度大、排灌方便、土壤疏松肥沃的地块作为育苗地，施腐熟的鸡粪或牛粪 22.5 ~ 30 t/hm^2 作基肥，深翻 25 cm 以上，耙松整平，起高 20 cm 以上、宽 1 m 的育苗畦，搭建遮阴度 60% 的遮阴棚备用。

益智种苗的起苗移栽

分株繁殖：选择一至二年生、茎秆粗壮、叶色浓绿、无病虫害、分蘖多的植株作母株，阴天分株，将地下茎及连带的新芽从母株上分离，切勿伤根，剪去老弱茎、根，留长 15 ~ 20 cm 的地上茎，然后进行移栽。分株繁殖具有周期短、生长快的优势，是常用的育苗方式。

广东茂名电白那霍镇杉树林下种植的益智

广东茂名信宜洪冠镇肉桂林下种植的益智

四、面积与产量

广东茂名高州、信宜两地益智种植总面积近 6 600 hm^2，并呈逐年递增之势，产量约占全国益智总产量的 15%。

| 采收加工 | 采收时间：5 月下旬至 6 月下旬果皮茸毛脱尽、大部分果皮发黄、果肉带甜、嗅之有芳香、口嚼之有姜辣味时，选择晴天采收，将果穗整个剪下或折下，除去果柄。

加工方式：采收后晒干或在不高于 60 ℃的烘箱中烘干，用塑料布内衬的口袋盛装，存放于通风、干燥、阴凉处。

采收后晾晒的益智

| 药材性状 | 本品呈椭圆形，两端略尖，长 1.2 ~ 2 cm，直径 1 ~ 1.3 cm，表面棕色或灰棕色，有纵向凹凸不平的棱线 13 ~ 20，先端有花被残基，基部常残存果柄，果皮薄而稍韧，与种子紧贴。种子集结成团，中有隔膜将种子团分为 3 瓣，每瓣有种子 6 ~ 11，种子呈不规则扁圆形，略有钝棱，直径约 3 mm，表面灰褐色或灰黄色，外被淡棕色膜质假种皮。质硬。有特异香气，味辛、微苦。以个大、色棕或灰棕、种子团大、无虫蛀、无霉变、气味浓者为佳。

| 功能主治 | 辛，温。归脾、肾经。暖肾固精缩尿，温脾止泻摄唾。用于肾虚遗尿，小便频数，遗精白浊，脾寒泄泻，腹中冷痛，口多唾涎。

| 用法用量 | 内服煎汤，3 ~ 10 g；或入丸、散剂。

| 附　　注 | 一、本草记述

《本草图经》记载："益智子，生昆仑国，今岭南州郡往往有之。""昆仑国"原指位于中南半岛东南之岛国，至隋唐时期广指婆罗洲、爪哇和苏门答腊附近诸岛，甚至包括缅甸和马来半岛，今指缅甸萨尔温江口一带。"岭南"在传统上是指越城、大庾、骑田、都庞和萌渚五岭以南的地区，包括今天的广东、广西、海南、香港及澳门等在内的广大地区。《经史证类备急本草》《本草蒙筌》中所附益智原植物图为雷州益智子，"雷州"位于广东湛江，属于岭南境内。《本草纲目》记载："藏器曰：益智出昆仑及交趾国，今岭南州郡往往有之。""交趾国"指现在的越南北部红河流域一带。《植物名实图考》言："益智子……今庐山亦有之。""庐山"位于江西九江，属亚热带季风性湿润气候。《本草

求真》《本草备要》及《本草从新》均记载益智产于岭南。《药物出产辨》记载："益智产琼崖十三属，以陵水为上等。""琼崖"即今海南岛。《常用中草药手册》记载："益智生于隐蔽的灌木林中。广东、广西和福建均产，以海南产量最大。"《全国中草药汇编》记载："益智生于阴湿的密林或疏林下。分布于海南省和阳江、雷州半岛地区。"

二、市场信息

2010 年，益智价格为 20 ~ 40 元 /kg。2011 年，价格为 37 ~ 58 元/kg。2012 年，价格为 40 ~ 58 元/kg。2013 年，价格为 46 ~ 73 元/kg。2016 年，受开春寒潮的影响，益智产量减少，价格升至 115 元/kg。2017 年，价格回调至 80 元/kg。2018 年，产新前价格低至 47 元/kg。2019 年，产新前价格低至 25 元/kg。2020 年，产新期价格下滑至 20 元/kg，产新过后逐渐回升为 29 ~ 30 元/kg。2021 年 5 月，产新期价格再次下滑为 23 ~ 24 元/kg，但时间不长，5 月底即恢复为 28 ~ 29 元/kg，一直到 2022 年产新前，价格较为稳定。目前，市场上益智统货价格为 28 ~ 29 元/kg。

三、濒危情况、资源利用和可持续发展

据不完全统计，全国以益智为原料生产中成药的企业有 30 家，产值超过 10 亿元。含益智的中成药制剂有近 20 种，常见的有缩泉丸 / 胶囊（补肾缩尿，用于肾虚小便频数、夜卧遗尿等），益智温肾十味丸（祛肾寒、利尿，用于肾寒肾虚、腰腿痛、尿闭、肾结石等），萆薢分清丸（分清化浊、温肾利湿，用于肾不化气、清浊不分、小便频数、时下白浊），参茸蛤蚧保肾丸（温肾补虚，用于肾虚腰痛、夜尿频多、病后虚弱、头晕眼花、疲倦乏力），固肾定喘丸（温肾纳气、健脾利水，用于脾肾两虚型及肺肾气虚型慢性支气管炎、肺气肿、先天性哮喘、老人虚喘），妇宝金丸（养血调经、舒郁化滞，用于气虚血寒、肝郁不舒引起的经期不准、痛经、赤白带下、两肋胀痛、倦怠食少）。

益智是药食同源品种，除作为传统药材和现代医药原料外，还用于食品粗加工领域，如凉果、蜜饯、腌菜等。20 世纪 90 年代，广东阳江开始出现益智凉果 / 果脯厂，生产的益智系列休闲食品主要有九制益智、甜酸益智、糖沙益智、蜜饯益智等。目前，阳江生产益智休闲食品每年消耗益智鲜果约 100 t，产值约 1 亿元。

现代药理研究表明，益智果实主要含有挥发油类成分（包括萜烯、1,8- 桉叶素、樟脑、姜烯、姜醇、益智酮甲、益智酮乙、益智醇等），含量为 0.7% ~ 1.18%，不含对人体有害的黄樟醚等物质，极具开发成香料的价值。益智果实中含有丰富

的维生素 B_1、维生素 B_2、维生素 C、维生素 E 等，其风干果实中含有大量的总糖、还原糖、粗纤维、粗蛋白、8 种必需氨基酸、11 种非必需氨基酸、粗脂肪等，具有开发成新型食品的潜力。

目前，对益智的利用只停留在果实上，而对益智叶、根茎等部位的利用仅处于起步阶段，若进一步加强对益智叶、根茎等部位的基础研究，提高其附加值，则将大力推进益智产业发展。

益智药用历史悠久，疗效确切，是药食同源品种，被誉为“四大南药”，是林下经济发展的重点品种，也是当前用于精准扶贫工作的重要品种。为保证益智资源的可持续发展，满足中医药产业发展的需求，需做好以下工作：①制订发展规划，合理发展益智产业；②完善益智种植技术，生产优质药材；③加大研发力度，开发高附加值产品；④形成全产业链条，推动可持续发展。

参考文献

[1] 张俊清，段金廒，叶亮，等．益智的历史沿革与应用特点[J]．中国实验方剂学杂志，2011，17（21）：289-292．

[2] 梁鹏．三种源地益智比较及在广州栽培研究[D]．广州：华南农业大学，2017．

[3] 郑洁娴，赵宇．南药益智栽培技术[J]．现代农业科技，2020（13）：71，75．

[4] 余小丹，高炳淼，程超宏，等．不同地域益智形态与代表性化学成分含量的差异分析[J]．时珍国医国药，2021，32（9）：2244-2246．

[5] 李文兵，胡昌江，龙兰艳，等．盐益智仁饮片的质量控制研究[J]．中国中药杂志，2010，35（24）：3278-3281．

[6] 余小丹．不同产地益智抗炎和抗氧化作用比较研究[D]．海口：海南医学院，2021．

（钟慧怡）

檀香科 Santalaceae 檀香属 *Santalum*

檀香 *Santalum album* L.

| 凭证标本号 |

441322161001445LY、441827180814025LY、440823140830014LY。

| 药 材 名 |

檀香（药用部位：心材。别名：旃檀、白檀、真檀）。

| 植物形态 |

常绿小乔木，高约 10 m。枝圆柱状，带灰褐色，具条纹，有多数皮孔和半圆形叶痕；小枝细长，淡绿色，节间稍肿大。叶椭圆状卵形，膜质，长 4 ~ 8 cm，宽 2 ~ 4 cm，先端锐尖，基部楔形或阔楔形，多少下延，边缘波状，稍外折，背面有白粉，中脉在背面凸起，侧脉约 10 对，网脉不明显；叶柄细长，长 1 ~ 1.5 cm。三歧聚伞式圆锥花序腋生或顶生，长 2.5 ~ 4 cm；苞片 2，微小，位于花序基部，钻状披针形，长 2.5 ~ 3 mm，早落；总花梗长 2 ~ 5 cm；花梗长 2 ~ 4 mm，有细条纹；花长 4 ~ 4.5 mm，直径 5 ~ 6 mm；花被管钟状，长约 2 mm，淡绿色；花被 4 裂，裂片卵状三角形，长 2 ~ 2.5 mm，内部初时绿黄色，后呈深棕红色；雄蕊 4，长约 2.5 mm，外伸；花盘裂

檀香（1）

檀香（2）

片卵圆形，长约 1 mm；花柱长 3 mm，深红色，柱头 3 ~ 4 浅裂。核果长 1 ~ 1.2 cm，直径约 1 cm，外果皮肉质多汁，成熟时深紫红色至紫黑色，先端稍平坦，花被残痕直径 5 ~ 6 mm，宿存花柱基多少隆起，内果皮具纵棱 3 ~ 4。花期 5 ~ 6 月，果期 7 ~ 9 月。

栽培资源

一、生长环境

檀香适宜栽培于海拔 500 m 以下的山地、丘陵地等，以向阳、开阔起伏、有一定坡度的山地为宜，喜 pH 为 5 的红壤土。要求年平均气温在 21 ℃以上，最冷月平均气温在 13 ℃以上，极端低温在 0 ℃以上，无重霜冻，年降水量

600 ～ 2 000 mm。

二、栽培区域

檀香在广东江门、东莞、云浮、湛江、茂名（化州）、惠州等地均有大面积种植，其中湛江遂溪是我国最早规模化种植檀香的地区。

广东江门台山白沙镇檀香种植基地

三、栽培要点

7 月至翌年 2 月，选择 10 龄以上健壮的植株，采收粒大、饱满、紫黑色的成熟果实，洗去果肉，阴干种子，5 ～ 10 ℃低温储藏，也可在室内常温下用温沙层积贮藏。先在底部铺一层厚约 5 cm 的沙，然后每铺一层厚约 4 cm 的种子，盖一层沙，最上层盖厚约 8 cm 的沙，防止水分散失过快。河沙湿度以用手握成团、松开即散为宜，贮藏期间要经常检查河沙的湿度，过干时适当加水。

于 3 ～ 4 月播种，播种前用 100×10^{-6} 赤霉素溶液浸种 24 h，条播或撒播到苗床上，盖上厚 2 cm 的土，或播种于营养土塑料袋中，每袋播种 1 ～ 2 粒，播种深度 2 cm。

四、面积与产量

1987 年以前，广东湛江遂溪檀香种植面积约为 120 亩，此后，种植面积扩大至 200 亩，江门（台山）、阳江、肇庆、河源、茂名、东莞种植面积合计为 1 万余亩，茂名（信宜、高州）建立了檀香种植基地，面积超过 1 万亩，惠州、湛江也建立了一定规模的檀香种植区。初步统计，目前广东檀香种植面积约为 5 万亩。

| 采收加工 | 采收时间：种植 30 年以上采伐，全年均可采收。

加工方式：采伐后除去枝叶、栓皮及部分边材，除去杂质，镑片、锯成小段或劈成小碎块，置通风处阴干，避免暴晒。

| 药材性状 | 本品为长短不一的圆柱形木段，有的略弯曲，一般长约 1 m，直径 10 ～ 30 cm。外表面灰黄色或黄褐色，光滑细腻，有的具疤节或纵裂；横截面呈棕黄色，显油迹，棕色年轮明显或不明显，纵向劈开纹理顺直。质坚实，不易折断。气清香，燃烧时香气更浓，味淡，嚼之微有辛辣感。

檀香药材

| 功能主治 | 辛，温。归脾、胃、心、肺经。行气温中，开胃止痛。用于寒凝气滞，胸膈不舒，胸痹心痛，脘腹疼痛，呕吐食少。

| 用法用量 | 内服煎汤，2 ~ 5 g，后下；或入丸、散剂。外用适量，磨汁涂。

| 附　　注 | 一、栽培历史

檀香原产于印度、印度尼西亚、澳大利亚等地。《本草纲目》《本草述钩元》等本草中有“檀香出广东、云南……今岭南诸地亦皆有之”“檀香本出外国，今岭南诸地亦有之”的记载，说明明清时期檀香在我国岭南地区已有一定规模的种植，并且有药材产出。

1962 年，原中国科学院华南植物研究所从印度尼西亚引进少量檀香种子进行试种，此后留种自繁，在广东、海南、广西、福建、云南等地广泛开展试种工作。

二、市场信息

檀香在我国种植时间短，尚未形成规模化的产业，药材主要依赖进口，受出口国销售管控的影响，我国檀香药材的来源、流通渠道、价格均不稳定。

三、濒危情况、资源利用和可持续发展

檀香在我国均为栽培品，树龄普遍未达到采收期。由于檀香轮伐期长、资源利用率低、价值高，易出现资源过度损耗的情况，我国需制定相关法规，扶持、引导、规范檀香的种植和采收，以保证檀香资源可持续发展。

檀香除作药用外，还具有多种价值。檀香精油可作为食品添加剂，添加到饮料、奶制品、糖果、烘烤食品中；还可用于香水、化妆品、香皂、洗涤剂等领域，单独使用或作为定香剂与其他植物精油配合使用。此外，檀香精油还具有镇静安神、驱蚊、杀螨的功效，在我国用作香料、香薰历史悠久。

檀香气味芳香，木质坚硬，常用于制作橱、柜、珍宝盒、扇骨、书签等。檀香在宗教领域也有广泛应用，在印度被视为圣树，常被加工成佛像、佛具，在举行宗教仪式时使用。

檀香种子富含脂肪酸，有抑制脂肪酶活性，促进脂肪代谢的作用。檀香叶提取物具有提高心率的作用，还具有较好的抗疲劳、抗氧化、抗菌的作用。

目前，广东檀香种植面积约为 5 万亩，在生态环境改良和经济林营造的过程中，选择经济价值高的檀香作为主要树种，将绿色、环保理念融入种植、生产、经济等各个环节当中，为檀香药材资源的可持续发展奠定坚实的基础。

参考文献

[1] 李时珍. 本草纲目（校点本）[M]. 刘衡如，校点. 北京：人民卫生出版社，1982.
[2] 国家药典委员会. 中华人民共和国药典：2020 年版 [M]. 北京：中国医药科技出版社，2020.
[3] 李应兰. 檀香引种研究 [M]. 北京：科学出版社，2003.
[4] 颜仁梁，林励. 檀香的研究进展 [J]. 中药新药与临床药理，2003，14（3）：218-220.
[5] 林励，徐鸿华，刘中秋，等. 不同引种地檀香质量的研究 [J]. 中药材，1995，18（8）：411-413.

（闫　冲）

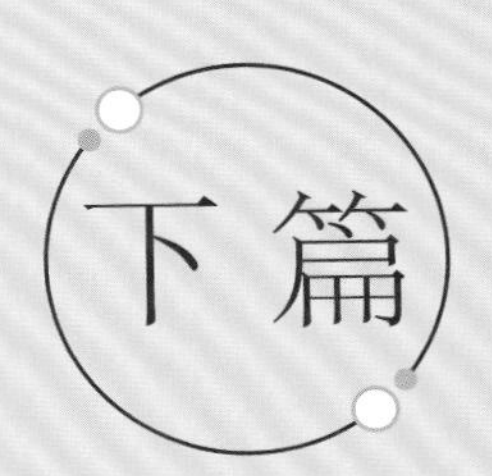

广东省中药资源各论

藻类

海带科 Laminariaceae 海带属 *Laminaria*

海带 *Laminaria japonica* Aresch.

| 药 材 名 | 昆布（药用部位：叶状体。别名：海带）。

| 形态特征 | 藻体分为叶状体、柄与固着器3部分。叶状体为长条扁平状至带状，褐绿色，有光泽，长3～4 m，最长可达6 m，中部厚，边缘较薄，呈波状弯曲，无中肋，但有2浅沟，浅沟纵贯中央，形成中带部。柄圆柱形或扁圆柱形。固着器初为盘状，后逐渐分生出二叉分枝的假根。有性繁殖时，叶片皮层细胞产生孢子囊且在叶片两面不规则分布。

| 生境分布 | 生于冷水性海域潮下带的岩礁。广东沿海各县均有分布。

| 资源情况 | 养殖资源丰富。药材主要来源于养殖。

| 采收加工 | 夏、秋季采捞，晒干。

| 药材性状 | 本品卷曲，折叠成团状或缠结成把。全体呈黑褐色或绿褐色，表面附有白霜。用水浸软则膨胀成扁平长带状，长 50 ~ 150 cm，宽 10 ~ 40 cm，中部较厚，边缘较薄而呈波状。类革质。残存柄部扁圆柱状。气腥，味咸。

| 功能主治 | 咸，寒。消痰，软坚散结，利水消肿。用于瘿瘤，瘰疬，睾丸肿痛，痰饮水肿。

| 用法用量 | 内服研末，2 ~ 3 g；或煎汤，6 ~ 12 g。

| 凭证标本号 | 441302240307001LY。

| 附　　注 | （1）2020 年版《中华人民共和国药典》一部记载昆布为海带科植物海带 *Laminaria japonica* Aresch. 或翅藻科植物昆布 *Ecklonia kurome* Okam. 的干燥叶状体。

（2）海带多糖是本种的主要提取物之一，主要包括褐藻胶、岩藻多糖、褐藻淀粉 3 类，具有抗炎、抗氧化、降血糖、调节血脂等作用。

松藻科 Codiaceae 松藻属 *Codium*

长松藻 *Codium cylindricum* Holm.

| 药 材 名 | 长松藻（药用部位：藻体。别名：柱海松）。

| 形态特征 | 藻体由 1 个分枝很多、管状无隔的多核单细胞组成，为圆柱状分枝体，绿色至黄绿色，海绵质，株高 60 cm 以上。藻体分为固着器和分枝 2 部分。固着器盘状；分枝圆柱形，疏叉状二叉分枝，上部渐细长，先端钝圆，分枝的部位呈楔形或宽三角形。胞囊长椭圆形或圆柱形，先端钝圆。成熟期配子囊呈长卵形，生于胞囊中部侧面。

| 生境分布 | 生于中、低潮带的石沼或岩礁。广东沿海各县均有分布。

| 资源情况 | 野生资源丰富。药材来源于野生。

| 采收加工 | 夏季采收，洗净，晒干。

| 功能主治 | 甘、咸，寒。清热解毒，利尿，驱蛔。用于小便不利，水肿，蛔虫病。

| 用法用量 | 内服煎汤。

| 凭证标本号 | 441302240307002LY。

| 附　　注 | 研究发现本种含有抗凝血、抗血管生成的多糖类活性化合物，故其具有较大的开发价值和较广阔的应用前景。

铁钉菜科 Ishigeaceae 铁钉菜属 *Ishige*

铁钉菜 *Ishige okamurae* Yendo

| 药 材 名 | 铁钉菜（药用部位：藻体。别名：水松、铁菜、摇鼓铃）。

| 形态特征 | 藻体暗褐色，干后呈黑色。软骨状，高 4 ~ 15 cm。固着器小盘状，有短柄，复叉状分枝。枝呈细圆柱形，微有棱角，有时略扁圆。内部由 2 层组织组成，髓部由纵横交错的丝状细胞组成，皮层由与藻体表面垂直的 6 ~ 30 排小细胞紧密排列而成。

| 生境分布 | 生于潮间带的岩石上或石沼内。广东沿海各县均有分布。

| 资源情况 | 野生资源丰富。药材来源于野生。

| 采收加工 | 春、夏季采收，晒干。

| 功能主治 | 咸，寒。软坚散结，解毒。用于颈淋巴结肿大，甲状腺肿，喉炎，蛔虫病等。

| 用法用量 | 内服煎汤，15 g。

| 附　　注 | （1）本种在我国东海、南海分布广泛。

（2）近年研究发现，本种的提取物具有一定的 α- 葡萄糖苷酶抑制活性。

萱藻科 Scytosiphonaceae 鹅肠菜属 *Endarachne*

鹅肠菜 *Endarachne binghamiae* J. Ag.

| 药 材 名 | 鹅肠菜（药用部位：藻体。别名：土海带、海带丝、脚皮菜）。

| 形态特征 | 藻体黄褐色至黑褐色，幼时颜色较浅，丛生，扁平状，株高 10 ~ 25 cm。固着器圆盘状。柄短小。叶片叶状至带形，膜质，有波状皱褶。髓部由分枝丝体交织而成。藻体基部楔形，成熟时先端腐溃。多室配子囊与多室孢子囊由皮层细胞发育而成。

| 生境分布 | 生于低潮线附近岩石上。广东沿海各县均有分布。

| 资源情况 | 野生资源丰富。药材来源于野生。

| 采收加工 | 夏、秋季采收，晒干。

| **功能主治** | 咸，寒。清热化痰，软坚散结。

| **用法用量** | 内服煎汤，15 g。

| **凭证标本号** | 441302240307004LY。

马尾藻科 Sargassaceae 马尾藻属 *Sargassum*

羊栖菜 *Sargassum fusiforme* (Harv.) Setch.

| 药 材 名 | 海藻（药用部位：藻体。别名：鹿角菜、玉草、海草）。

| 形态特征 | 藻体为枝叶状体，分为固着器、主枝、分枝、叶片和气囊 5 部分。藻体黄褐色，肉质。固着器为圆柱形假根状。主枝直立，圆柱形，可从固着器分生出多个主枝；初生分枝和次生分枝均为圆柱形，表面光滑，次生分枝较短，互生。气囊具柄，细长且先端具刺。

| 生境分布 | 生于迎浪面低潮带至潮下带的岩礁。广东沿海各县均有分布。

| 资源情况 | 野生资源丰富。药材来源于野生。

| 采收加工 | 夏、秋季采捞，除去杂质，洗净，晒干。

| 药材性状 | 本品长 15 ~ 40 cm。分枝互生，无刺状突起。叶条形或细匙形，先端稍膨大，中空。气囊腋生，纺锤形或球形，囊柄较长。质较硬。

| 功能主治 | 苦、咸，寒。消痰，软坚散结。用于瘿瘤，瘰疬，睾丸肿痛，痰饮水肿。

| 用法用量 | 内服煎汤，6 ~ 12 g。

| 凭证标本号 | 441302240307006LY。

| 附　　注 | 本种是我国药用年代久远的海藻之一。

红毛菜科 Bangiaceae 紫菜属 *Porphyra*

长紫菜 *Porphyra dentata* Kjellm.

| 药 材 名 | 紫菜（药用部位：藻体。别名：柳条菜）。

| 形态特征 | 藻体分为固着器、柄（不明显）和叶片 3 部分。固着器盘状。叶片稍有皱褶。藻体长叶形或披针形，由单层细胞构成，紫色或紫红色，一般长 15 ~ 25 cm，最长可达 45 cm，宽 2 ~ 4 cm，最宽可达 7 cm，厚 45 ~ 55 μm，基部心形，少数为圆形。

| 生境分布 | 生于高潮带及潮间带的岩石上。广东沿海各县均有分布。

| 资源情况 | 野生资源丰富，养殖资源丰富。药材主要来源于养殖。

| 采收加工 | 春、夏季采收，洗净，晒干。

| 功能主治 | 甘、咸，寒。化痰软坚，利咽止咳，养心除烦，利水除湿。用于甲状腺肿，喉炎，水肿等。

| 用法用量 | 内服煎汤，15g。

| 凭证标本号 | 441302240307007LY。

| 附　　注 | 近年研究发现本种的固醇萃取物有抗肿瘤活性。本省常见的紫菜除了有种植较广的坛紫菜之外，还有同属植物圆紫菜 *Porphyra suborbiculata* Kjellm. 和广东紫菜 *Porphyra guangdongensis* Tseng et T. J. Chang 等。

石花菜科 Gelidiaceae 拟鸡毛菜属 *Pterocladiella*

拟鸡毛菜 *Pterocladiella capillacea*（Gmelin）Santelices & Hommersand

| 药 材 名 | 鸡毛菜（药用部位：藻体。别名：冻菜渣渣、浅水藻）。

| 形态特征 | 藻体紫红色，软骨质，直立，单生或丛生，高 5 ~ 15 cm，基部具缠结的匍匐茎状固着器，其上生有 1 至数个直立且明显呈羽状分枝的及顶的主轴；2 ~ 3 回羽状分枝，整体有金字塔形的轮廓。分枝具有对生或互生的小羽枝，宽 1 ~ 2 mm，基部骤缩，末端具钝头，主干与分枝常呈直角，上部枝较密，下部枝略稀疏。

| 生境分布 | 生于低潮带或潮间带岩礁。广东沿海各县均有分布。

| 资源情况 | 野生资源较丰富。药材主要来源于野生。

| 采收加工 | 夏、秋季采收，晒干。

| 功能主治 | 咸，寒。清热散火，软坚化痰。用于干咳痰结，喉炎等。

| 用法用量 | 内服煎汤，15 g。

| 凭证标本号 | 441302240307008LY。

| 附　　注 | （1）日常生活中常用的鸡毛菜为十字花科芸薹属植物小白菜（青菜）*Brassica rapa* L. 的幼苗，应将其与本种进行区分。

（2）本种含有多种生物活性物质，被列为药源生物和保健品材料。除了直接食用以外，本种也可用于制作琼胶，或做轻泻剂治疗慢性便秘等。

海膜科 Halymeniaceae 蜈蚣藻属 *Grateloupia*

蜈蚣藻 *Grateloupia filicina* (Wulf.) C. Ag. (Buch.-Ham. ex D. Don) Hara

| 药 材 名 | 蜈蚣藻（药用部位：藻体。别名：海菜、面菜、佛祖菜）。

| 形态特征 | 藻体分为固着器、柄与叶片3部分。藻体单生或丛生，黏滑，紫红色，株高7 ~ 25 cm。固着器盘状，常具短柄。主枝亚圆柱形或扁平，2 ~ 3回羽状分枝；小枝互生或互生和对生交杂。主枝不中空，分皮层和髓部。皮层甚厚，外皮层细胞长椭圆形或椭圆形，内皮层细胞椭圆形或不规则形，具有星状细胞；髓部由细长的丝状细胞组成。

| 生境分布 | 生于波浪比较大的潮间带岩礁。广东沿海各县均有分布。

| 资源情况 | 野生资源丰富。药材来源于野生。

| **采收加工** | 秋、冬季采收，晒干。

| **功能主治** | 咸，寒。清热解毒，驱虫。用于肠炎，喉炎和蛔虫病。

| **用法用量** | 内服煎汤，15 ～ 30 g；或研末，6 ～ 9 g。

| **凭证标本号** | 441302240307009LY。

| **附　　注** | 近年研究发现本种中的硫酸多糖具有较好的抗血管生成和抗凝血等活性。

海膜科 Halymeniaceae 蜈蚣藻属 *Grateloupia*

舌状蜈蚣藻 *Grateloupia livida* (Harv.) Yamada

| 药 材 名 | 舌状蜈蚣藻（药用部位：藻体。别名：海菜、面菜、佛祖菜）。

| 形态特征 | 藻体直立，幼时质软，成熟时则变厚而稍硬，单生或丛生，深紫红色，高 10 ~ 25 cm，宽 0.5 ~ 2.5 cm。藻体分为固着器、柄与叶片 3 部分。固着器盘状。柄较短，成熟时中空。叶片窄或稍宽，单条形或叉状，全缘或有小育枝，体下部渐尖细成柄状，有的两侧具羽状或叉状小枝。

| 生境分布 | 生于低潮带的石沼或大干潮线附近的岩礁。广东沿海各县均有分布。

| 资源情况 | 野生资源丰富。药材来源于野生。

| 采收加工 | 夏、秋季采收，晒干。

| 功能主治 | 咸，寒。清热解毒，驱虫。用于肠炎，喉炎，蛔虫病。

| 用法用量 | 内服煎汤，15 ~ 30 g；或研末，6 ~ 9 g。

| 附　　注 | 研究表明本种含有氨基酸、多肽、糖、多糖及其苷类，以及有机酸类、酚类、鞣质类、甾体类、三萜类、香豆素类、内酯类、油脂类化合物等多种生物活性物质。

红叶藻科 Delesseriaceae 鹧鸪菜属 *Caloglossa*

美舌藻 *Caloglossa leprieurii* (Mont.) J. Ag.

| 药 材 名 | 鹧鸪菜（药用部位：藻体。别名：乌菜、蛔虫菜）。

| 形态特征 | 藻体暗紫色，干燥后变黑，丛生，高 1 ~ 4 cm，匍匐，腹部生出毛状假根。藻体分为固着器和叶状体 2 部分。藻体叶状，扁平而窄，宽 1 mm 左右，不规则叉状分枝，节间为狭长的椭圆形，节部缢缩。叶片具中肋，中肋上常生有次生育枝。

| 生境分布 | 生于高潮带的岩石上。广东沿海各县均有分布。

| 资源情况 | 野生资源丰富。药材来源于野生。

| 采收加工 | 3 ~ 4 月采收，洗净，晒干。

| 功能主治 | 咸，平。驱虫。用于蛔虫病。

| 用法用量 | 内服煎汤，10 ~ 30 g。

| 凭证标本号 | 441302240307010LY。

| 附　　注 | （1）本种含甘露醇、乳酸盐、海人草酸、海人草素等，自古以来就被用于驱除蛔虫。

（2）鹧鸪菜一名曾被误当作松节藻科植物海人草 *Digenea simplex* (Wulfen) C. Agardh 的名称，应注意区别。

菌类

虫草科 Cordycipitaceae 虫草属 *Cordyceps*

蛹虫草 *Cordyceps militaris* (L.) Link

| 药 材 名 | 蛹虫草（药用部位：子实体。别名：北冬虫夏草、北虫草、虫草花）。

| 形态特征 | 子座高 3 ～ 6 cm，单个或数个从寄主头部长出，有时从虫体节部生出，橙黄色，一般不分枝，有时分枝。可育头部长 1 ～ 2 cm，直径 3 ～ 6 mm，棒状，表面粗糙。不育菌柄长 2 ～ 4 cm，直径 2 ～ 4 mm，近圆柱形，实心。子囊壳外露，近圆锥形，下部埋生于头部外层。子囊大小为（300 ～ 400）μm ×（4 ～ 5）μm，棒状，具 8 子囊孢子。子囊孢子细长，直径约 1 μm，线形，成熟时产生横隔并断成分孢子。分孢子长 2 ～ 3 μm，宽 0.5 ～ 1 μm。

| 生境分布 | 半埋于林地或腐枝落叶层下鳞翅目昆虫蛹上。分布于广东乳源、连州等。

| 资源情况 | 野生资源较丰富，栽培资源丰富。药材来源于野生和栽培。

| 采收加工 | 夏、秋季采收，晒干。

| 药材性状 | 本品子座单个或数个从寄主头部长出，有时从虫体节部生出，橙黄色，一般不分枝，有时分枝。可育头部棒状，表面粗糙。不育菌柄近圆柱形，实心。

| 功能主治 | 甘，平。归肺、肾经。补肺益肾，止咳化痰。用于慢性支气管炎证属肺肾气虚、肾阳不足者。

| 凭证标本号 | GDGM24271。

虫草科 Cordycipitaceae 虫草属 *Cordyceps*

粉被虫草 *Cordyceps pruinosa* Petch

| 药 材 名 | 粉被虫草（药用部位：子实体。别名：茧草）。

| 形态特征 | 子座长 2 ~ 4 cm，常具多根，有分枝，橙红色，成熟时可育部分呈橙黄色至淡黄色，长 5 ~ 10 mm，直径 1.5 ~ 4 mm，顶部钝圆至略尖。不育菌柄直径 1.2 ~ 3 mm，常弯曲。子囊壳大小为（200 ~ 400）μm×（100 ~ 200）μm，卵形。子囊大小为（100 ~ 200）μm ×（2.5 ~ 4）μm。子囊孢子比子囊稍短，线形，可断裂成分孢子。分孢子大小为（4 ~ 6）μm×（1.0 ~ 1.5）μm，无色。

| 生境分布 | 生于林下枯枝落叶层及土壤中鳞翅目刺蛾科昆虫的茧上。分布于广东鼎湖区。

| 资源情况 | 野生资源一般。尚无栽培资源。药材来源于野生。

| 采收加工 | 夏、秋季采收，晒干。

| 药材性状 | 本品子座分枝，橙红色，成熟时可育部分呈橙黄色至淡黄色，顶部钝圆至略尖。不育菌柄常弯曲。

| 功能主治 | 增强免疫功能，抗病原微生物等。

| 凭证标本号 | GDGM40023。

炭团菌科 Hypoxylaceae 轮层炭壳菌属 *Daldinia*

黑轮层炭壳 *Daldinia concentrica* (Bolton) Ces. & De Not.

| 药 材 名 | 黑轮层炭壳（药用部位：子实体。别名：炭球菌）。

| 形态特征 | 子座宽 5 ~ 8 cm，高 3 ~ 6 cm，扁球形至不规则土豆形，多群生，初为紫褐色至暗紫红褐色，后为紫黑褐色，表面近光滑。子座内部木炭质，剖面有黑白相间或部分为黑色至紫蓝黑色的同心环纹。子囊壳埋生于子座外层。子囊大小为（120 ~ 200）μm×（10 ~ 12）μm。子囊孢子大小为（12.5 ~ 14.5）μm×（6 ~ 7）μm，近椭圆形或近肾形，光滑，暗褐色，发芽孔线形。

| 生境分布 | 生于阔叶树腐木和腐树皮上。分布于广东盐田等。

| 资源情况 | 野生资源一般。尚无栽培资源。药材来源于野生。

|**采收加工**| 夏、秋季采收，烘干。

|**药材性状**| 本品子座扁球形至不规则土豆形，多群生，红褐色至紫黑褐色，表面近光滑。子座内部木炭质，剖面有黑白相间或部分为黑色至紫蓝黑色的同心环纹。

|**功能主治**| 提高免疫力，抗人类免疫缺陷病毒。

|**凭证标本号**| GDGM25007。

线虫草科 Ophiocordycipitaceae 线虫草属 *Ophiocordyceps*

江西线虫草 *Ophiocordyceps jiangxiensis* (Z. Q. Liang, A. Y. Liu & Yong C. Jiang) G. H. Sung, J. M. Sung, Hywel-Jones & Spatafora

| 药 材 名 | 江西线虫草（药用部位：子实体。别名：江西虫草、草木王）。

| 形态特征 | 子座长45 ~ 80 mm，直径3 ~ 5 mm，从寄主的头部长出，簇生或丛生，柱状，可分枝，淡褐色，无不育尖端，表面很容易长出绿色霉菌。子囊大小为（400 ~ 450）μm×（7 ~ 7.5）μm，棒形。子囊孢子大小为（5.5 ~ 7）μm×（1 ~ 1.2）μm，长柱状，不断裂。

| 生境分布 | 寄生于林下丽叩甲或绿腹丽叩甲的幼虫上。分布于广东乳源、仁化、盐田、越秀及中山等。

| 资源情况 | 野生资源较丰富。尚无栽培资源。药材来源于野生。

| 采收加工 | 夏、秋季采收，烘干。

| 药材性状 | 本品子座从寄主的头部长出，簇生或丛生，柱状，可分枝，淡褐色，无不育尖端，表面很容易长出绿色霉菌。

| 功能主治 | 苦，寒；有大毒。清热解毒。外用于虫蛇咬伤。

| 凭证标本号 | GDGM27211。

线虫草科 Ophiocordycipitaceae 线虫草属 *Ophiocordyceps*

下垂线虫草 *Ophiocordyceps nutans* (Pat.) G.H. Sung, J. M. Sung, Hywel-Jones & Spatafora

| 药 材 名 | 下垂线虫草（药用部位：子实体。别名：椿象草）。

| 形态特征 | 子座从寄主胸侧长出，高 4 ～ 12 cm，头部长椭圆形至短圆柱形，幼时为橙红色或橙黄色，成熟后呈浅黄色，老熟后下垂。菌柄较长，弯曲，黑色至黑褐色，有金属光泽，外皮与内部组织间有空隙，内部为白色。子囊孢子线形，无色，薄壁，光滑，成熟后断裂成分孢子。分孢子大小为（8 ～ 10）μm×（1.5 ～ 2）μm，短圆柱形。

| 生境分布 | 寄生于半翅目蝽科昆虫成虫上。分布于广东乳源、仁化等。

| 资源情况 | 野生资源一般，栽培资源稀少。药材来源于野生。

| 采收加工 | 夏、秋季采收，烘干。

| 药材性状 | 本品子座头部长椭圆形至短圆柱形，幼时为橙红色或橙黄色，成熟后呈浅黄色，老熟后下垂。菌柄较长，弯曲，黑色至黑褐色，有金属光泽，外皮与内部组织间有空隙，内部为白色。

| 功能主治 | 补肺益肾。

| 凭证标本号 | GDGM48045。

线虫草科 Ophiocordycipitaceae 线虫草属 *Ophiocordyceps*

小蝉线虫草 *Ophiocordyceps sobolifera* (Hill ex Watson) G. H. Sung, J. M. Sung, Hywel-Jones & Spatafora

| 药 材 名 | 小蝉线虫草（药用部位：子实体。别名：小蝉草）。

| 形态特征 | 子座长 3 ～ 8 cm，棒状，不分枝；可育部分长 1.5 ～ 2 cm，直径 5 ～ 6 mm，圆柱形或近梭形，橙红色、红褐色、土黄色至淡褐色；不育菌柄长 2 ～ 5 cm，直径 3 ～ 4 mm，圆柱形，与可育部分同色，基部与寄主头部相连并缢缩。子囊壳埋生，瓶形至柱形。子囊大小为（300 ～ 460）μm ×（5.5 ～ 6.5）μm，柱形，基部变狭，子囊帽宽 5 ～ 6.5 μm，高 3 ～ 3.5 μm，半球形。子囊孢子大小为（6 ～ 12）μm ×（1 ～ 1.5）μm，丝状，多隔，成熟后断裂成分孢子。分孢子大小为（6 ～ 7）μm ×（1 ～ 1.5）μm。

| 生境分布 | 寄生于蝉幼虫。分布于广东梅县等。

| 资源情况 | 野生资源一般。尚无栽培资源。药材来源于野生。

| 采收加工 | 夏、秋季采收，烘干。

| 药材性状 | 本品子座棒状，不分枝。可育部分圆柱形或近梭形，橙红色、红褐色、土黄色至淡褐色。不育菌柄圆柱形，与可育部分同色，基部与寄主头部相连并缢缩。子囊壳埋生，瓶形至柱形。

| 功能主治 | 退热解毒。

| 凭证标本号 | GDGM56496。

线虫草科 Ophiocordycipitaceae 线虫草属 *Ophiocordyceps*

蜂头线虫草 *Ophiocordyceps sphecocephala* (Klotzsch ex Berk.) G. H. Sung, J. M. Sung, Hywel-Jones & Spatafora

| 药 材 名 | 蜂头线虫草（药用部位：子实体。别名：蜂头虫草、黄蜂草、球头虫草）。

| 形态特征 | 子座细长，不分枝，高 5 ~ 10 cm，黄色至橙黄色；可育部分明显膨大，卵形、椭圆形至橄榄形；不育菌柄细长，常弯曲，淡黄色至橙黄色或黄褐色，老后有时呈黄白色。子囊壳埋生于子座内，瓶形至椭圆形，大小为（600 ~ 800）μm×（200 ~ 230）μm。子囊呈圆柱形，大小为（200 ~ 300）μm ×（5 ~ 8）μm。子囊孢子线形，成熟后断裂成分孢子，无色。分孢子大小为（8 ~ 12）μm×（1 ~ 1.5）μm。

| 生境分布 | 寄生于双翅目昆虫黄蜂成虫上。分布于广东罗湖、封开。

| 资源情况 | 野生资源一般。尚无栽培资源。药材来源于野生。

| 采收加工 | 夏、秋季采收，烘干。

| 药材性状 | 本品子座细长，不分枝，黄色至橙黄色，可育部分明显膨大，卵形、椭圆形至橄榄形。不育菌柄细长，常弯曲，淡黄色至橙黄色或黄褐色，老后有时呈黄白色。

| 功能主治 | 补肺益肾，止血化痰。

| 凭证标本号 | GDGM70355。

线虫草科 Ophiocordycipitaceae 弯颈霉属 *Tolypocladium*

广东虫草 *Tolypocladium guangdongense* (T. H. Li, Q. Y. Lin & B. Song) V. Papp

| 药 材 名 | 广东虫草（药用部位：子实体）。

| 形态特征 | 子座长 3 ~ 7 cm，不分枝，柱形至棒形，肉质；可育部分长 1 ~ 3 cm，直径 0.5 ~ 0.8 cm，圆柱形，灰色，无不育先端，成熟时可见极小的点状子囊壳孔口；不育菌柄长 2 ~ 4 cm，直径 0.3 ~ 0.6 cm，圆柱形，黄灰色、灰橄绿色或暗黄色，近基部处通常呈灰色。子囊壳大小为（250 ~ 500）μm ×（160 ~ 320）μm，椭圆形至烧瓶形，埋生。子囊大小为（195 ~ 270）μm ×（7 ~ 10）μm，长筒形至近线形。子囊孢子大小为（180 ~ 260）μm ×（2 ~ 3.7）μm，线性，多分隔，后断裂形成分孢子。分孢子大小为（10 ~ 17）μm ×（2 ~ 3.7）μm，杆状，两端平截，透明，无色。

| 生境分布 | 寄生于团囊菌上。分布于广东黄埔等。

| 资源情况 | 野生资源稀少，栽培资源较少。药材来源于野生和栽培。

| 采收加工 | 夏、秋季采收，晒干。

| 药材性状 | 本品子座不分枝，柱形至棒形，肉质，灰褐色或橄绿色；可育部分圆柱形，灰色，无不育先端，成熟时可见极小的点状子囊壳孔口；不育菌柄圆柱形，黄灰色、灰橄绿色或暗黄色，近基部处通常呈灰色。

| 功能主治 | 抗疲劳，抗氧化，降血脂，提高免疫力。用于慢性肾衰竭。

| 凭证标本号 | GDGM24020。

| 附　　注 | （1）野生广东虫草仅分布于广东，现已被成功驯化并规模化栽培。

（2）研究表明，本种的功效与冬虫夏草类似。

线虫草科 Ophiocordycipitaceae 弯颈霉属 *Tolypocladium*

分枝弯颈霉

Tolypocladium ramosum (Teng) C. A. Quandt, Kepler & Spatafora

| 药 材 名 | 分枝弯颈霉（药用部位：子实体。别名：分枝鹿虫草、分枝虫草、大团囊树）。

| 形态特征 | 子座长 3 ~ 5 cm，最长者长可达 10 cm，直径 1.5 ~ 3 mm，通常具多根，有分枝，柄弯曲，基部常相连，黄白色、土黄色至黄褐色或锈褐色；可育部分与不育菌柄分界不明显，顶部有不育顶尖。子囊壳大小为（300 ~ 400）μm×（220 ~ 280）μm，卵形。子囊大小为（200 ~ 260）μm×（5 ~ 6）μm。子囊孢子比子囊稍短，线形，可断裂成分孢子。分孢子大小为（2 ~ 3）μm×（1 ~ 1.5）μm，无色。

| 生境分布 | 生于阔叶林内大团囊菌属真菌的子实体上。分布于广东阳春。

| 资源情况 | 野生资源较少，栽培资源稀少。药材来源于野生。

| 采收加工 | 夏、秋季采收，晒干。

| 药材性状 | 本品子座通常具多根，有分枝，柄弯曲，基部常相连，黄白色、土黄色至黄褐色或锈褐色；可育部分与不育菌柄分界不明显，顶部有不育顶尖。

| 功能主治 | 止血。

| 凭证标本号 | GDGM25838。

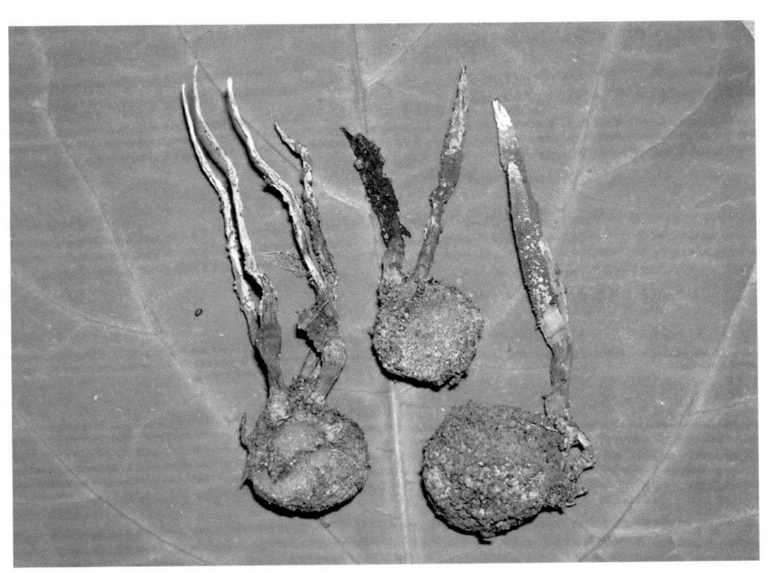

炭角菌科 Xylariaceae 炭角菌属 *Xylaria*

黑柄炭角菌 *Xylaria nigripes* (Klotzsch) Cooke.

| 药 材 名 | 乌灵参（药用部位：菌核）。

| 形态特征 | 子座地上部分长 6 ~ 12 cm，直径 4 ~ 8 mm，棍棒状，顶部圆钝，乌黑色至黑色，新鲜时呈革质，干后呈硬木栓质至木质；可育部分表面粗糙，不育菌柄长约为地上部分的 1/5，近光滑至稍有裂纹；地下部分常呈假根状，长可达 10 cm，直径可达 4 mm，弯曲，硬木质。子囊孢子大小为（4 ~ 5）μm×（2 ~ 3）μm，近椭圆形至近球形，黑色，壁厚，非淀粉质，不嗜蓝。

| 生境分布 | 生于阔叶林地上，通常深入地下与白蚁窝相连。分布于广东乳源、仁化、罗湖及中山等。

| 资源情况 | 野生资源一般，栽培资源较少。药材来源于野生和栽培。

| 采收加工 | 夏季或冬季采收，阴干。

| 药材性状 | 本品球形、椭圆形或卵形，偶呈扁块状，表面黑褐色或黑色，略具光泽，密布不规则细皱纹。较坚实，不易破碎，断碎面不平坦，白色或黄白色。偶有皮纹粗糙，体轻质松泡或枯空者。气特异，味微甘。

| 功能主治 | 安神，止血，降血压。用于失眠，心悸，吐血，衄血，高血压，烫火伤。

| 凭证标本号 | GDGM24171。

泡头菌科 Physalacriaceae 假蜜环菌属 *Desarmillaria*

假蜜环菌 *Desarmillaria tabescens* (Scop.) R. A. Koch & Aime

| 药 材 名 | 假蜜环菌（药用部位：子实体。别名：亮菌）。

| 形态特征 | 菌盖直径 3 ~ 9 cm，扁半球形至平展，蜜黄色或黄褐色，老后呈锈褐色，中部色深并有纤毛状小鳞片，不黏。菌肉白色或带乳黄色。菌褶白色至污白色，或稍带暗肉粉色，近延生，稍稀，不等长。菌柄长 2 ~ 13 cm，直径 3 ~ 9 mm，圆柱形，上部污白色，中部以下灰褐色至黑褐色，有时扭曲，具平伏丝状纤毛，内部松软至空心。菌环无。担孢子大小为（7.5 ~ 10）μm×（5 ~ 7.5）μm，宽椭圆形至近卵圆形，光滑，无色，非淀粉质。

| 生境分布 | 丛生于林中阔叶树朽桩上、树干基部和根际。分布于广东乳源、连州等。

| 资源情况 | 野生资源一般，栽培资源较少。药材来源于野生和栽培。

| 采收加工 | 夏、秋季采收，晒干。

| 药材性状 | 本品菌盖幼时扁半球形，后渐平展，有时边缘稍翻起，蜜黄色或黄褐色，老后呈锈褐色，往往中部色深并有纤毛状小鳞片，不黏。菌肉白色或带乳黄色，圆柱形，上部污白色，中部以下灰褐色至黑褐色，有时扭曲，具平伏丝状纤毛，内部松软至空心。

| 功能主治 | 苦，寒。清热解毒。

| 凭证标本号 | GDGM29839。

泡头菌科 Physalacriaceae 长根菇属 *Hymenopellis*

卵孢长根菇 *Hymenopellis raphanipes* (Berk.) R. H. Petersen

| 药 材 名 | 卵孢长根菇（药用部位：子实体。别名：露水鸡枞、长根菇、黑皮鸡枞）。

| 形态特征 | 子实体小型至中型，肉质。菌盖直径 3 ～ 12 cm，初为半球形，后近平展，中部稍凸起，表面黏，边缘具放射状褶皱，灰褐色至黑褐色。菌肉薄。菌褶直生，较稀，白色至奶油色，不等长。菌柄长 6 ～ 20 cm，直径 3 ～ 15 mm，茶褐色至灰褐色，圆柱形，基部肿大且有地下菌根，光滑，中空，质脆。担孢子大小为（13.5 ～ 17）μm×（11.5 ～ 12.5）μm，宽椭圆形至椭圆形。

| 生境分布 | 生于阔叶林地。分布于广东乳源、始兴、罗湖、台山及中山等。

| 资源情况 | 野生资源较丰富，栽培资源丰富。药材来源于野生和栽培。

| 采收加工 | 夏、秋季采收，晒干。

| 药材性状 | 本品菌盖初为半球形，后近平展，中部稍凸起，表面黏，边缘呈径向皱瘤状，灰褐色至黑褐色。菌肉薄。菌褶直生，较稀，白色至奶油色，不等长。菌柄茶褐色至灰褐色，圆柱形，基部肿大且有地下菌根，光滑，中空，质脆。

| 功能主治 | 降血压，增强免疫力，抗肿瘤。

| 凭证标本号 | GDGM74887。

木耳科 Auriculariaceae 木耳属 *Auricularia*

黑木耳 *Auricularia heimuer* F. Wu, B. K. Cui & Y. C. Dai

| 药材名 | 黑木耳（药用部位：子实体。别名：云耳、木耳）。

| 形态特征 | 子实体直径 2 ~ 10 cm，厚 0.5 ~ 1 mm，新鲜时呈杯状或耳形，棕褐色至黑褐色，柔软，半透明，胶质，有弹性，中部凹陷，边缘锐，无柄或具短柄。子实层表面平滑或有褶状隆起，深褐色至黑色；不育面与基质相连，密被短绒毛。担孢子大小为（11 ~ 13）μm×（4 ~ 5）μm，近圆柱形或弯曲成腊肠形，无色，壁薄，平滑。

| 生境分布 | 腐生于栎树、槭树、椴树或其他阔叶树的朽干上。分布于广东乳源、连州等。

| 资源情况 | 野生资源较丰富，栽培资源丰富。药材来源于野生和栽培。

| 采收加工 | 夏、秋季采收，晒干。

| 药材性状 | 本品呈杯状或耳形，棕褐色至黑褐色，柔软，半透明，胶质，有弹性，中部凹陷。干后强烈收缩且变硬，质脆，浸水后迅速恢复至新鲜时的形态及质地。表面平滑或有褶状隆起，深褐色至黑色；不育面与基质相连，密被短绒毛。

| 功能主治 | 甘，平。补气血，润肺，止血。

| 凭证标本号 | GDGM26270。

马勃科 Lycoperdaceae 灰球菌属 *Bovista*

小灰球菌 *Bovista pusilla* (Batsch) Pers.

| 药 材 名 | 小灰球菌（药用部位：子实体。别名：小灰包、小静灰球菌、小静马勃）。

| 形态特征 | 子实体直径 2 ~ 5 cm，近球形至球形，白色、黄色至浅茶褐色，无不育基部，基部具根状菌索。包被分为 2 层：外包被上有细小且易脱落的颗粒；内包被光滑，成熟时先端开一小口。孢体蜜黄色至浅茶褐色。担孢子直径 3 ~ 4 μm，球形，浅黄色，近光滑，有时具短柄。

| 生境分布 | 单生或群生于草地或林中草地上。分布于广东仁化、连南、宝安、福田、越秀、黄埔及中山等。

| 资源情况 | 野生资源较丰富。尚无栽培资源。药材来源于野生。

| 采收加工 | 夏、秋季采收，晒干。

| 药材性状 | 本品外包被薄，白色、黄色至浅茶褐色，无不育基部，基部具根状菌索。包被分为2层：外包被上有细小且易脱落的颗粒；内包被光滑，成熟时先端开一小口。

| 功能主治 | 清肺利咽，解毒，止血。用于风热郁肺，咽痛，音哑，咳嗽；外用于创伤出血。

| 凭证标本号 | GDGM43715。

马勃科 Lycoperdaceae 秃马勃属 *Calvatia*

头状秃马勃 *Calvatia craniiformis* (Schw.) Fr.

| 药 材 名 | 头状秃马勃（药用部位：子实体。别名：头状马勃）。

| 形态特征 | 子实体陀螺形，高 5 ~ 15 cm，宽 4 ~ 10 cm，不育基部发达，以根状菌索固着在地上。包被分为 2 层，薄，黄褐色至酱褐色，初期具微细绒毛，后渐变光滑，成熟后顶部开裂且片状脱落。产孢组织幼时白色，后变为蜜黄色。担孢子直径 3 ~ 4 μm，球形或宽椭圆形，具极细的小疣，淡黄色。孢丝淡褐色，壁厚，有稀少分枝和横隔。

| 生境分布 | 单生或群生于草地或阔叶林地上。分布于广东仁化、宝安、福田、越秀等。

| 资源情况 | 野生资源较丰富。尚无栽培资源。药材来源于野生。

| 采收加工 | 夏、秋季采收，晒干。

| 药材性状 | 本品陀螺形，不育基部发达，以根状菌索固着在地上。包被分为 2 层，薄，黄褐色至酱褐色，初期具微细绒毛，后渐变光滑，成熟后顶部开裂且片状脱落。

| 功能主治 | 清热解毒，生肌，消肿，止痛，止血。

| 凭证标本号 | GDGM24000。

马勃科 Lycoperdaceae 秃马勃属 *Calvatia*

紫色秃马勃 *Calvatia lilacina* Lloyd.

| 药材名 | 紫色秃马勃（药用部位：子实体。别名：牛屎菇、杯形马勃、紫色马勃）。

| 形态特征 | 子实体宽 5 ~ 10 cm，近球形或陀螺形，不育基部发达。外包被薄，幼时常为污褐色，光滑或具斑纹，一般分为 2 层，表层成熟后易龟裂成块状，并渐脱落，露出里面的紫色孢体。成熟后担孢子及孢丝散落，留下近杯状的不育基部。担孢子大小为（4.5 ~ 6）μm ×（4 ~ 5.5）μm，近球形，有小刺，略带紫褐色。

| 生境分布 | 腐生于竹林、树林、荒郊湿地。分布于广东乳源、宝安、越秀等。

| 资源情况 | 野生资源一般。尚无栽培资源。药材来源于野生。

|采收加工| 夏、秋季采收，晒干。

|药材性状| 本品近球形或陀螺形，不育基部发达。外包被薄，幼时常为污褐色，光滑或具斑纹，一般分为 2 层，表层成熟后易龟裂成块状，并渐脱落，露出里面的紫色孢体。成熟后担孢子及孢丝散落，留下近杯状的不育基部。

|功能主治| 辛，平。清肺，利咽喉，解毒消肿。

|凭证标本号| GDGM24799。

小脆柄菇科 Psathyrellaceae 拟鬼伞属 *Coprinopsis*

墨汁拟鬼伞 *Coprinopsis atramentaria* (Bull.) Redhead, Vilgalys & Moncalvo

| 药 材 名 | 墨汁鬼伞（药用部位：子实体）。

| 形态特征 | 菌盖直径 4 ~ 7 cm，初期卵圆形至圆锥形，后渐平展至边缘上翘，表面污白色至灰白色，常附有褐色鳞片，边缘近光滑。菌肉薄，初为白色，后变为灰白色。菌褶弯生，不等长，幼时白色至灰白色，后渐变成灰褐色至黑色，成熟后自溶为黑汁状。菌柄长 4 ~ 10 cm，直径 3 ~ 5 mm，圆柱形，向下渐粗，表面白色至灰白色，光滑或有纤维状小鳞片，空心。担孢子大小为（7.5 ~ 10）μm×（5 ~ 6）μm，椭圆形至宽椭圆形，光滑，深灰褐色至黑褐色，具有明显的芽孔。

| 生境分布 | 丛生于林中、田野、路边、公园等地上有腐木的地方。分布于广东乳源、仁化、连州、宝安、福田、越秀、白云等。

| 资源情况 | 野生资源较丰富。尚无栽培资源。药材来源于野生。

| 采收加工 | 春季至秋季采收，晒干。

| 药材性状 | 本品菌盖初期卵圆形至圆锥形，后平展，表面污白色至灰白色，常附有褐色鳞片，边缘近光滑。菌肉薄，初为白色，后变为灰白色。菌褶弯生，不等长，幼时白色至灰白色，后渐变成灰褐色至黑色，成熟后自溶为黑汁状。菌柄圆柱形，白色至灰白色，空心。

| 功能主治 | 甘，寒。归心经。益肠胃，化痰理气，解毒消肿。用于无名肿毒，疮痈。

| 凭证标本号 | GDGM40879。

蘑菇目 Agaricales 黑蛋巢菌属 *Cyathus*

隆纹黑蛋巢菌 *Cyathus striatus* (Huds.) Willd.

| 药 材 名 | 隆纹黑蛋巢菌（药用部位：子实体）。

| 形态特征 | 子实体高 10 ~ 15 mm，直径 5 ~ 10 mm，倒锥形至杯状，基部狭缩成短柄，成熟前顶部有淡灰色盖膜。包被外表面暗褐色、褐色至灰褐色，被硬毛，褶纹初期不明显，毛脱落后有明显纵褶；内表面灰白色至银灰色，有明显纵条纹。小包直径 1.5 ~ 2.5 mm，扁球形，褐色、淡褐色至黑色，由根状菌索固定于杯中。担孢子大小为（19 ~ 22）μm ×（9 ~ 11）μm，椭圆形至矩椭圆形，壁厚。

| 生境分布 | 群生于落叶林中朽木上或腐殖质多的地方。分布于广东乳源、仁化、宝安等。

| 资源情况 | 野生资源一般。尚无栽培资源。药材来源于野生。

| 采收加工 | 夏、秋季采收，晒干。

| 药材性状 | 本品倒锥形至杯状，基部狭缩成短柄，成熟前顶部有淡灰色盖膜。包被外表面暗褐色、褐色至灰褐色，被硬毛，毛脱落后有明显纵褶；内表面灰白色至银灰色，有明显纵条纹。小包扁球形，褐色、淡褐色至黑色，由根状菌索固定于杯中。

| 功能主治 | 苦，温。归胃、脾经。健胃止痛，行气。

| 凭证标本号 | GDGM57130。

蘑菇目 Agaricales 香蘑属 *Lepista*

花脸香蘑 *Lepista sordida* (Schumach.) Singer

| 药 材 名 | 花脸香蘑（药用部位：子实体。别名：丁香蘑、花脸蘑、紫花脸）。

| 形态特征 | 菌盖直径 4 ~ 8 cm，幼时呈半球形，后平展，新鲜时呈紫罗兰色，失水后颜色渐淡至黄褐色，具不明显的条纹，边缘常呈波状或瓣状，有时中部下凹，湿润时呈半透状或水浸状。菌肉带淡紫罗兰色，较薄，水浸状。菌褶直生，有时稍弯生或稍延生，中等密，淡紫色。菌柄长 4 ~ 6.5 cm，直径 0.3 ~ 1.2 cm，紫罗兰色，实心，基部多弯曲。担孢子大小为（7 ~ 9.5）μm×（4 ~ 5.5）μm，宽椭圆形至卵圆形，粗糙至具麻点，无色。

| 生境分布 | 近从生于田野、路边、草地。分布于广东乳源、仁化、始兴、罗湖、宝安、台山、越秀、天河及中山等。

| 资源情况 | 野生资源较丰富，栽培资源稀少。药材来源于野生。

| 采收加工 | 夏、秋季采收，晒干。

| 药材性状 | 本品菌盖幼时呈半球形，后平展，新鲜时呈紫罗兰色，失水后颜色渐淡至黄褐色，具不明显的条纹，边缘内卷，常呈波状或瓣状，有时中部下凹，湿润时呈半透状或水浸状。菌肉带淡紫罗兰色，较薄，水浸状。菌褶直生，有时稍弯生或稍延生，中等密，淡紫色。菌柄紫罗兰色，实心。

| 功能主治 | 甘，平。养心安神，益气补血。

| 凭证标本号 | GDGM25253。

假脐菇科 Tubariaceae 环伞属 *Cyclocybe*

柱状田头菇 *Cyclocybe cylindracea* (DC.) Vizzini & Angelini

| 药 材 名 | 柱状田头菇（药用部位：子实体。别名：茶树菇、茶薪菇）。

| 形态特征 | 菌盖直径 3 ～ 10 cm，初为半球形，后为凸透镜形至平展，幼时深褐色至茶褐色，后渐变为淡褐色至淡土黄色，边缘色淡，湿时稍黏，光滑或中部有皱纹，幼时附有菌幕。菌肉白色或污白色。菌褶直生至延生，密，不等长，初为白色，后为茶褐色至褐色。菌柄长 3 ～ 13 cm，直径 0.5 ～ 1.5 cm，圆柱形，污白色，近基部颜色较深，呈污褐色，表面纤维状。菌环上位，膜质至丝膜状，初为白色，后上表面带暗茶褐色，不易脱落。担孢子大小为（7 ～ 10）μm ×（4 ～ 6）μm，椭圆形，光滑，茶褐色。

| 生境分布 | 单生于杨树、柳树等的腐木上。分布于广东乳源、仁化、连州、宝安、越秀等。

| 资源情况 | 野生资源较丰富，栽培资源丰富。药材来源于野生和栽培。

| 采收加工 | 夏、秋季采收，晒干。

| 药材性状 | 本品菌盖初为半球形，后为凸透镜形至平展，幼时深褐色至茶褐色，后渐变为淡褐色至淡土黄色，边缘色淡，湿时稍黏，光滑或中部有皱纹，幼时附有菌幕并内卷。菌肉白色或污白色。菌褶直生至延生，密，不等长，初为白色，后为茶褐色至褐色。菌柄圆柱形，污白色，近基部颜色较深，呈污褐色，表面纤维状。菌环上位，膜质至丝膜状，初为白色，后上表面带暗茶褐色，不易脱落。

| 功能主治 | 甘，平。利尿渗湿，健脾止泻，清热平肝。

| 凭证标本号 | GDGM49340。

灵芝科 Ganodermataceae 灵芝属 *Ganoderma*

南方灵芝 *Ganoderma australe* (Fr.) Pat.

| 药 材 名 | 南方灵芝（药用部位：子实体、孢子）。

| 形态特征 | 子实体多年生，无柄，木栓质。菌盖半圆形，外伸 8 ~ 15 cm，宽 15 ~ 25 cm，基部厚 5 ~ 8 cm，浅灰褐色，具明显的环沟和环带，表面常覆盖锈褐色至褐色孢子粉，边缘钝。孔口圆形，表面灰白色至淡褐色，每 1 mm 有孔口 4 ~ 5。菌肉浅褐色至棕褐色。菌管暗褐色，长可达 4 cm。担孢子大小为（7 ~ 8.5）μm ×（4 ~ 5.5）μm，广卵圆形，先端平截，淡褐色至褐色，具双层壁，外壁无色且光滑，内壁具小刺。

| 生境分布 | 生于多种阔叶树的活立木、倒木、树桩和腐木上。分布于广东乳源、仁化、香洲、罗湖、宝安、台山、越秀、鼎湖及中山等。

| 资源情况 | 野生资源较丰富，栽培资源一般。药材来源于野生和栽培。

| 采收加工 | 全年均可采收，晒干。

| 药材性状 | 本品子实体无柄，木栓质。菌盖半圆形，基部厚，浅灰褐色，具明显的环沟和环带，表面被锈褐色至褐色孢子粉。孔口圆形，表面灰白色至淡褐色。菌肉新鲜时呈浅褐色，干后呈棕褐色。

| 功能主治 | 抗肿瘤，调节免疫功能。

| 凭证标本号 | GDGM86057。

| 附　　注 | 本种形态与树舌灵芝 *Ganoderma applanatum* (Pers.) Pat. 相近，但后者菌盖皮壳较薄，孔口表面为奶油黄色。

灵芝科 Ganodermataceae 灵芝属 *Ganoderma*

灵芝 *Ganoderma lingzhi* Sheng H. Wu, Y. Cao & Y. C. Dai

| 药 材 名 | 灵芝（药用部位：子实体、孢子。别名：赤芝、红芝）。

| 形态特征 | 子实体一年生，具侧生或偏生柄，木栓质。菌盖平展，扇形或近圆形，外伸达 10 cm，宽达 15 cm，基部厚可达 3 cm，浅黄褐色至红褐色，具漆样光泽，边缘钝或锐。孔口近圆形或多角形，表面黄白色至硫黄色，每 1 mm 有孔口 5 ~ 6。菌肉分层，上层色浅，木材色，下层色深，浅褐色至深褐色，软木栓质。菌管褐色，木栓质，颜色明显比菌肉深。菌柄扁平状或近圆柱形，浅黄褐色至红褐色或紫黑色，具漆样光泽。担孢子大小为（9 ~ 11）μm ×（5.5 ~ 7）μm，椭圆形，先端平截，浅褐色，具双层壁，内壁具小刺。

| 生境分布 | 生于林内阔叶树的树桩旁或立木、倒木上。分布于广东乳源、乐昌、香洲、罗湖、宝安、越秀、鼎湖等。

| 资源情况 | 野生资源较丰富，栽培资源丰富。药材来源于野生和栽培。

| 采收加工 | 全年均可采收，晒干。

| 药材性状 | 本品子实体具侧生或偏生柄，木栓质。菌盖平展，扇形或近圆形，浅黄褐色至红褐色，具漆样光泽，边缘钝或锐。孔口近圆形或多角形，表面黄白色至硫黄色，每 1 mm 有孔口 5 ~ 6。菌肉分层，上层色浅，木材色，下层色深，浅褐色至深褐色。菌管褐色，颜色明显比菌肉深。菌柄扁平状或近圆柱形，浅黄褐色至红褐色或紫黑色，具漆样光泽。

| 功能主治 | 甘、苦，平。扶正固本，健脾和胃，补益精气。

| 凭证标本号 | GDGM25830。

| 附　　注 | 本种在我国曾被误认为是亮盖灵芝 *Ganoderma lucidum* (Curtis) P. Karst.；也有学者认为灵芝与四川灵芝 *Ganoderma sichuanense* J. D. Zhao & X. Q. Zhang 为同一物种。

灵芝科 Ganodermataceae 灵芝属 *Ganoderma*

重伞灵芝 *Ganoderma multipileum* Ding Hou

| 药材名 | 重伞灵芝（药用部位：子实体、孢子）。

| 形态特征 | 子实体一年生，具侧生柄，木栓质。菌盖扇形至半圆形，外伸达 5 cm，宽达 8 cm，基部厚达 8 mm，表面干后呈红棕色至棕黄色，有明显的环纹，具漆样光泽，边缘圆而钝，棕黄色。孔口圆形至不规则形，表面奶油色至黄白色，每 1 mm 有孔口 5 ～ 7。菌肉不分层，深棕色，软木栓质。菌管深褐色，硬木栓质，长可达 3.5 mm。菌柄近圆柱形，红褐色或紫黑色，具漆样光泽。担孢子大小为（8.5 ～ 10）μm ×（5 ～ 7）μm，宽椭圆形，先端平截，褐色，具双层壁，外壁无色且光滑，内壁具小刺。

| **生境分布** | 多生于阔叶树的树桩旁，或立木、倒木上。分布于广东阳春。

| **资源情况** | 野生资源一般，栽培资源稀少。药材来源于野生。

| **采收加工** | 全年均可采收，晒干。

| **药材性状** | 本品子实体具侧生柄，木栓质。菌盖扇形至半圆形，表面干后呈红棕色至棕黄色，有明显的环纹，具漆样光泽，边缘圆而钝，棕黄色。孔口圆形至不规则形，表面奶油色至黄白色，每 1 mm 有孔口 5 ～ 7。菌肉不分层，深棕色，软木栓质。菌管深褐色，硬木栓质。菌柄近圆柱形，红褐色或紫黑色，具漆样光泽。

| **功能主治** | 抗肿瘤，提高免疫力。

| **凭证标本号** | GDGM57419。

灵芝科 Ganodermataceae 灵芝属 *Ganoderma*

紫芝 *Ganoderma sinense* J. D. Zhao、L. W. Hsu & X. Q. Zhang

| 药 材 名 | 紫芝（药用部位：子实体、孢子。别名：黑芝、玄芝）。

| 形态特征 | 子实体一年生，具侧生柄，干后呈软木栓质至木栓质。菌盖半圆形、近圆形或匙形，外伸达 8 cm，宽达 9.5 cm，基部厚达 2 cm，紫褐色、紫黑色至近黑色，光滑，有明显的同心环纹和纵皱，具漆样光泽。孔口略呈圆形，表面污白色、淡褐色至深褐色，每 1 mm 有孔口 5 ~ 6。菌肉褐色至深褐色，中间具一黑色壳质层，软木栓质，厚达 8 mm。菌管褐色至深褐色，长可达 1.3 cm。菌柄近圆柱形，紫褐色或紫黑色，具漆样光泽。担孢子大小为（11 ~ 12.5）μm×（7 ~ 8）μm，椭圆形，具双层壁，外壁无色且光滑，内壁淡褐色至褐色，具小脊，非淀粉质，弱嗜蓝。

| 生境分布 | 生于阔叶树腐木上。分布于广东乳源、始兴。

| 资源情况 | 野生资源一般，栽培资源丰富。药材来源于野生和栽培。

| 采收加工 | 全年均可采收，晒干。

| 药材性状 | 本品子实体具侧生柄，干后呈软木栓质至木栓质。菌盖半圆形、近圆形或匙形，紫褐色、紫黑色至近黑色，光滑，有明显的同心环纹和纵皱，具漆样光泽。孔口略呈圆形，表面污白色、淡褐色至深褐色。菌肉褐色至深褐色，中间具一黑色壳质层，软木栓质。菌管褐色至深褐色。菌柄近圆柱形，紫褐色或紫黑色，具漆样光泽。

| 功能主治 | 甘，平。利关节，保神益精，坚筋骨，好颜色。用于耳聋，虚劳，咳嗽，气喘，失眠，消化不良，恶性肿瘤等。

| 凭证标本号 | GDGM24547。

灵芝科 Ganodermataceae 灵芝属 *Ganoderma*

热带灵芝 *Ganoderma tropicum* (Jungh.) Bres.

| 药 材 名 | 热带灵芝（药用部位：子实体、孢子）。

| 形态特征 | 子实体一年生，无柄或具侧生短柄，木栓质。菌盖半圆形或扇形，外伸 10 ~ 20 cm，宽 12 ~ 16 cm，红褐色至紫红褐色，有厚皮壳，具漆样光泽，边缘薄而钝。孔口近圆形，表面污白色至灰白色，每 1 mm 有孔口 3 ~ 4。菌肉黄褐色至深褐色，不分层。菌管浅褐色。菌柄与菌盖同色，圆柱形，长 2 ~ 3 cm，直径可达 1.5 cm，具漆样光泽。担孢子大小为（8 ~ 10.5）μm ×（6 ~ 7.5）μm，椭圆形，先端稍平截，褐色，具双层壁，外壁光滑，无色，内壁具小刺，非淀粉质，嗜蓝。

|生境分布| 单生或叠生于大叶合欢、相思树的树桩或枯根上。分布于广东罗湖、香洲、天河及中山等。

|资源情况| 野生资源一般，栽培资源稀少。药材来源于野生。

|采收加工| 全年均可采收，晒干。

|药材性状| 本品子实体无柄或具侧生短柄，木栓质。菌盖半圆形或扇形，红褐色至紫红褐色，有厚皮壳，具漆样光泽。孔口近圆形，表面污白色至灰白色。菌肉黄褐色至深褐色，不分层。菌管浅褐色。菌柄与菌盖同色，圆柱形，具漆样光泽。

|功能主治| 苦，平。滋补，强壮，抗肿瘤。

|凭证标本号| GDGM24218。

灵芝科 Ganodermataceae 血芝属 *Sanguinoderma*

假芝 *Sanguinoderma rugosum* (Blume & T. Nees) Y. F. Sun, D. H. Costa & B. K. Cui

| 药 材 名 | 假芝（药用部位：子实体。别名：血芝）。

| 形态特征 | 子实体一年生，具中生柄，干后呈木栓质。菌盖近圆形，外伸达 7.5 cm，宽达 8.5 cm，厚达 1 cm，表面灰褐色至褐色，具明显的纵皱和同心环纹，中心部分凹陷，无光泽，边缘深褐色，波浪状，内卷。孔口表面新鲜时呈灰白色，触摸后变为血红色，干后变为黑色，近圆形至多角形，每 1 mm 有孔口 6 ~ 7，边缘厚，全缘。菌肉褐色至深褐色，厚可达 4 mm。菌管褐色至深褐色，长可达 6 mm。菌柄与菌盖同色，外被一层皮壳，圆柱形，光滑，中空，长可达 7.5 cm，直径可达 1 cm。担孢子大小为（9.5 ~ 11.5）μm×（8 ~ 9.5）μm，宽椭圆形至近球形，具双层壁，外壁光滑、无色，

内壁深褐色，具小刺，非淀粉质，嗜蓝。

| 生境分布 | 生于阔叶林地或腐木上。分布于广东仁化、鼎湖、宝安、台山、黄埔、天河等。

| 资源情况 | 野生资源一般，栽培资源较少。药材来源于野生和栽培。

| 采收加工 | 夏、秋季采收，晒干。

| 药材性状 | 本品孔口表面新鲜时呈灰白色，触摸后变为血红色，干后变为黑色，近圆形至多角形。菌肉褐色至深褐色。菌柄与菌盖同色，外被一层皮壳，圆柱形，光滑，中空，长可达 7.5 cm，直径可达 1 cm。

| 功能主治 | 消炎，利尿，益胃，抑肿瘤等。

| 凭证标本号 | GDGM24434。

类脐菇科 Omphalotaceae 裸脚伞属 *Gymnopus*

点地梅裸脚伞 *Gymnopus androsaceus* (L.) J. L. Mata & R. H. Petersen

| 药 材 名 | 点地梅裸脚伞（药用部位：子实体、菌索及其发酵产物。别名：鬼毛针、安络小皮伞）。

| 形态特征 | 菌盖直径 0.5 ~ 1.5 cm，半球形、凸透镜形至平展，中部稍下陷至脐状，具放射状沟纹，浅褐色、黄褐色、灰褐色至暗褐色，光滑。菌肉薄，奶油色。菌褶直生，密或稍稀，不等长，窄，初为污白色至浅杏黄褐色，后色变暗。菌柄长 2.5 ~ 6.5 cm，直径 0.3 ~ 1 cm，光滑，黑褐色或色稍浅，上部浅红褐色，下部近黑色，有时基部有浅黄色绒毛状物，常具黑褐色至黑色的细长菌索，菌索直径 0.5 ~ 1 mm。担孢子大小为（5 ~ 8.5）μm×（3 ~ 4.5）μm，长椭圆形，无色，光滑，非淀粉质。

| 生境分布 | 生于植物残体，特别是枯树枝上。分布于广东乳源。

| 资源情况 | 野生资源较少，栽培资源稀少。药材来源于野生。

| 采收加工 | 夏、秋季采收，晒干。

| 药材性状 | 本品菌盖半球形、凸透镜形至平展，中部稍下陷至脐状，具放射状沟纹，浅褐色、黄褐色、灰褐色至暗褐色，光滑。菌肉薄，奶油色。菌褶直生，密或稍稀，不等长，窄，初为污白色至浅杏黄褐色，后色变暗。菌柄光滑，黑褐色或色稍浅，上部浅红褐色，下部近黑色，有时基部有浅黄色绒毛状物，常具黑褐色至黑色的细长菌索。

| 功能主治 | 通经活血，止痛。用于麻风病，关节痛，跌打损伤，骨折疼痛，三叉神经痛，风湿痹痛。

| 凭证标本号 | GDGM78262。

类脐菇科 Omphalotaceae 香菇属 *Lentinula*

香菇 *Lentinula edodes* (Berk.) Pegler

| 药 材 名 | 香菇（药用部位：子实体。别名：香蕈、花菇）。

| 形态特征 | 菌盖直径 5 ~ 12 cm，呈扁半球形至平展，浅褐色、深褐色至深肉桂色，具深色鳞片及毛状物或絮状物，干燥后菌盖表面有菊花状或龟甲状裂纹，菌缘初时内卷，后平展，早期菌盖边缘与菌柄间有淡褐色绵毛状内菌幕，菌盖展开后部分菌幕残留于菌缘。菌肉厚或较厚，白色，柔软而有韧性。菌褶白色，密，弯生，不等长。菌柄长 3 ~ 10 cm，直径 0.5 ~ 3 cm，中生或偏生，常向一侧弯曲，实心，坚韧，纤维质。菌环窄，易消失，菌环以下有纤毛状鳞片。担孢子大小为（5 ~ 7）μm×（3 ~ 4）μm，椭圆形至卵圆形，光滑，无色。

| 生境分布 | 散生或单生于阔叶树倒木上。分布于广东乳源、始兴、连州、连南等。

| 资源情况 | 野生资源一般，栽培资源丰富。药材来源于野生和栽培。

| 采收加工 | 夏、秋季采收，晒干。

| 药材性状 | 本品菌盖呈扁半球形至平展，浅褐色、深褐色至深肉桂色，具深色鳞片，边缘处鳞片色浅或呈污白色，具毛状物或絮状物，干燥后菌盖表面有菊花状或龟甲状裂纹。菌肉厚或较厚，白色，柔软而有韧性。菌柄常向一侧弯曲，实心，坚韧，纤维质。菌环窄，易消失，菌环以下有纤毛状鳞片。

| 功能主治 | 扶正补虚，健脾开胃，祛风透疹，化痰理气，解毒，抗肿瘤。用于中气衰弱，神倦乏力，消化不良，贫血，佝偻病，高血压，高脂血症，慢性肝炎，盗汗，小便不禁，水肿，麻疹透发不畅，荨麻疹。

| 凭证标本号 | GDGM48531。

拟层孔菌科 Fomitopsidaceae 拟层孔菌属 *Fomitopsis*

马尾松拟层孔菌 *Fomitopsis massoniana* B. K. Cui, M. L. Han & Shun Liu

| 药 材 名 | 马尾松拟层孔菌（药用部位：子实体。别名：红缘层孔菌、松生拟层孔菌、红缘树舌）。

| 形态特征 | 子实体多年生，无柄，新鲜时呈硬木栓质。菌盖半圆形，外伸 6 ~ 10 cm，宽 10 ~ 20 cm，中部厚 2 ~ 4 cm，表面橙褐色，边缘钝，初为乳白色，后变为浅黄色或红褐色，不育边缘明显。孔口圆形，表面乳白色，每 1 mm 有孔口 5 ~ 7。菌肉乳白色或浅黄色，上表面具一明显且厚的皮壳。菌管与菌肉同色，木栓质，分层不明显。担孢子大小为（5.5 ~ 7.5）μm ×（3 ~ 4）μm，椭圆形，无色，壁略厚，光滑，非淀粉质，不嗜蓝。

| 生境分布 | 生于针叶树或阔叶树的活树、倒木和腐木上。分布于广东始兴、连州等。

| 资源情况 | 野生资源较丰富，栽培资源稀少。药材来源于野生。

| 采收加工 | 全年均可采收，除去污物，切片，晒干。

| 药材性状 | 本品无柄，新鲜时呈硬木栓质。菌盖半圆形，表面橙褐色，边缘钝，初为乳白色，后变为浅黄色或红褐色。孔口圆形，表面乳白色。菌肉乳白色或浅黄色，上表面具一明显且厚的皮壳。菌管与菌肉同色，分层不明显。

| 功能主治 | 微苦，平。归肝、脾、心经。祛风除湿，解热，强心。

| 凭证标本号 | GDGM24506。

拟层孔菌科 Fomitopsidaceae 茯苓属 *Wolfiporia*

茯苓 *Wolfiporia hoelen* (Fr.) Y. C. Dai & V. Papp

| 药材名 |

茯苓（药用部位：菌核。别名：茯苓皮、赤茯苓、白茯苓）。

| 形态特征 |

子实体一年生，平伏，贴生，不易与基物剥离，革质，长可达 10 cm，宽可达 8 cm，中部厚达 2 mm。孔口圆形、近圆形至多角形，表面新鲜时呈白色，干后呈奶油色，每 1 mm 有孔口 0.5 ～ 2，边缘薄，撕裂状。菌肉奶油色，厚可达 0.5 mm。菌管与孔口表面同色或较之色略浅，长可达 1.5 mm。菌核呈类球形、椭圆形或不规则块状，直径 10 ～ 30 cm；外皮薄而粗糙，有明显隆起的皱纹或瘤状突起，棕褐色至黑褐色；断面外层淡棕色，内部白色，显颗粒性，少数为淡红色，有的中间抱有松根。担孢子大小为（6.5 ～ 8）μm ×（2.5 ～ 3）μm，圆柱形，无色，壁薄，光滑，非淀粉质，不嗜蓝。

| 生境分布 |

腐生于松树根或松树干上。分布于广东连州、博罗。

| 资源情况 | 野生资源一般，栽培资源较丰富。药材来源于野生和栽培。

| 采收加工 | 采挖，浸泡，洗净，润后稍蒸，削去外皮，切块，晒干。

| 药材性状 | 本品呈类球形、长圆形、椭圆形或不规则块状，大小不一。外皮薄而粗糙，有明显隆起的皱纹或瘤状突起，棕褐色至黑褐色。新鲜时较软，干燥后坚硬。断面不平坦，外层淡棕色，内部白色，显颗粒性，少数为淡红色，有的中间抱有松根。

| 功能主治 | 甘、淡，平。利尿祛湿，健脾，宁心安神。

| 凭证标本号 | GDGM70750。

猴头菌科 Hericiaceae 猴头菌属 *Hericium*

猴头菌 *Hericium erinaceus* (Bull.) Pers.

|药 材 名| 猴头菌（药用部位：子实体。别名：刺猬菌、猬菌、猴头）。

|形态特征| 子实体一年生，无柄或具非常短的侧生柄，新鲜时呈肉质，后期呈软革质，干燥后变为奶酪质或软木栓质。菌盖近球形，直径可达 25 cm，表面初为雪白色至乳白色，后变为浅乳黄色，具微绒毛，干后粗糙。菌齿表面新鲜时呈雪白色或奶油色，干后变为黄褐色，强烈收缩，圆柱形，从基部向顶部渐尖，新鲜时呈肉质，干后呈硬纤维质，长达 10 mm，每 1 mm 有菌齿 1 ~ 2。菌肉干后呈木材色，奶酪质或软木栓质，具穴孔，无环区，厚可达 10 cm。担孢子大小为（6 ~ 7）μm×（5 ~ 6）μm，椭圆形，无色，壁厚，表面具细小疣突，淀粉质，嗜蓝。

| 生境分布 | 单生或数个连生于阔叶树上。分布于广东乳源、连州。

| 资源情况 | 野生资源一般，栽培资源丰富。药材来源于野生和栽培。

| 采收加工 | 夏、秋季采收，晒干。

| 药材性状 | 本品无柄或具非常短的侧生柄，新鲜时呈肉质，后期呈软革质，干燥后变为奶酪质或软木栓质。菌盖近球形，表面初为雪白色至乳白色，后变为浅乳黄色，具微绒毛，干后粗糙。菌齿表面新鲜时呈雪白色或奶油色，干后变为黄褐色，强烈收缩，圆柱形，从基部向顶部渐尖，新鲜时呈肉质，干后呈硬纤维质。菌肉干后呈木材色，奶酪质或软木栓质，具穴孔，无环区。

| 功能主治 | 甘，平。健脾养胃。用于体虚乏力，消化不良，失眠，胃与十二指肠溃疡，慢性胃炎，消化道肿瘤。

| 凭证标本号 | GDGM85714。

多孔菌科 Polyporaceae 蜂窝菌属 *Hexagonia*

毛蜂窝孔菌 *Hexagonia apiaria* (Pers.) Fr.

| 药 材 名 | 毛蜂窝孔菌（药用部位：子实体。别名：龙眼梳）。

| 形态特征 | 子实体一年生或多年生，无柄，新鲜时呈革质，干后呈木栓质。菌盖半圆形或扇形，外伸可达 8 cm，宽可达 15 cm，基部厚可达 2 cm，表面新鲜时呈灰褐色至黄褐色，靠近基部处呈黑褐色，干后呈灰黑褐色，被大量粗硬绒毛，具明显的同心环纹，边缘锐，浅黄色。孔口表面新鲜时呈浅灰褐色至浅黄褐色，干后呈黄褐色，六角形，直径 2 ～ 4 mm，边缘薄，全缘。菌肉黑褐色，厚可达 10 mm。菌管灰褐色，长可达 10 mm。担孢子大小为（11 ～ 14）μm×（5 ～ 6）μm，圆柱形，无色，壁薄，光滑，非淀粉质，不嗜蓝。

|生境分布| 腐生于多种阔叶树的枯枝、倒木和落枝上。分布于广东仁化、始兴、罗湖、台山、越秀及中山等。

|资源情况| 野生资源较丰富，栽培资源较少。药材来源于野生和栽培。

|采收加工| 夏、秋季采收，晒干。

|药材性状| 本品无柄，新鲜时呈革质，干后呈木栓质。菌盖半圆形或扇形，表面新鲜时呈灰褐色至黄褐色，靠近基部处呈黑褐色，干后呈灰黑褐色，被大量粗硬绒毛，具明显的同心环纹，边缘锐，浅黄色。孔口表面新鲜时呈浅灰褐色至浅黄褐色，干后呈黄褐色，六角形。菌肉黑褐色。菌管灰褐色。

|功能主治| 益肠，健胃。

|凭证标本号| GDGM24477。

多孔菌科 Polyporaceae 褶孔菌属 *Lenzites*

桦褶孔菌 *Lenzites betulinus* (L.) Fr.

| 药 材 名 | 桦褶孔菌（药用部位：子实体。别名：桦革裥菌）。

| 形态特征 | 子实体一年生，无柄，覆瓦状叠生，革质。菌盖扇形，外伸可达 5 cm，宽可达 7 cm，中部厚可达 1.5 cm，表面新鲜时呈乳白色至浅灰褐色，被绒毛或粗毛，具不同颜色的同心环纹，边缘锐，完整或呈波状。子实层体初期呈奶油色，后期呈浅褐色，干后呈黄褐色至灰褐色，褶状，放射状排列，靠近边缘处呈孔状或为二叉分枝。菌肉浅黄色，厚可达 3 mm。菌褶黄褐色至灰褐色，宽可达 12 mm，边缘薄，全缘或稍呈撕裂状。担孢子大小为（4.5 ~ 5.5）μm ×（1.5 ~ 2）μm，圆柱形至腊肠形，无色，壁薄，光滑，非淀粉质，不嗜蓝。

| 生境分布 | 生于桦树、椴树、槭树、杨树、栎树等阔叶树腐木上。分布于广东乳源、始兴、罗湖、台山等。

| 资源情况 | 野生资源一般。尚无栽培资源。药材来源于野生。

| 采收加工 | 夏、秋季采收，晒干。

| 药材性状 | 本品无柄，覆瓦状叠生，革质。菌盖扇形，表面新鲜时乳白色至浅灰褐色，被绒毛或粗毛，具不同颜色的同心环纹，边缘锐，完整或呈波状。子实层体初期呈奶油色，后期呈浅褐色，干后呈黄褐色至灰褐色，褶状，放射状排列，靠近边缘处呈孔状或为二叉分枝。菌肉浅黄色。菌褶黄褐色至灰褐色。

| 功能主治 | 祛风散寒，舒筋活络。用于腰腿疼痛，手足麻木，筋络不舒，四肢抽搐等。

| 凭证标本号 | GDGM24362。

多孔菌科 Polyporaceae 多孔菌属 *Polyporus*

漏斗多孔菌 *Polyporus arcularius* (Batsch) Fr.

| 药材名 | 漏斗多孔菌（药用部位：子实体。别名：漏斗大孔菌）。

| 形态特征 | 子实体一年生，肉质至革质。菌盖圆形，直径达 2 ~ 4 cm；表面新鲜时呈乳黄色，干后呈黄褐色，被暗褐色或红褐色鳞片。孔口多角形，表面干后呈浅黄色或橘黄色，每 1 mm 有孔口 1 ~ 4。菌肉淡黄色至黄褐色，厚可达 1 mm。菌管与孔口表面同色，长可达 2 mm。菌柄与菌盖同色，长可达 3 cm，直径可达 2 mm。担孢子大小为（8 ~ 10）μm×（3 ~ 3.5）μm，圆柱形，略弯曲，无色，壁薄，光滑，非淀粉质，不嗜蓝。

| 生境分布 | 生于多种阔叶树的死树或倒木上。分布于广东仁化、始兴、连州、连南、罗湖、宝安、越秀、天河、台山及中山等。

| 资源情况 | 野生资源一般。尚无栽培资源。药材来源于野生。

| 采收加工 | 夏、秋季采收，晒干。

| 药材性状 | 本品单生或数个簇生，肉质至革质。表面新鲜时呈乳黄色，干后呈黄褐色，被暗褐色或红褐色鳞片，边缘锐，干后略内卷。孔口多角形，表面干后呈浅黄色或橘黄色，边缘薄，撕裂状。菌肉淡黄色至黄褐色。菌柄与菌盖同色，圆柱形。

| 功能主治 | 抑肿瘤，抗病原微生物。

| 凭证标本号 | GDGM28318。

多孔菌科 Polyporaceae 密孔菌属 *Pycnoporus*

红栓菌 *Pycnoporus cinnabarinus* (Jacq.) P. Karst.

| 药 材 名 | 红栓菌（药用部位：子实体。别名：红古菌）。

| 形态特征 | 子实体一年生，革质。菌盖扇形或肾形，外伸可达 3 cm，宽可达 5 cm，表面新鲜时呈砖红色或橙色，边缘较尖锐。孔口近圆形，表面新鲜时呈砖红色或橙色，每 1 mm 有孔口 3 ~ 4，边缘稍厚，全缘。不育边缘宽可达 1 mm。菌肉浅红褐色，厚可达 1 mm。菌管与孔口表面同色，长可达 4 mm。担孢子大小为（4 ~ 6）μm ×（2 ~ 3）μm，长椭圆形至圆柱形，无色，壁薄，光滑，非淀粉质，不嗜蓝。

| 生境分布 | 腐生于枯死的枫香树或其他树上。分布于广东仁化、始兴、坪山、宝安、鼎湖、越秀及中山等。

| 资源情况 | 野生资源较丰富。尚无栽培资源。药材来源于野生。

| 采收加工 | 夏、秋季采收，晒干。

| 药材性状 | 本品革质。菌盖扇形或肾形，表面新鲜时呈砖红色或橙色，边缘较尖锐。孔口表面新鲜时呈砖红色。菌肉浅红褐色。菌管与孔口表面同色。

| 功能主治 | 涩、微辛，温。清热除湿，解毒止血，止痒。

| 凭证标本号 | GDGM26095。

多孔菌科 Polyporaceae 栓菌属 *Trametes*

雅致栓孔菌 *Trametes elegans* (Spreng.) Fr.

| 药 材 名 | 雅致栓孔菌（药用部位：子实体。别名：紫椴栓菌）。

| 形态特征 | 子实体一年生，硬革质。菌盖半圆形，外伸可达 6 cm，宽可达 10 cm，中部厚可达 1.5 cm，表面白色至浅灰白色，基部具瘤状突起，边缘锐，完整，与菌盖同色。孔口表面奶油色至浅黄色，多角形至迷宫状，放射状排列，每 1 mm 有孔口 2 ~ 3，边缘薄或厚，全缘。不育边缘奶油色，宽可达 2 mm。菌肉乳白色，厚可达 9 mm。菌管奶油色，长可达 6 mm。担孢子大小为（5 ~ 6）μm ×（2 ~ 3）μm，长椭圆形，无色，壁薄，光滑，非淀粉质，不嗜蓝。

| 生境分布 | 生于阔叶树倒木和腐木上。分布于广东乳源、始兴、连州、封开、鼎湖、罗湖等。

| 资源情况 | 野生资源一般。尚无栽培资源。药材来源于野生。

| 采收加工 | 夏、秋季采收，晒干。

| 药材性状 | 本品硬革质。菌盖半圆形，表面白色至浅灰白色，基部具瘤状突起，边缘锐，完整，与菌盖同色。孔口表面奶油色至浅黄色，多角形至迷宫状，放射状排列，边缘薄或厚，全缘。菌肉乳白色。菌管奶油色。

| 功能主治 | 祛风，止痒。

| 凭证标本号 | GDGM25169。

多孔菌科 Polyporaceae 栓菌属 *Trametes*

毛栓孔菌 *Trametes hirsuta* (Wulfen) Lloyd

| 药 材 名 | 毛栓孔菌（药用部位：子实体。别名：毛革盖菌、碟毛菌）。

| 形态特征 | 子实体一年生，覆瓦状叠生，革质。菌盖半圆形或扇形，外伸可达 4 cm，宽可达 10 cm，表面乳色至浅棕黄色，老熟部分常带青褐色，被硬毛和细微绒毛，具明显的同心环纹和环沟，边缘锐，黄褐色。孔口表面乳白色至灰褐色，多角形，每 1 mm 有孔口 3 ~ 4，边缘薄，全缘，不育边缘不明显，宽可达 1 mm。菌肉乳白色，厚可达 5 mm。菌管奶油色或浅乳黄色，长可达 8 mm。担孢子大小为（4 ~ 6）μm×（2 ~ 2.5）μm，圆柱形，无色，壁薄，光滑，非淀粉质，不嗜蓝。

| 生境分布 | 生于多种阔叶树的倒木、树桩和储木上。分布于广东乳源、始兴、连州、鼎湖、罗湖、博罗等。

| 资源情况 | 野生资源一般。尚无栽培资源。药材来源于野生。

| 采收加工 | 夏、秋季采收，晒干。

| 药材性状 | 本品覆瓦状叠生，革质。菌盖半圆形或扇形，表面乳色至浅棕黄色，老熟部分常带青褐色，被硬毛和细微绒毛，具明显的同心环纹和环沟，边缘锐，黄褐色。孔口表面乳白色至灰褐色。菌肉乳白色。菌管奶油色或浅乳黄色。

| 功能主治 | 祛风除湿，清肺止咳，去腐生肌。

| 凭证标本号 | GDGM76368。

多孔菌科 Polyporaceae 栓菌属 *Trametes*

东方栓孔菌 *Trametes orientalis* (Yasuda) Imazeki

| 药 材 名 | 东方栓孔菌（药用部位：子实体。别名：灰带栓菌、东方云芝、东方栓菌）。

| 形态特征 | 子实体一年生，覆瓦状叠生，木栓质。菌盖近圆形，外伸可达 7 cm，宽可达 10 cm，中部厚可达 1.8 cm，表面奶油色至灰黄色，基部具瘤状突起，具同心环带和环沟，边缘奶油色、赭色至黄褐色。孔口表面初期为奶油色，后期为浅黄色，触摸后变为浅褐色，圆形，每 1 mm 有孔口 3，边缘厚，全缘。菌肉奶油色，厚可达 1.3 cm。菌管与孔口表面同色，长可达 5 mm。担孢子大小为（5 ~ 6.5）μm ×（2 ~ 3）μm，长椭圆形，无色，壁薄，光滑。

| 生境分布 | 生于阔叶树枯立木、腐木或枕木上。分布于广东仁化、乳源、始兴、连州、鼎湖、罗湖、博罗等。

| 资源情况 | 野生资源一般。尚无栽培资源。药材来源于野生。

| 采收加工 | 夏、秋季采收，晒干或晾干。

| 药材性状 | 本品覆瓦状叠生，木栓质。菌盖近圆形，表面奶油色至灰黄色，基部具瘤状突起，具同心环带和环沟，边缘奶油色、赭色至黄褐色。孔口表面初期为奶油色，后期为浅黄色，触摸后变为浅褐色。菌肉奶油色。菌管与孔口表面同色。

| 功能主治 | 祛风除湿，止咳平喘。

| 凭证标本号 | GDGM57452。

多孔菌科 Polyporaceae 栓菌属 *Trametes*

香栓孔菌 *Trametes suaveolens* (L.) Fr.

| 药 材 名 | 香栓孔菌（药用部位：子实体。别名：杨柳白腐菌）。

| 形态特征 | 子实体一年生，覆瓦状叠生，木栓质，具芳香味。菌盖半圆形，外伸可达 8 cm，宽可达 20 cm，中部厚可达 4 cm，表面乳白色至浅棕黄褐色，具疣突，边缘钝。孔口表面乳白色至黄褐色，近圆形，每 1 mm 有孔口 1 ～ 2，边缘厚，全缘，不育边缘明显，宽可达 5 mm。菌肉乳白色，厚可达 30 mm。菌管浅乳黄色，长可达 10 mm。担孢子大小为（6.5 ～ 9）μm×（3 ～ 4.5）μm，圆柱形，无色，壁薄，光滑，非淀粉质，不嗜蓝。

| 生境分布 | 生于杨属、柳属树木的枝干上。分布于广东乳源、始兴、英德、连南、鼎湖、宝安、博罗等。

| 资源情况 | 野生资源一般。尚无栽培资源。药材来源于野生。

| 采收加工 | 夏、秋季采收，晒干。

| 药材性状 | 本品覆瓦状叠生，木栓质，具芳香味。菌盖半圆形，表面乳白色至浅棕黄褐色，具疣突，边缘钝。孔口表面乳白色至黄褐色，近圆形。菌肉乳白色。菌管浅乳黄色。

| 功能主治 | 降气益肺，平喘止咳，安神定志，延年益寿。

| 凭证标本号 | GDGM57383。

多孔菌科 Polyporaceae 栓菌属 *Trametes*

云芝栓孔菌 *Trametes versicolor* (L.) Lloyd

| 药 材 名 | 云芝栓孔菌（药用部位：子实体。别名：云芝、青芝、彩纹云芝）。

| 形态特征 | 子实体一年生，覆瓦状叠生，革质。菌盖半圆形，外伸可达 8 cm，宽可达 10 cm，中部厚可达 0.5 cm，表面淡黄色、褐色至蓝灰色或紫灰色，被细密绒毛，具同心环带，边缘锐。孔口表面奶油色至烟灰色，多角形至近圆形，每 1 mm 有孔口 4 ~ 5，边缘薄，撕裂状，不育边缘明显，宽可达 2 mm。菌肉乳白色，厚可达 2 mm。菌管烟灰色至灰褐色，长可达 3 mm。担孢子大小为（4 ~ 5.5）μm×（1.8 ~ 2.2）μm，圆柱形，无色，壁薄，光滑，非淀粉质，不嗜蓝。

| 生境分布 | 生于多种阔叶树的倒木、树桩和储木上。分布于广东仁化、乳源、始兴、英德、连州、封开、鼎湖、罗湖、宝安、博罗、越秀、黄埔等。

| 资源情况 | 野生资源较丰富，栽培资源较丰富。药材来源于野生和栽培。

| 采收加工 | 夏、秋季采收，晒干。

| 药材性状 | 本品覆瓦状叠生，革质。菌盖半圆形，表面淡黄色、褐色至蓝灰色或紫灰色，被细密绒毛，具同心环带，边缘锐。孔口表面奶油色至烟灰色，多角形至近圆形，边缘薄，撕裂状。菌肉乳白色。菌管烟灰色至灰褐色。

| 功能主治 | 清热解毒，健脾利湿，调节免疫功能。用于肝炎。

| 凭证标本号 | GDGM24369。

蜡伞科 Hygrophoraceae 湿伞属 *Hygrocybe*

小红湿伞 *Hygrocybe miniata* (Fr.) P. Kumm.

| 药 材 名 | 小红湿伞（药用部位：子实体。别名：朱红蜡伞、茶菌、小红蜡伞）。

| 形态特征 | 菌盖直径 1 ~ 4 cm，初呈扁半球形至钝圆锥形，后渐平展，中部略微凸起，不黏，近光滑或具细微鳞片，湿时呈红棕色。菌肉薄，淡黄色。菌褶贴生至近延生，稀，蜡质，浅黄色。菌柄长 3 ~ 5 cm，直径 3 ~ 5 mm，近圆柱形，脆骨质，表面光滑，上部橙色且略带红棕色，下部色淡。担孢子大小为（7.5 ~ 11）μm×（5 ~ 6）μm，椭圆形，光滑，无色。

| 生境分布 | 散生或群生于阔叶林地或草地上。分布于广东乳源、仁化、始兴、连州、连南。

| 资源情况 | 野生资源一般。尚无栽培资源。药材来源于野生。

| 采收加工 | 夏、秋季采收，晒干。

| 药材性状 | 本品菌盖初呈扁半球形至钝圆锥形，后渐平展，中部略微凸起，不黏，近光滑或具细微鳞片，湿时呈红棕色，干后色淡。菌肉薄，淡黄色。菌柄近圆柱形，脆骨质，表面光滑，上部橙色且略带红棕色，下部色淡。

| 功能主治 | 益脾补中，解五脏六腑热结。用于慢性胃炎，燥热秘结等。

| 凭证标本号 | GDGM26748。

口蘑科 Tricholomataceae 脐菇属 *Omphalia*

雷丸 *Omphalia lapidescens* (Horan.) J. Schröt.

| 药 材 名 | 雷丸（药用部位：菌核。别名：雷矢、雷实）。

| 形态特征 | 子实体伞状，漏斗形。菌盖灰褐色。菌褶白色，延生。菌柄中生，与菌盖颜色近似。菌核小型，直径 1 ~ 3 cm，近球形或不规则扁球形，表面黄褐色至黑褐色或黑色，具细小皱纹，干后坚硬；纵剖后呈灰白色、黄褐色至灰褐色，透明与不透明的部分交织成类似大理石样花纹。菌丝具锁状联合。

| 生境分布 | 腐生于竹林下。分布于广东仁化。

| 资源情况 | 野生资源一般，栽培资源较少。药材来源于野生和栽培。

| 采收加工 | 夏、秋季采收，晒干。

| 药材性状 | 本品小型，近球形或不规则扁球形，表面黄褐色至黑褐色或黑色，具细小皱纹，干后坚硬。纵剖后呈灰白色、黄褐色至灰褐色，透明与不透明的部分交织成类似大理石样花纹。

| 功能主治 | 苦，寒；有小毒。杀虫。

| 凭证标本号 | GDGM79828。

红菇科 Russulaceae 乳菇属 *Lactarius*

香乳菇 *Lactarius camphoratus* (Bull.) Fr.

| 药 材 名 | 香乳菇（药用部位：子实体。别名：浓香乳菇）。

| 形态特征 | 菌盖直径 1 ~ 4 cm，凸透镜形，渐变为宽凸透镜形或中部凹陷，常具乳突，表面光滑或具粉末状物，暗红褐色，常褪色至锈褐色或橙褐色。菌肉浅肉桂色至近白色，硬且脆。菌褶直生或稍下延，密，近白色至浅粉色，成熟后常带浅红色至肉桂色。乳汁呈乳白色，乳清状。菌柄长 1 ~ 6 cm，直径 0.8 ~ 1 cm，圆柱形，光滑或基部具丝状物，颜色与菌盖相同或较菌盖色浅。担孢子大小为（7 ~ 8）μm ×（6 ~ 7.5）μm，近球形至宽椭圆形，表面具疣突或散乱的脊状物，不连接成网，无色至近无色。

| 生境分布 | 散生或群生于针叶林或阔叶林地上。分布于广东乳源、连州等。

| 资源情况 | 野生资源一般。尚无栽培资源。药材来源于野生。

| 采收加工 | 夏、秋季采收，晒干。

| 药材性状 | 本品菌盖凸透镜形，渐变为宽凸透镜形或中部凹陷，常具乳突，表面光滑或具粉末状物，暗红褐色，常褪色至锈褐色或橙褐色，后期边缘渐呈圆齿状。菌肉浅肉桂色至近白色，硬且脆。菌褶直生或稍下延，密，近白色至浅粉色，成熟后常带浅红色至肉桂色。乳汁呈乳白色，乳清状。菌柄圆柱形，光滑或基部具丝状物，颜色与菌盖相同或较菌盖色浅。

| 功能主治 | 健脾益肺。用于脾虚证。

| 凭证标本号 | GDGM23033。

红菇科 Russulaceae 红菇属 *Russula*

臭红菇 *Russula foetens* (Pers.) Pers.

|药 材 名| 臭红菇（药用部位：子实体。别名：油辣菇、臭黄菇）。

|形态特征| 菌盖直径 5 ~ 10 cm，扁半球形至平展，中部稍凹陷，浅黄色或污赭色至浅黄褐色，中部土褐色，表面光滑且黏，边缘具由小疣组成的明显粗条纹。菌肉薄，污白色，近表皮处呈浅黄色，质脆，具腥臭气味，味道辛辣且苦。菌褶弯生，稠密，褶幅宽，初期为污白色，后期渐变为浅黄色，常具暗色斑痕，一般等长，较厚，基部分叉。菌柄长 4 ~ 10 cm，直径 1.5 ~ 3 cm，近圆柱形，污白色至污褐色，老熟或伤后常出现深色斑痕，内部松软，渐成空心。担孢子大小为（7.5 ~ 10）μm×（7 ~ 9.5）μm，球形至近球形，有明显小刺、疣突或棱纹，无色，淀粉质。

| 生境分布 | 散生或群生于针叶林或阔叶林地。分布于广东乐昌、乳源、连南、鼎湖、罗湖等。

| 资源情况 | 野生资源一般。尚无栽培资源。药材来源于野生。

| 采收加工 | 夏、秋季采收，晒干。

| 药材性状 | 本品菌盖扁半球形至平展，浅黄色或污赭色至浅黄褐色，中部土褐色，表面光滑且黏，边缘具由小疣组成的明显粗条纹。菌肉薄，污白色，近表皮处呈浅黄色，质脆，具腥臭气味，味道辛辣且苦。菌柄近圆柱形，污白色至污褐色。

| 功能主治 | 抑肿瘤。用于腰腿酸痛，手足麻木，肿瘤。

| 凭证标本号 | GDGM43082。

红菇科 Russulaceae 红菇属 *Russula*

灰肉红菇 *Russula griseocarnosa* X. H. Wang, Zhu L. Yang & Knudsen

| 药 材 名 | 灰肉红菇（药用部位：子实体。别名：大红菇、葡酒红菇、红椎菌）。

| 形态特征 | 菌盖直径 8 ~ 15 cm，扁平，中央常下陷，大红色、紫红色至深紫红色，表皮易撕起。菌肉厚，白色至灰白色，不辣。菌褶幼时白色，成熟后带灰色。菌柄圆柱形，白色至灰白色，表面光滑，长 6 ~ 10 cm，直径 1.5 ~ 3 cm。担孢子大小为（8 ~ 10）μm×（6.5 ~ 8）μm，近球形至宽椭圆形，表面被淀粉质的锥状小刺，近无色至淡黄色，淀粉质。囊状体丰富，先端细尖，中部壁厚。

| 生境分布 | 散生或群生于针叶林或阔叶林地。分布于广东梅县、平远、乳源、连州等。

| 资源情况 | 野生资源一般。尚无栽培资源。药材来源于野生。

| 采收加工 | 夏、秋季采收，晒干。

| 药材性状 | 本品菌盖扁平，中央常下陷，大红色、紫红色至深紫红色，表皮易撕起。菌肉白色至灰白色，老时色变深，不辣。菌褶成熟后带灰色。菌柄圆柱形，白色至灰白色，表面光滑，易碎。

| 功能主治 | 调节免疫功能，抑肿瘤。

| 凭证标本号 | GDGM79685。

红菇科 Russulaceae 红菇属 *Russula*

稀褶红菇 *Russula nigricans* Fr.

| 药 材 名 | 稀褶红菇（药用部位：子实体。别名：稀褶黑菇、火烧菌、老鸦菌）。

| 形态特征 | 菌盖直径 6 ~ 15 cm，扁半球形至平展，中部下凹，呈漏斗状，表面光滑，污白色、灰白色至黑褐色，边缘无条纹或具不明显条纹。菌肉较厚，污白色，伤后初期变为浅红色，后期变为黑色。菌褶直生至弯生，宽，稍稀疏至稀疏，灰白色，不等长，褶间有横脉，伤变色与菌肉相似。菌柄长 2 ~ 7 cm，直径 1 ~ 2.5 cm，圆柱形，表面光滑，初为污白色，后变为黑褐色，实心，脆，伤变色与菌肉相似。担孢子大小为（7 ~ 8）μm ×（6 ~ 7.5）μm，近球形，具由疣突相连而成的明显网纹，无色，淀粉质。

| 生境分布 | 散生或群生于针叶林或阔叶林地。分布于广东乳源、连南、鼎湖、宝安等。

| 资源情况 | 野生资源一般。尚无栽培资源。药材来源于野生。

| 采收加工 | 夏、秋季采收，晒干。

| 药材性状 | 本品菌盖扁半球形至平展，中部下凹，呈漏斗状，表面光滑，初为污白色，后变为黑褐色，边缘无条纹或具不明显条纹。菌肉较厚，污白色，伤后初期变为浅红色，后期变为黑色。菌褶直生至弯生，稀疏，灰白色，不等长，褶间有横脉，伤变色与菌肉相似。菌柄圆柱形，表面光滑，与菌盖同色，实心，质地脆，伤变色与菌肉相似。

| 功能主治 | 祛风除湿，舒筋活络。用于风寒湿痹，腰腿疼痛，关节痛，手足麻木，四肢抽搐。

| 凭证标本号 | GDGM46515。

鬼笔科 Phallaceae 鬼笔属 *Phallus*

冬荪 *Phallus dongsun* T. H. Li, T. Li, Chun Y. Deng, W. Q. Deng & Zhu L. Yang

| 药 材 名 | 冬荪（药用部位：子实体。别名：白鬼笔）。

| 形态特征 | 菌蕾球形或近球形，高 6 cm，宽 4.5 cm，黄白色至浅黄色，略光滑，有裂纹。成熟的子实体高可达 25 cm。菌盖高 4.8 ~ 6 cm，宽 2.5 ~ 4.5 cm，钟形或伞状，具较深的不规则脊，脊深约 8 mm，白色至污白色，被有孢体，先端平截，有一白色圆盘，顶部穿孔。孢体橄棕色，黏液状。菌柄近柱状或纺锤状，高 16 ~ 22 cm，直径 0.6 ~ 4.5 cm，白色至黄白色，海绵状，中空。菌托卵圆形，高 5 cm，宽 3.8 cm，光滑，黄白色。菌索单生，白色至黄白色。孢子大小为（3.5 ~ 4.5）μm ×（1.7 ~ 2.3）μm，柱状至近椭圆状，亮橄绿色，非淀粉质，薄壁，光滑。

| 生境分布 | 生于阔叶林、针阔叶混交林以及竹林中地上，有时也生于草地上。分布于广东乳源、乐昌、连州、平远。

| 资源情况 | 野生资源一般，栽培资源较丰富。药材来源于野生和栽培。

| 采收加工 | 夏、秋季采收，晒干。

| 药材性状 | 本品菌蕾球形或近球形，黄白色至浅黄色，略光滑，有裂纹。成熟的子实体菌盖呈钟形或伞状，具较深的不规则脊，白色至污白色，被有孢体，先端平截，有一白色圆盘，顶部穿孔。孢体橄棕色，黏液状。菌柄近柱状或纺锤状，白色至黄白色，海绵状，中空。菌托卵圆形，光滑，黄白色。菌索单生，白色至黄白色。

| 功能主治 | 祛风除湿，活血止痛。用于风湿痹痛。

| 凭证标本号 | GDGM87729。

鬼笔科 Phallaceae 鬼笔属 *Phallus*

纯黄竹荪 *Phallus luteus* (Liou & L. Hwang) T. Kasuya

| 药材名 | 纯黄竹荪（药用部位：子实体。别名：杂色竹荪、黄网竹荪、仙人打伞）。

| 形态特征 | 菌蕾圆球形至卵圆形，浅粉色、紫红色至紫红褐色。成熟后的子实体高 12 ~ 24 cm。菌盖钟罩形或近锥形，高 2.5 ~ 3.8 cm，直径 2.5 ~ 4 cm，有明显隆起的网格，浅黄色至浅橘黄色，先端平截且有一白色圆孔或一白色穿孔的圆盘，附着黏液状榄绿色孢子体。菌柄圆柱形，有时近纺锤状，长 7 ~ 21 cm，直径 1.5 ~ 3 cm，白色至浅黄色，中空，海绵状，表面有凹陷的小孔。菌裙网状，黄色、橙黄色至橙色，边缘整齐，较长；菌裙网眼近多边形、不规则多边形至近圆形。菌托浅粉色、紫红色至紫褐色，外层表面不光滑，有糠麸皮状或细小鳞屑状附属物，基部常有一深紫色菌索。担孢子柱

状或长椭圆状，大小为（3 ~ 4）μm×（1.5 ~ 1.8）μm，带亮榄绿色，非淀粉质，光滑，壁薄。

| 生境分布 | 群生于竹林地上。分布于广东仁化、连州、天河、宝安。

| 资源情况 | 野生资源一般。尚无栽培资源。药材来源于野生。

| 采收加工 | 夏、秋季采收，晒干。

| 药材性状 | 本品菌蕾圆球形至卵圆形，浅粉色、紫红色至紫红褐色。成熟后的子实体菌盖钟罩形或近锥形，有明显隆起的网格，浅黄色至浅橘黄色，先端平截且有一白色圆孔，附着黏液状榄绿色孢子体。菌柄圆柱形，白色至浅黄色，中空，海绵状，表面有凹陷的小孔。菌裙网状，黄色、橙黄色至橙色，边缘整齐，较长。菌托浅粉色、紫红色至紫褐色，外层表面不光滑，基部常有一深紫色菌索。

| 功能主治 | 燥湿解毒，杀虫止痒。用于足癣湿烂。

| 凭证标本号 | GDGM24771。

鬼笔科 Phallaceae 鬼笔属 *Phallus*

细皱鬼笔 *Phallus rugulosus* (E. Fisch.) Lloyd

| 药 材 名 | 细皱鬼笔（药用部位：子实体。别名：深红鬼笔、狗鞭参、蛇头菌）。

| 形态特征 | 菌蕾幼时呈椭圆形或蛋形，外包被白色至灰白色，基部有白色至灰白色根状菌索。成熟后菌盖和菌柄逐渐伸出外包被。子实体高 10 ~ 20 cm，直径 2 ~ 3 cm。菌盖高 1.5 ~ 4 cm，直径 1 ~ 2 cm，钟形至圆锥形，红色至橘红色，顶部成熟时有一孔，表面被榄绿色孢液，老后榄绿色黏性物质逐渐消失。孢体榄褐色。菌柄长 7 ~ 15 cm，直径 1 ~ 2.5 cm，圆柱形，上部红色、洋红色至粉红色，下部白色至灰白色，海绵质，表面有蜂窝状脉纹。菌托直径 1.5 ~ 3 cm，近球形，污白色。担孢子大小为（3.5 ~ 4.5）μm ×（1.5 ~ 2）μm，椭圆形，近无色。

| 生境分布 | 生于林缘、路边、庭院草地上，雨后成群出现。分布于广东乳源、连州、越秀、宝安。

| 资源情况 | 野生资源一般。尚无栽培资源。药材来源于野生。

| 采收加工 | 夏、秋季采收，晒干。

| 药材性状 | 本品菌蕾幼时呈椭圆形或蛋形，外包被白色至灰白色，基部有白色至灰白色根状菌索。成熟后菌盖和菌柄逐渐伸出外包被。菌盖钟形至圆锥形，红色至橘红色，顶部成熟时有一孔，表面被榄绿色孢液，老后榄绿色黏性物质逐渐消失。孢体榄褐色。菌柄圆柱形，上部红色、洋红色至粉红色，下部白色至灰白色，海绵质，表面有蜂窝状脉纹。

| 功能主治 | 微苦，寒。清热解毒，消肿生肌。外用于疮疽，虱疥，痈瘘。

| 凭证标本号 | GDGM58232。

鬼笔科 Phallaceae 三叉鬼笔属 *Pseudocolus*

纺锤爪鬼笔 *Pseudocolus fusiformis* (E. Fisch.) Lloyd

| 药 材 名 | 纺锤爪鬼笔（药用部位：子实体。别名：佛手爪鬼笔、佛手菌、爪哇尾花菌）。

| 形态特征 | 菌蕾幼时直径 1 ～ 2 cm，卵形，基部附有白色的根状菌索，成熟后包被开裂，长出 3 托臂。托臂顶部连接在一起，呈浅红色至橙黄色，外侧有 4 ～ 6 泡沫状小室，内侧有管状小室；托臂基部会合，白色，短，上部子实层附有褐色至黑褐色的黏液，具有强烈的臭味。担孢子大小为（4 ～ 7）μm×（2 ～ 3）μm，长椭圆形，无色。

| 生境分布 | 生于林中腐殖质较多的地方。分布于广东仁化、始兴、宝安、越秀、鼎湖等。

| 资源情况 | 野生资源一般。尚无栽培资源。药材来源于野生。

| 采收加工 | 夏、秋季采收，晒干。

| 药材性状 | 本品菌蕾卵形，成熟后包被开裂，长出 3 托臂。托臂顶部连接在一起，呈浅红色至橙黄色；托臂基部会合，白色，短，上部子实层附有褐色至黑褐色的黏液，具有强烈的臭味。

| 功能主治 | 清热解毒，消肿。用于疮肿，外伤出血。

| 凭证标本号 | GDGM48467。

锈革菌科 Hymenochaetacea 木层孔菌属 *Phellinus*

贝形木层孔菌 *Phellinus conchatus* (Pers.) Quél.

|药材名| 贝形木层孔菌（药用部位：子实体。别名：苦楝菌、密集毛木层孔菌）。

|形态特征| 子实体多年生，平伏反卷或具明显菌盖，覆瓦状叠生，木栓质，平伏时长可达 10 cm，宽可达 4 cm。菌盖半圆形，外伸达 6 cm，宽达 8 cm，基部厚达 1 cm，表面暗灰色至黑色，具不明显的同心环沟和狭窄的环带，边缘锐。孔口圆形，表面古铜色至栗褐色，无折光反应，每 1 mm 有孔口 5 ～ 7；菌肉暗褐色至污褐色，厚可达 0.5 mm。菌管浅褐灰色，分层明显，长可达 1 cm；成熟菌管中具白色菌丝束。担孢子大小为（5 ～ 6）μm×（4 ～ 5）μm，宽椭圆形，初无色，后变为浅黄色，壁略厚，光滑，非淀粉质，弱嗜蓝。

| 生境分布 | 腐生于榆树及楝树的腐木。分布于广东乳源、始兴、连州、罗湖等。

| 资源情况 | 野生资源一般。尚无栽培资源。药材来源于野生。

| 采收加工 | 夏、秋季采收，晒干。

| 药材性状 | 本品平伏反卷或具明显菌盖，覆瓦状叠生，木栓质，表面暗灰色至黑色。孔口表面古铜色至栗褐色，无折光反应。菌肉暗褐色至污褐色。菌管浅褐灰色，分层明显；成熟菌管中具白色菌丝束。

| 功能主治 | 杀虫，解热，活血，解毒，抑肿瘤，增强免疫力。用于血吸虫病等。

| 凭证标本号 | GDGM24464。

硬皮马勃科 Sclerodermataceae 豆马勃属 *Pisolithus*

豆马勃 *Pisolithus arhizus* (Scop.) Rauschert

| 药 材 名 | 豆马勃（药用部位：子实体。别名：彩色豆马勃、豆包菌）。

| 形态特征 | 子实体直径 3 ~ 15 cm，不规则球形至扁球形，下部明显缩成短菌柄。包被薄而易碎，光滑，表面初为米黄色，后变为褐色至锈褐色，最后变为青褐色，成熟后上部片状脱落。切开后剖面有彩色豆状物。菌柄长达 5 cm，直径达 3 cm，由一团青黄色的根状菌索固定于附着物上。担孢子直径 7.5 ~ 9.5 μm，球形，密布小刺，褐色。

| 生境分布 | 生于旷野沙砾地、公路旁或林地。分布于广东乳源、仁化、始兴、连州、连南、罗湖、宝安、越秀、黄埔及中山等。

| 资源情况 | 野生资源一般。尚无栽培资源。药材来源于野生。

| 采收加工 | 夏、秋季采收，晒干。

| 药材性状 | 本品呈不规则球形至扁球形，下部明显缩成菌柄。包被薄而易碎，光滑，表面初为米黄色，后变为褐色至锈褐色，最后变为青褐色，成熟后上部片状脱落。切开后剖面有彩色豆状物。菌柄短，由一团青黄色的根状菌索固定于附着物上。

| 功能主治 | 止血，解毒消肿。用于消化道出血，外伤出血。

| 凭证标本号 | GDGM75482。

硬皮马勃科 Sclerodermataceae 硬皮马勃属 *Scleroderma*

多根硬皮马勃 *Scleroderma polyrhizum* (J. F. Gmel.) Pers.

|药材名| 多根硬皮马勃（药用部位：子实体。别名：星裂硬皮马勃）。

|形态特征| 子实体未开裂时宽 4 ~ 8 cm，近球形、梨形至马铃薯状，基部往往以白色根状菌索固定于基物上，初为浅黄白色，后为浅土黄色至土黄褐色，部分干燥的表皮近灰白色，粗糙，常有龟裂纹或斑状鳞片，成熟时呈星状开裂，裂片反卷。包被厚且较坚硬，似革质，伤后变为褐色或变色不明显。孢体成熟后呈暗褐色至黑褐色。担孢子直径 5 ~ 13 μm（包括小刺），球形，褐色，具小疣刺，小疣刺常连接成不完整的网状。

|生境分布| 生于公路旁、林地或草丛中。分布于广东乳源、仁化、始兴、封开、鼎湖、宝安、盐田、黄埔、越秀等。

| 资源情况 | 野生资源较丰富。尚无栽培资源。药材来源于野生。

| 采收加工 | 夏、秋季采收，晒干。

| 药材性状 | 本品未开裂时近球形、梨形至马铃薯状，基部往往以白色根状菌索固定于基物上，初为浅黄白色，后为浅土黄色至土黄褐色，部分干燥的表皮近灰白色，粗糙，常有龟裂纹或斑状鳞片，成熟时呈星状开裂，裂片反卷。孢体成熟后呈暗褐色至黑褐色。

| 功能主治 | 清肺利咽，止血，消肿，解毒。外用于鼻衄，创伤出血，冻疮流水。

| 凭证标本号 | GDGM24099。

侧耳科 Pleurotaceae 侧耳属 *Pleurotus*

糙皮侧耳 *Pleurotus ostreatus* (Jacq.) P. Kumm.

|药 材 名|

糙皮侧耳（药用部位：子实体。别名：平菇、蚝菇、蚝菌）。

|形态特征|

菌盖宽 4 ~ 15 cm，初扁平至微凸起，后平展成扇形、肾形、贝壳形等，浅灰色至黑褐色或暗黄褐色，湿润时很黏，被纤维状绒毛或光滑，边缘无条纹。菌肉厚，肉质，白色，鲜时柔软，干时坚硬。菌褶宽 2 ~ 4 mm，常延生，在柄上交织，白色、浅黄色至灰黄色。菌柄短或无柄，表面光滑或密生绒毛，白色，中实。担孢子大小为（10 ~ 11.5）μm ×（3 ~ 5）μm，圆柱形或长椭圆形，光滑，无色，非淀粉质。

|生境分布|

腐生于阔叶树树干上。分布于广东乳源、仁化、始兴、连州、连南、罗湖、宝安、越秀、黄埔、台山及中山等。

|资源情况|

野生资源较丰富，栽培资源较丰富。药材来源于野生和栽培。

| 采收加工 | 夏、秋季采收，晒干。

| 药材性状 | 本品菌盖初扁平至微凸起，后平展成扇形、肾形、贝壳形等，浅灰色至黑褐色或暗黄褐色，湿润时很黏，被纤维状绒毛或光滑；盖缘薄，幼时内卷，后逐渐平展至向外翻，有时开裂，边缘无条纹。菌肉厚，肉质，白色，鲜时柔软，干时坚硬，但遇水后复性强。

| 功能主治 | 用于腰腿疼痛，手足麻木，筋络不舒。

| 凭证标本号 | GDGM24431。

钉菇科 Gomphaceae 枝瑚菌属 *Ramaria*

美枝瑚菌 *Ramaria formosa* (Pers.) Quél.

| 药 材 名 | 美枝瑚菌（药用部位：子实体。别名：粉红扫帚菌、扫帚菌、红帚把）。

| 形态特征 | 子实体高 8 ~ 12 cm，宽 6 ~ 8 cm，整体呈扫帚状。菌柄偶尔呈假根状，光滑，近白色至黄色，手摸或擦伤后缓慢变色。主枝 2 ~ 4，伸展，略呈圆柱形；分枝 3 ~ 6，圆柱形，淡鲑肉色，常有纵皱纹。节间向上渐短。横截面半圆形或扁圆形。枝顶幼时尖，成熟后呈指状，奶油色或奶油黄色。菌肉紧密，湿润，非胶质，外层粉黄色，内层近白色，非纤维质。担孢子大小为（10.5 ~ 12.5）μm ×（5 ~ 6）μm，椭圆形，有大而扁平的瘤状纹。

| 生境分布 | 生于阔叶林地或混交林地。分布于广东乳源、仁化、始兴、坪山、

宝安、鼎湖等。

| 资源情况 | 野生资源一般。尚无栽培资源。药材来源于野生。

| 采收加工 | 夏、秋季采收，晒干。

| 药材性状 | 本品呈扫帚状。菌柄偶尔呈假根状，光滑，近白色至黄色，手摸或擦伤后缓慢变色。主枝 2 ~ 4，伸展，略呈圆柱形；分枝 3 ~ 6，圆柱形，淡鲑肉色，常有纵皱纹。枝顶幼时尖，成熟后呈指状，奶油色或奶油黄色。菌肉紧密，湿润，非胶质，外层粉黄色，内层近白色，非纤维质。

| 功能主治 | 和胃气，祛风，破血，缓中。

| 凭证标本号 | GDGM21200。

薄孔菌科 Meripilaceae 硬孔菌属 *Rigidoporus*

榆硬孔菌 *Rigidoporus ulmarius* (Sowerby) Imazeki

| 药 材 名 | 榆硬孔菌（药用部位：子实体。别名：榆拟层孔菌）。

| 形态特征 | 子实体多年生，木栓质。菌盖半圆形，外伸可达 4 cm，宽可达 8 cm，厚可达 2 cm，表面浅黄色至土黄色，边缘钝。孔口圆形，表面新鲜时呈乳白色或奶油色，干后呈肉桂色，具折光反应，每 1 mm 有孔口 5 ~ 6，边缘薄，全缘。不育边缘明显，干后呈浅土黄色，宽可达 2 mm。菌肉乳白色至浅黄色，厚可达 10 mm。菌管新鲜时呈奶油色，干后呈浅黄色至肉桂色，分层明显，长可达 10 mm。担孢子大小为（5.5 ~ 6.5）μm ×（4.5 ~ 5.5）μm，宽椭圆形至近球形，无色，壁稍厚至厚，光滑，非淀粉质，弱嗜蓝。

| 生境分布 | 生于榆树及其他阔叶树活立木、死树、倒木和树桩上。分布于广东

乳源、始兴、连州、鼎湖等。

| 资源情况 | 野生资源一般。尚无栽培资源。药材来源于野生。

| 采收加工 | 夏、秋季采收，晒干。

| 药材性状 | 本品木栓质。菌盖半圆形，表面新鲜时呈浅黄色，干后呈土黄色。孔口圆形，表面新鲜时呈乳白色或奶油色，干后呈肉桂色，具折光反应。菌肉乳白色至浅黄色。菌管新鲜时呈奶油色，干后呈浅黄色至肉桂色，分层明显。

| 功能主治 | 补骨髓，固筋脉。用于腰膝酸软，筋脉痿弱，跌打损伤。

| 凭证标本号 | GDGM45519。

裂褶菌科 Schizophyllaceae 裂褶菌属 *Schizophyllum*

裂褶菌 *Schizophyllum commune* Fr.

| 药 材 名 | 裂褶菌（药用部位：子实体。别名：八担柴、白参菌、树花）。

| 形态特征 | 菌盖宽 5 ~ 25 mm，扇形，灰白色至黄棕色，被绒毛或粗毛，边缘内卷，常呈瓣状，有条纹。菌肉厚约 1 mm，白色，韧，无味。菌褶白色至棕黄色，不等长，褶缘中部纵裂成深沟纹。菌柄常无。担孢子大小为（5 ~ 7）μm×（2 ~ 3.5）μm，椭圆形或腊肠形，光滑，无色，非淀粉质。

| 生境分布 | 生于腐木上。分布于广东仁化、始兴、封开、鼎湖、光明、宝安、台山、黄埔、天河等。

| 资源情况 | 野生资源丰富，栽培资源较丰富。药材来源于野生和栽培。

| 采收加工 | 夏、秋季采收，晒干。

| 药材性状 | 本品菌盖扇形，灰白色至黄棕色，被绒毛或粗毛，边缘内卷，常呈瓣状，有条纹。菌肉白色，韧，无味。菌褶白色至棕黄色，不等长，褶缘中部纵裂成深沟纹。菌柄常无。

| 功能主治 | 滋补强身，消炎，抑肿瘤。

| 凭证标本号 | GDGM24433。

牛肝菌科 Boletaceae 乳牛肝菌属 *Suillus*

点柄乳牛肝菌 *Suillus granulatus* (L.) Roussel

| 药 材 名 | 点柄乳牛肝菌（药用部位：子实体。别名：点柄黏盖牛肝、栗壳牛肝菌）。

| 形态特征 | 菌盖直径 4 ～ 11 cm，扁半球形至平展，表面黏，淡黄褐色至红褐色。菌肉奶油色至淡黄色，伤不变色。菌管直生或稍延生，黄白色至黄色。孔口新鲜时呈浅黄色至黄色。菌柄长 6 ～ 8 cm，直径 0.5 ～ 2 cm，近圆柱形，表面浅黄白色至淡红褐色，上部具明显腺点。担孢子大小为（8 ～ 10）μm×（3 ～ 4）μm，长椭圆形，淡黄色，表面光滑。

| 生境分布 | 生于针叶林地。分布于广东乳源、乐昌、始兴、仁化、连州、封开、鼎湖、博罗等。

| 资源情况 | 野生资源一般。尚无栽培资源。药材来源于野生。

| 采收加工 | 春、秋季采收，晒干。

| 药材性状 | 本品菌盖扁半球形至平展，表面黏，淡黄褐色至红褐色。菌肉奶油色至淡黄色，伤不变色。菌管直生或稍延生。孔口新鲜时呈浅黄色至黄色。菌柄近圆柱形，表面浅黄白色至淡红褐色，上部具明显腺点。

| 功能主治 | 甘，温。入脾经。散寒止痛，消食。用于大骨节病，消化不良。

| 凭证标本号 | GDGM43752。

银耳科 Tremellaceae 银耳属 *Tremella*

银耳 *Tremella fuciformis* Berk.

| 药材名 | 银耳（药用部位：子实体。别名：雪耳）。

| 形态特征 | 子实体宽 4 ~ 7 cm，白色，透明，干时带黄色，遇湿能恢复原状，黏滑，胶质，由薄而卷曲的瓣片组成。有隔担子大小为（8 ~ 11）μm ×（5 ~ 7）μm，宽卵形，有 2 ~ 4 斜隔膜，无色，小梗长 2 ~ 5 μm，生于顶部，常弯曲，无色。担孢子直径 5 ~ 7 μm，近球形，光滑，无色。菌丝直径约 3.5 μm，无色，有锁状联合。

| 生境分布 | 腐生于栎树、槭树、椴树或其他阔叶树的朽干上。分布于广东仁化、乳源、始兴、英德、连州、封开、鼎湖、罗湖、博罗等。

| 资源情况 | 野生资源较丰富，栽培资源丰富。药材来源于野生和栽培。

| 采收加工 | 夏、秋季采收，晒干。

| 药材性状 | 本品白色，透明，干时带黄色，遇湿能恢复原状，黏滑，胶质，由薄而卷曲的瓣片组成。

| 功能主治 | 甘，平。滋阴润肺，生津，益气和血，补脑强心。

| 凭证标本号 | GDGM21483。

光柄菇科 Pluteaceae 草菇属 *Volvariella*

草菇 *Volvariella volvacea* (Bull.) Singer

| 药 材 名 | 草菇（药用部位：子实体。别名：美味苞脚菇、秆菇、麻菇）。

| 形态特征 | 菌蕾卵形，成熟后菌盖平展，直径 5 ~ 10 cm，表面新鲜时呈灰白色至深灰色，通常中部颜色深，边缘颜色渐浅，具放射状条纹，干后呈灰褐色。菌肉厚可达 2 mm，干后呈浅黄色，软木栓质。菌褶密，不等长，离生，初期呈奶油色，后期呈粉红色，干后呈黄褐色。菌柄长 7 ~ 9 cm，直径 0.5 ~ 2 cm，圆柱形，白色，光滑，纤维质，实心，干后呈浅黄色，脆质。菌托直径可达 5 cm，杯状，奶油色至灰黑色。担孢子大小为（7.5 ~ 8.5）μm ×（5 ~ 6）μm，椭圆形至宽椭圆形，光滑，淡粉红色，非淀粉质。

| 生境分布 | 腐生于稻草等草堆上。分布于广东曲江、鼎湖、丰顺、白云等。

| 资源情况 | 野生资源一般，栽培资源丰富。药材来源于野生和栽培。

| 采收加工 | 夏、秋季采收，晒干。

| 药材性状 | 本品菌蕾卵形，成熟后菌盖平展，菌盖新鲜时呈灰白色至深灰色，通常中部颜色深，边缘颜色渐浅，具放射状条纹，干后呈灰褐色，边缘锐，干后内卷。菌肉干后呈浅黄色，软木栓质。菌褶密，不等长，离生，初期呈奶油色，后期呈粉红色，干后呈黄褐色。

| 功能主治 | 补脾益气，清暑热，滋阴壮阳，护肝健胃，促进创口愈合，增强人体免疫力。用于暑热烦渴，体质虚弱，头晕乏力，高血压。

| 凭证标本号 | GDGM24417。

苔藓植物

○
○
○

蛇苔科 Conocephalaceae 蛇苔属 *Conocephalum*

蛇苔 *Conocephalum conicum* (L.) Dumort.

| 药 材 名 | 蛇苔（药用部位：全草。别名：蛇地钱、地皮花、小叶地钱）。

| 形态特征 | 植物体大型，匍匐生长，密集着生。叶状体革质，深绿色，具光泽，多回二叉分枝，背面有六角形或菱形气室，每室中央有单一的气孔，气室内有多数直立的营养丝，营养丝先端细胞长梨形，有细长尖，腹面有假根，两侧各有 1 列深紫色鳞片。雌雄异株。雌托钝头圆锥形，有无色透明的长托柄；雄托柄圆盘状，无柄，贴生于叶状体背面。

| 生境分布 | 生于山坡、溪边、林下阴湿碎石上。分布于广东各山区。

| 资源情况 | 野生资源较丰富。

张力提供

| 采收加工 | 全年均可采收，鲜用或晒干。

| 功能主治 | 辛、甘，微寒。消肿止痛，清热解毒。

| 用法用量 | 外用适量，捣敷。

| 凭证标本号 | 441823210205008LY、440606211217014LY。

| 附　　注 | 分布于广东的蛇苔属植物除了蛇苔之外，还有与其形态较为近似的暗绿蛇苔 *Conocephalum salebrosum* Szweyk., Buczk. & Odrzyk.。在 2005 年以前，暗绿蛇苔野外标本大多被鉴定为蛇苔。对于这两种物种药用功能的区别尚需深入研究。

地钱科 Marchantiaceae 地钱属 *Marchantia*

地钱 *Marchantia polymorpha* L.

| 药 材 名 | 地钱（药用部位：全草。别名：地浮萍、一团云、巴骨龙）。

| 形态特征 | 叶状体大，密集着生，灰绿色，宽带状，多回二歧分叉，长 5 ~ 10 cm，宽 1 ~ 2 cm，边缘多波曲，背面具气孔，背面前端常生有杯状的芽胞杯；腹鳞片紫色，4 ~ 6 列，附器圆形；体胞芽杯边缘具粗齿。雌雄异株。雄托盘状，波状浅裂成 7 ~ 8 瓣，精子器生于托的背面；雌托扁平，深裂成 6 ~ 11 指状裂瓣，孢蒴着生于托的腹面。

| 生境分布 | 生于阴湿土坡、墙下、沼泽地或岩石上。分布于广东广宁、南澳及广州（市区）、肇庆（市区）等。

| 资源情况 | 野生资源较丰富。

| 采收加工 | 全年均可采收，晒干。

| 功能主治 | 淡，凉。生肌，拔毒，清热解毒。用于刀伤，骨折，毒蛇咬伤，疮痈肿毒，烫伤等。

| 用法用量 | 外用适量，研末敷。

| 凭证标本号 | 440783190718006LY、441422190706107LY、445221210901269LY。

| 附　　注 | 广东分布有3种地钱属植物，另2种分别为粗裂地钱 *Marchantia paleacea* Bertol 和楔瓣地钱 *Marchantia emarginata* Reinw., Blume & Nees。本次中药资源普查时还发现了毛地钱 *Dumortiera hirsuta* (Sw.) Nees（凭证标本号：440783200102037LY）。

泥炭藓科 Sphagnaceae 泥炭藓属 *Sphagnum*

泥炭藓 *Sphagnum palustre* L.

| 药材名 | 泥炭藓（药用部位：全草。别名：大泥炭藓、水藓、水苔）。

| 形态特征 | 植物体大，密集生长，黄绿色或灰绿色，有时略带淡红色。茎皮层具 3 层细胞，细胞具螺纹和 3 ~ 9 水孔。枝丛具 3 ~ 5 枝，其中 2 ~ 3 为强枝，多倾立。茎叶阔舌形，上部边缘细胞有时形成阔分化边缘。枝叶阔圆形，内凹，先端边缘内卷，无色，细胞腹面中央具大型圆孔；绿色细胞在枝叶横切面中呈狭等腰三角形或狭梯形，腹面稍裸露。

| 生境分布 | 生于潮湿林地或沟边草地。分布于广东连州、连南及肇庆（市区）等。

| 资源情况 | 野生资源一般。

张力提供

| **采收加工** | 夏、秋季采收，洗净，晒干。

| **功能主治** | 淡、甘、凉。清热，明目，止血。

| **用法用量** | 外用适量。

| **凭证标本号** | 440113240306001LY。

| **附　　注** | 广东分布有泥炭藓属植物 7 种 1 变种，包括国家二级重点保护植物多纹泥炭藓 *Sphagnum multifibrosum* X. J. Li & M. Zang，对各泥炭藓属植物需仔细识别。

真藓科 Bryaceae 大叶藓属 *Rhodobryum*

暖地大叶藓 *Rhodobryum giganteum* Paris

| 药 材 名 | 暖地大叶藓（药用部位：全草。别名：一把伞、茴心草、南大叶藓）。

| 形态特征 | 植物体大，稀疏丛生，绿色或黄绿色。地下茎匍匐，地上茎直立。叶大型，在直立茎先端莲座状集生，上部叶长舌状至匙形，上部明显宽于基部，尖部渐尖，分化边明显，叶边缘上部明显具双齿，中下部强烈背卷；中肋单一，及顶。雌雄异株。蒴柄长，孢蒴长棒状，台部不明显。

| 生境分布 | 生于海拔 500 ～ 1 500 m 的林下肥土或岩面薄土上。分布于广东乐昌、乳源、阳山、始兴、信宜、封开。

| 资源情况 | 野生资源一般。

| **采收加工** | 夏、秋季采收，晒干。

| **功能主治** | 辛、苦，平。养心安神，清肝明目。用于冠心病，高血压，神经衰弱，目赤，刀伤等。

| **用法用量** | 内服煎汤。外用适量，煎汤熏洗；或研末敷。

| **凭证标本号** | 440113240306002LY。

金发藓科 Polytrichaceae 金发藓属 *Polytrichum*

金发藓 *Polytrichum commune* Hedw.

| 药 材 名 | 金发藓（药用部位：全草。别名：土马鬃、千年松、一寸松）。

| 形态特征 | 植物体大型，稀疏或密集丛生，绿色至暗绿色。茎直立，基部常密生假根。叶干时平直贴茎，湿时伸展，基部鞘状，上部披针形，长 7 ~ 12 mm，边缘具锐齿；叶腹面栉片密生，栉片长与 5 ~ 9 细胞的总长相等，顶细胞略宽于下部细胞，先端明显内凹。中肋宽阔，突出于叶尖。蒴柄长 4 ~ 8 cm；孢蒴 4 棱，台部明显；蒴帽密被金黄色纤毛。

| 生境分布 | 生于山坡路边或林地。分布于广东乳源、怀集、封开、潮安。

| 资源情况 | 野生资源较丰富。

张力提供

| 采收加工 | 全年均可采收，洗净，晒干。

| 功能主治 | 苦，凉。清热解毒，凉血止血。

| 用法用量 | 内服煎汤。外用适量，研末敷。

| 凭证标本号 | 440983180729042LY、441223190502011LY。

蕨类植物

松叶蕨科 Psilotaceae 松叶蕨属 *Psilotum*

松叶蕨 *Psilotum nudum* (Linn.) P. Beauv.

| 药 材 名 | 石刷把（药用部位：全草。别名：松叶兰、石龙须、铁扫帚）。

| 形态特征 | 植株高 15 ~ 80 cm，全株无毛。根茎横行，圆柱形，仅具假根，二叉分枝。茎丛生，下部不分枝，上部多回二叉分枝；小枝三棱形，绿色，密生白色气孔。叶小，疏生于枝条棱角上，鳞片状，长 2 ~ 3 mm，无叶脉，能育叶与不育叶同大，先端 2 叉。孢子囊大，腋生，黄色，3 孢子囊聚生，呈圆球形，成熟时 3 孢子囊分别纵裂；孢子肾形。

| 生境分布 | 附生于潮湿的林中树干上或岩石裂缝处。分布于广东罗定、新兴、郁南、连州、连山、连南、博罗、惠东、乐昌、新丰、乳源及广州（市区）、深圳（市区）、云浮（市区）等。

| 资源情况 | 野生资源稀少。药材来源于野生。

| 采收加工 | 夏、秋季采收，洗净，晒干或鲜用。

| 药材性状 | 本品呈绿色。茎二叉分枝，干后扁缩，具棱，直径 2 ~ 3 mm。叶极小，三角形；能育叶阔卵形，2 叉。孢子囊生于叶腋，球形，3 孢子囊聚生。气微，味淡、微辛。以色绿、完整者为佳。

| 功能主治 | 辛，温。归心、肝、胃经。祛风除湿，活血止血。用于风湿痹痛，经闭，吐血，跌打损伤，风疹。

| 用法用量 | 内服煎汤，9 ~ 15g；或研末；或浸酒。外用适量，捣敷；或煎汤洗。

| 凭证标本号 | PE01785918。

| 附　　注 | 本种为孑遗物种，对研究植物系统与进化具有重要意义。由于本种生境不断被破坏，现本种野生资源已十分稀少，亟需重视对本种野生资源的保护和合理利用。

石杉科 Huperziaceae 石杉属 *Huperzia*

蛇足石杉 *Huperzia serrata* (Thunb.) Trev.

|药 材 名|

千层塔（药用部位：全草。别名：金不换、虱子草）。

|形态特征|

植株高 15 ~ 40 cm。根须状。茎直立或斜生，不分枝或多回二叉分枝，枝上部常有芽胞。叶螺旋状排列，披针形，长 1 ~ 3 cm，宽 2 ~ 5 mm，先端渐尖，基部楔形，边缘有不规则尖锯齿，中脉明显。叶纸质，能育叶和不育叶同形。孢子囊腋生，肾形，黄色。

|生境分布|

生于林下潮湿处。分布于广东阳春、高要、封开、英德、连州、阳山、连山、连南、博罗、龙门、揭西、饶平、大埔、丰顺、平远、蕉岭、源城、紫金、连平、和平、乐昌、南雄、始兴、仁化、翁源、乳源、新丰及广州（市区）、深圳（市区）、惠州（市区）、梅州（市区）等。

|资源情况|

野生资源较少。药材来源于野生。

| 采收加工 | 夏末秋初采收，除去泥土，晒干。

| 药材性状 | 本品暗绿色。根茎圆柱形，表面绿褐色，直径 1.5 ~ 3 mm，断面圆形或近圆形。茎上部通常分枝。叶大小不等，绿褐色，边缘有不整齐的锐锯齿。孢子囊黄色，肾形，光滑，成熟后易裂开。孢子圆球状四面体形。气微，味苦。

| 功能主治 | 苦、辛、微甘，平；有小毒。归肺、大肠、肝、肾经。散瘀止血，清热除湿。用于肺炎，肺痈，劳伤吐血，痔疮便血，带下，跌打损伤，肿毒，水湿臌胀，溃疡久不收口，烫火伤。

| 用法用量 | 内服煎汤，5 ~ 15 g；或捣汁。外用适量，煎汤洗；或捣敷；研末撒或调敷。

| 凭证标本号 | 441825190803009LY、441823190116003LY、441882180505045LY。

| 附　　注 | 石杉属所有种均为国家二级重点保护野生植物。

石杉科 Huperziaceae 马尾杉属 *Phlegmariurus*

龙骨马尾杉 *Phlegmariurus carinatus* (Desv.) Ching

|药材名|

大伸筋草（药用部位：全草。别名：马尾千金草、鹿角草、裤带藤）。

|形态特征|

植株长可达 1 m。茎簇生；成熟枝柔软下垂，一至多回二叉分枝，连叶直径 5 ~ 6 mm，圆柱形，绳索状。叶螺旋状排列，密覆枝上，钻形，长 8 ~ 10 mm，宽约 2 mm，先端渐尖，略内弯，基部楔形，全缘，有光泽，中脉不明显。孢子囊穗顶生；能育叶卵形，长约为不育叶的 2/3，宽大于不育叶；孢子囊腋生，圆肾形，黄色。

|生境分布|

附生于山脊、山谷、丘陵密林中石上或树干上。分布于广东阳春及茂名（市区）、云浮（市区）等。

|资源情况|

野生资源较少。药材来源于野生。

|采收加工|

全年均可采收，阴干。

| 药材性状 | 本品青绿色，细长，多分枝，质柔软，光滑，略有光亮。鳞叶排列紧密，不刺手。多无根部；如有根部残留，则可见黄白色或灰白色绵毛。以青色、干爽、长条者为佳。

| 功能主治 | 微苦，温；有小毒。祛风除湿，舒筋活络，消肿止痛。用于风湿痹痛，跌打损伤。

| 用法用量 | 内服煎汤，6 ~ 15 g；或浸酒。外用适量，捣敷。

| 凭证标本号 | PE01455877、HITBC053770。

| 附　　注 | 本种为国家二级重点保护野生植物。

石杉科 Huperziaceae 马尾杉属 *Phlegmariurus*

福氏马尾杉 *Phlegmariurus fordii* (Baker) Ching

| 药 材 名 |

麂子草（药用部位：全草）。

| 形态特征 |

植株长 20 ~ 30 cm。茎簇生；成熟枝柔软下垂，一至二回二叉分枝。叶螺旋状排列，基部扭曲成二列状，披针形，长 1 ~ 1.5 cm，宽 2 ~ 4 mm，先端渐尖，基部楔形，下延；植株下部叶的叶片多少抱茎，全缘，主脉明显，上部叶逐渐向能育叶过渡，能育部分较细瘦，能育叶与不育叶同形，但较小。孢子囊腋生，圆肾形，黄色。

| 生境分布 |

附生于树干或岩壁上。分布于广东信宜、阳春、阳山、惠阳、博罗、蕉岭、连平、和平、始兴、新丰及深圳（市区）、梅州（市区）等。

| 资源情况 |

野生资源较丰富。药材来源于野生。

| 采收加工 |

全年均可采收，去净杂质，阴干。

| 功能主治 | 苦，凉。祛风通络，消肿止痛，清热解毒。用于关节肿痛，四肢麻木，跌打损伤，咳喘，热淋，毒蛇咬伤。

| 用法用量 | 内服煎汤，3 ~ 9 g；或浸酒。外用适量，捣敷。

| 凭证标本号 | SZG00109804、SZG00109803、PE01455977。

| 附　　注 | 本种为国家二级重点保护野生植物。

石杉科 Huperziaceae 马尾杉属 *Phlegmariurus*

闽浙马尾杉 *Phlegmariurus mingcheensis* Ching

| 药 材 名 | 青丝龙（药用部位：全草）。

| 形态特征 | 植株高 6 ~ 16 cm。茎丛生，直立或上部略下弯，单一或一至多回二叉分枝。叶螺旋状排列，线状披针形，长 1 ~ 1.5 cm，宽 0.1 ~ 0.2 cm，先端渐尖，基部渐狭而收缩成短柄，有光泽，全缘，中脉明显。能育叶与不育叶同形而略小。孢子囊肾形，单生于叶腋。

| 生境分布 | 附生于山地林下潮湿岩石上或树干上。分布于广东封开、德庆、阳山、海丰、乐昌、新丰等。

| 资源情况 | 野生资源较少。药材来源于野生。

| 采收加工 | 全年均可采收，去净杂质，晒干或鲜用。

| 功能主治 | 苦，寒。清热解毒，消肿止痛。用于高热，头痛，咳嗽，泄泻，肿毒，头虱。

| 用法用量 | 内服煎汤，5 ~ 15 g。外用适量，捣敷。

| 凭证标本号 | PE01785884。

| 附　　注 | 本种为国家二级重点保护野生植物。

石杉科 Huperziaceae 马尾杉属 *Phlegmariurus*

有柄马尾杉 *Phlegmariurus petiolatus* (C. B. Clarke) H. S. Kung et L. B. Zhang

药材名

八股绳（药用部位：全草）。

形态特征

植株长 20 ～ 75 cm。茎簇生；成熟枝下垂，二至多回二叉分枝。叶螺旋状排列，斜展，椭圆形至椭圆状披针形，长 7 ～ 12 mm，宽 2 ～ 3 mm，先端钝尖，基部楔形下延，全缘，有光泽，明显具柄，主脉明显。孢子囊穗稍细瘦，顶生，二叉分枝；能育叶较不育叶小，椭圆状披针形，长 6 ～ 9 mm，宽约 1 mm，排列稀疏；孢子囊腋生，肾形，黄色。

生境分布

附生于溪旁、路边、山地林中树干或岩壁上。分布于广东阳山。

资源情况

野生资源较少。药材来源于野生。

采收加工

全年均可采收，晒干或鲜用。

| **功能主治** | 辛、微苦，微温。活血通络，利湿消肿。用于跌打损伤，腰痛，水肿。

| **用法用量** | 内服煎汤，2 ~ 9 g。外用适量，鲜品捣敷。

| **凭证标本号** | PE01785884、PE01785920。

| **附　　注** | 本种为国家二级重点保护野生植物。

石杉科 Huperziaceae 马尾杉属 *Phlegmariurus*

马尾杉 *Phlegmariurus phlegmaria* (Linn.) Holub

| 药 材 名 | 催产草（药用部位：全草。别名：牛尾草、六角草）。

| 形态特征 | 植株长 40 ~ 80 cm。茎簇生，细长，下垂，二至四回二叉分枝，侧枝等长。叶螺旋状排列，明显二型。不育叶卵状披针形，长 1 ~ 2 cm，基部宽 3 ~ 6 mm，心形或近心形，下延，有明显短柄，先端渐尖，全缘，扁平，主脉明显。孢子囊穗多数，通常多回分枝；能育叶圆三角形至卵状披针形，长约 1 mm；孢子囊腋生，肾形，黄色。

| 生境分布 | 附生于林中树干或岩石上。分布于广东信宜、海丰及茂名（市区）、阳江（市区），以及鼎湖山等。

| 资源情况 | 野生资源较少。药材来源于野生。

| **采收加工** | 全年均可采收，晒干或鲜用。

| **功能主治** | 淡，凉；有小毒。祛风除湿，清热解毒。用于风湿痹痛，跌打损伤，发热，咽痛，水肿，荨麻疹。

| **用法用量** | 内服煎汤，15 ～ 20 g；或浸酒。外用适量，捣敷；或煎汤洗。

| **凭证标本号** | PE01363943、PE01785918。

| **附　　注** | 本种为国家二级重点保护野生植物。

石松科 Lycopodiaceae 扁枝石松属 *Diphasiastrum*

扁枝石松 *Diphasiastrum complanatum* (Linn.) Holub

| 药 材 名 | 过江龙(药用部位：全草或孢子。别名：地刷子、铺地虎、地蜈蚣)。

| 形态特征 | 主茎长而匍匐；侧枝近直立，高 30 ~ 40 cm，扇状，多回二叉分枝，小枝扁平状，黄绿色。叶 4 行排列，密集，三角形，长 1 ~ 2 mm，宽约 1 mm，基部贴生，无柄，先端尖锐，全缘。能育枝远高出不育枝。能育叶宽卵形，覆瓦状排列，先端急尖，尾状，边缘膜质，具不规则锯齿，基部有柄；孢子囊腋生，内藏，肾形，棕黄色。

| 生境分布 | 生于山坡草地或林缘。分布于广东信宜、连山、连南、连平及梅州(市区)等。

| 资源情况 | 野生资源较少。药材来源于野生。

| 采收加工 | 全草，6 ~ 7 月采收，除去根茎、须根，晒干或鲜用。孢子，7 ~ 8 月小穗变黄、孢子成熟时采收，用 40 ℃以下的温度烘干，搓取孢子。

| 功能主治 | 辛、苦，温。归肝、膀胱经。祛风除湿，舒筋活血。用于风湿痹痛，手足麻木，跌打损伤，月经不调。

| 用法用量 | 内服煎汤，9 ~ 15 g；或浸酒。外用适量，捣敷；或煎汤洗。

| 凭证标本号 | PE01782012、PE01782011。

| 附　　注 | FOC 将本种置于石松属 *Lycopodium* 中。

石松科 Lycopodiaceae 藤石松属 *Lycopodiastrum*

藤石松 *Lycopodiastrum casuarinoides* (Spring) Holub

| 药 材 名 | 舒筋草（药用部位：全草。别名：伸筋草、灯笼草、千金藤）。

| 形态特征 | 攀缘草本，长可达 4 m。主茎下部叶疏生，钻状披针形，先端长渐尖，膜质，茎上部的叶较小。不育枝柔软下垂，黄绿色，多回二叉分枝，小枝扁平状，叶钻形；能育枝多回二叉分枝，叶鳞片状，末回分枝先端各生孢子囊穗 1。孢子囊穗圆柱形，长 2 ~ 7 cm，多少下垂；能育叶阔卵形；孢子囊腋生，内藏，近圆肾形，黄色。

| 生境分布 | 生于林下、林缘、灌丛中或沟边。广东各地均有分布。

| 资源情况 | 野生资源较丰富。药材来源于野生。

| 采收加工 | 夏、秋季采收，鲜用或晒干。

| 功能主治 | 微甘，平。归肝、肾经。祛风除湿，舒筋活血，明目，解毒。用于风湿关节痛，跌打损伤，筋骨疼痛，月经不调，脚转筋，夜盲症，盗汗，风湿腰痛，腰肌劳损，烫火伤，疮疡肿毒。

| 用法用量 | 内服煎汤，15 ~ 30 g；或浸酒。外用适量，煎汤洗；或捣敷。

| 凭证标本号 | 441825190502013LY、441523190615002LY、441622200922010LY。

石松科 Lycopodiaceae 石松属 *Lycopodium*

石松 *Lycopodium japonicum* Thunb. ex Murray

| 药 材 名 | 伸筋草（药用部位：全草。别名：过山龙、穿山藤、筋骨草）。

| 形态特征 | 主茎匍匐状；侧枝直立，多回二叉分枝。不育叶线状披针形，长 3 ~ 4 mm，先端渐尖并有易断落的长芒，全缘。能育枝高出不育枝 20 ~ 30 cm。孢子囊穗通常 3 ~ 6 生于能育枝先端，圆柱形，长 2 ~ 5 cm；能育叶三角状卵形，长约 3 mm，先端锐尖并呈芒状，边缘有不规则锯齿；孢子囊肾形，淡黄褐色，腋生；孢子同形。7 ~ 8 月孢子成熟。

| 生境分布 | 生于山地疏林、岩石旁或溪边酸性土壤中。分布于广东信宜、英德、阳山、惠阳、博罗、龙门、饶平、丰顺、平远、蕉岭、乐昌、乳源等。

| 资源情况 | 野生资源较丰富。药材来源于野生。

| 采收加工 | 夏、秋季茎叶茂盛时采收，除去杂质，晒干。

| 药材性状 | 本品为不规则的段。茎呈圆柱形，略弯曲。叶密生于茎上，螺旋状排列，皱缩弯曲，线形或针形，黄绿色至淡黄棕色，先端芒状，全缘。切面皮部浅黄色，木部类白色。气微，味淡。

| 功能主治 | 微苦、辛，温。归肝、脾、肾经。祛风除湿，舒筋活络。用于风寒湿痹，关节酸痛，皮肤麻木，四肢痿弱，水肿，跌打损伤，黄疸，咳嗽，疮疡，疱疹，烫伤。

| 用法用量 | 内服煎汤，9 ~ 15 g；或浸酒。外用适量，捣敷。

| 凭证标本号 | 440281190627038LY、441523190517018LY、441224180612038LY。

| 附　　注 | 2020 年版《中国药典》记载本种为伸筋草药材的基原。

石松科 Lycopodiaceae 垂穗石松属 *Palhinhaea*

垂穗石松 *Palhinhaea cernua* (Linn.) Vasc. & Franco

| 药 材 名 |

伸筋草（药用部位：全草。别名：灯笼草、灯笼石松、铺地蜈蚣）。

| 形态特征 |

植株高达 50 cm。主茎直立，淡绿色；基部小枝匍匐状，上部小枝多回二叉分枝，直立或呈弯弓状下垂，细弱。不育枝上的叶一型，线状钻形，长 2 ~ 4 mm，先端芒刺状，全缘，弯弓，质软。孢子囊穗单生于小枝先端，椭圆形或圆柱形，长 3 ~ 10 mm，无柄，成熟时通常下垂；能育叶阔卵形，先端渐尖，边缘流苏状；孢子囊腋生，圆肾形，黄色。

| 生境分布 |

生于阳光充足、潮湿的酸性土壤中。分布于广东除西南部雷州半岛以外的地区。

| 资源情况 |

野生资源丰富。药材来源于野生。

| 采收加工 |

夏季采收，连根拔起，去净泥土，晒干。

| 药材性状 | 本品上部多分枝，长 30 ~ 50 cm，或为短段，直径 1 ~ 2 mm，表面黄色或黄绿色。叶密生，线状钻形，长 2 ~ 3 mm，黄绿色或浅绿色，全缘，常向上弯曲，质薄，易碎。枝顶常有孢子囊穗，矩圆形或圆柱形，无柄，常下垂。气微，味淡。以色黄绿、无杂质者为佳。

| 功能主治 | 苦、辛，平。归肝、脾、肾经。祛风除湿，舒筋活血，止咳，解毒。用于风寒湿痹，关节酸痛，皮肤麻木，四肢痿弱，水肿，跌打损伤，黄疸，咳嗽，疮疡，疱疹，烫伤。

| 用法用量 | 内服煎汤，9 ~ 15 g；或浸酒。外用适量，捣敷。

| 凭证标本号 | 440281190426028LY、440783191102005LY、441825190504004LY。

卷柏科 Selaginellaceae 卷柏属 *Selaginella*

二形卷柏 *Selaginella biformis* A. Braun ex Kuhn

| 药 材 名 |

二形卷柏（药用部位：全草）。

| 形态特征 |

植株长达 40 cm。主茎横走或基部横卧而上部直立，禾秆色，四棱形，被灰白色柔毛。羽片约 20 对，向上斜出，一至二回羽状或一至二回分叉。茎生叶疏离，阔卵形，偏斜，长 0.8 ~ 1.5 mm，先端短尾状渐尖，边缘略具细齿，主脉明显；生于小枝上的不育叶二型，侧叶斜展，卵状椭圆形，偏斜，中叶阔卵形，偏斜，指向分枝的先端。孢子囊穗四棱形，长 5 ~ 10 mm；能育叶一型，卵形，呈龙骨状；孢子囊浅黄色。

| 生境分布 |

生于山谷溪边林下潮湿处。分布于广东德庆、连州、乳源及深圳（市区）等。

| 资源情况 |

野生资源丰富。药材来源于野生。

| 采收加工 |

全年均可采收，洗净，鲜用或晒干。

| **功能主治** | 清热解毒，泻火消肿。

| **用法用量** | 内服煎汤，9 ~ 15 g。外用适量，捣敷。

| **凭证标本号** | 441284191208728LY、441823191019026LY、441825190713006LY。

卷柏科 Selaginellaceae 卷柏属 *Selaginella*

蔓出卷柏 *Selaginella davidii* Franch.

|药 材 名| 小过江龙（药用部位：全草。别名：小过山龙、蔓生卷柏）。

|形态特征| 植株长 5 ~ 15 cm，无横走根茎或游走茎。主茎匍匐，近方形，无毛，多回分枝，各分枝基部生支撑根。不育叶二型，明显具白边，背、腹面各 2 列，腹叶（中叶）指向枝顶，长卵形，头锐尖或渐尖，背叶（侧叶）向两侧平展，卵状披针形，头钝尖，基部为不对称的心形，边缘膜质，白色，多少有睫毛状齿。孢子囊穗生于小枝先端，四棱形；能育叶一型，卵圆形，边缘有微齿；孢子囊圆形。

|生境分布| 生于山地林下潮湿处。分布于广东阳春、新兴、郁南、阳山及珠海（市区）等。

| 资源情况 | 野生资源丰富。药材来源于野生。

| 采收加工 | 秋季采收，洗净，晒干或鲜用。

| 功能主治 | 苦、微辛，微寒。归肺、肾经。清热利湿，舒筋活络。用于肝炎，腹泻，风湿性关节炎，烫伤，外伤出血，筋骨疼痛。

| 用法用量 | 内服煎汤，9 ~ 15 g；或浸酒，3 ~ 9 g。外用适量，煎汤洗；或捣敷。

| 凭证标本号 | 441823200722047LY。

卷柏科 Selaginellaceae 卷柏属 *Selaginella*

薄叶卷柏 *Selaginella delicatula* (Desv. ex Poir.) Alston

| 药 材 名 | 薄叶卷柏（药用部位：全草。别名：地柏、岩卷柏、地柏桠）。

| 形态特征 | 植株通常高 15 ~ 40 cm。主茎圆柱形，禾秆色，光滑，斜生或基部横卧而上部上升，多回分枝，于分枝处常生出支撑根。茎生叶疏离，椭圆形或卵形，头渐尖，基部心形，偏斜，二至三回羽状，羽片长 10 ~ 15 cm；不育叶二型，背叶椭圆形，长 2 ~ 3 mm，偏斜，全缘，有白色狭边，腹叶指向小枝先端，长卵形。孢子囊穗顶生，四棱形，长约 8 mm；能育叶一型，长卵形，具龙骨状突起；孢子囊浅黄色至浅棕色。

| 生境分布 | 生于林下或沟谷阴湿处。分布于广东信宜、阳春、博罗、惠东、龙门、蕉岭、连平、和平及韶关（市区）、云浮（市区）、茂名（市区）、

肇庆（市区）、清远（市区）、广州（市区）、深圳（市区）等。

| 资源情况 | 野生资源丰富。药材来源于野生。

| 采收加工 | 全年均可采收，鲜用或晒干。

| 药材性状 | 本品卷缩成团，须根多数。茎呈圆柱形，长 20 ~ 40 cm，直径约 1 mm，上部分枝，表面黄绿色，质脆，易断。叶二型，背、腹面各 2 列，皱缩卷曲，腹叶长卵形，明显内弯，背叶长圆形，两侧稍不等。有时可见顶生的孢子囊穗。无臭，味淡。

| 功能主治 | 苦、辛，寒。清热解毒，活血，祛风。用于肺热咳嗽或咯血，肺痈，急性扁桃体炎，乳腺炎，结膜炎，漆疮，烫火伤，月经不调，跌打损伤，小儿惊风，麻疹，荨麻疹。

| 用法用量 | 内服煎汤，10 ~ 30 g。外用适量，鲜品捣敷；或煎汤洗；或干品研末撒。

| 凭证标本号 | 441825190927020LY、441284191208729LY、441823190612033LY。

卷柏科 Selaginellaceae 卷柏属 *Selaginella*

深绿卷柏 *Selaginella doederleinii* Hieron.

| 药 材 名 | 石上柏（药用部位：全草。别名：地侧柏、梭罗草）。

| 形态特征 | 植株高 15 ~ 35 cm。主茎直立或斜升，具棱，禾秆色，多回分枝，常在分枝处生出支撑根。不育叶二型；侧叶在小枝上呈覆瓦状排列，矩状椭圆形，两侧不对称，长 4 ~ 5 mm，宽约 2 mm，先端急尖，斜展，中叶长卵形，具龙骨状突起，先端渐尖，具短刺头，指向上方，边缘有微齿。孢子囊穗生于小枝先端，四棱形，长 1 ~ 2.5 cm；能育叶一型，三角状卵形，渐尖，龙骨状；孢子囊近球形。

| 生境分布 | 生于林下湿地、溪边或石上。分布于广东阳春、怀集、德庆、惠阳、博罗、龙门、揭西、紫金、连平、和平及韶关（市区）、茂名（市区）、云浮（市区）、梅州（市区）、清远（市区）、广州（市区）、深

圳（市区）等。

| 资源情况 | 野生资源丰富。药材来源于野生。

| 采收加工 | 全年均可采收，洗净，鲜用或晒干。

| 功能主治 | 甘、微苦、涩，凉。清热解毒，祛风除湿。用于咽喉肿痛，目赤肿痛，肺热咳嗽，乳腺炎，湿热黄疸，风湿痹痛，外伤出血。

| 用法用量 | 内服煎汤，10 ~ 30 g，鲜品加倍。外用适量，研末敷；或鲜品捣敷。

| 凭证标本号 | 440281190427041LY、440281190625023LY、440783190718009LY。

卷柏科 Selaginellaceae 卷柏属 *Selaginella*

疏松卷柏 *Selaginella effusa* Alston

| 药材名 | 疏松卷柏（药用部位：全草）。

| 形态特征 | 茎直立，高 10 ~ 45 cm，无匍匐茎或游走茎；主茎有支撑根，自下部开始羽状分枝。叶二型，在枝两侧及中间各有 2 行；侧叶斜卵形，长 2 ~ 3 mm，宽 1.5 ~ 2 mm，两侧不等，先端钝圆，基部为偏斜心形，近全缘，中叶卵状披针形，长约 2 mm，宽约 1 mm，先端具长芒，基部圆形，全缘。孢子囊穗 1 或 2，生于小枝先端，长 3 ~ 7 mm；能育叶同型，披针形，有龙骨状突起，先端锐尖，略有齿；孢子囊圆肾形；孢子异型。

| 生境分布 | 生于山谷溪边林下。分布于广东怀集、封开、英德、惠东、乐昌及肇庆（市区）等。

| 资源情况 | 野生资源较少。药材来源于野生。

| 采收加工 | 夏、秋季采收，鲜用或晒干。

| 功能主治 | 微苦，平。归心、大肠、胆经。清热利湿，解毒。用于肝炎，痢疾，痈疖。

| 用法用量 | 内服煎汤，9 ~ 15 g。外用适量，鲜品捣敷。

| 凭证标本号 | PE01857892、PE01866083。

卷柏科 Selaginellaceae 卷柏属 *Selaginella*

异穗卷柏 *Selaginella heterostachys* Baker

| 药 材 名 | 异穗卷柏（药用部位：全草）。

| 形态特征 | 植株长约 20 cm。主茎基部匍匐，向上斜升，纤细，禾秆色，节下生出不定根。茎生叶 2 列，疏生，卵形，边缘有小齿，茎连叶宽 3 ~ 5 mm。生于小枝的不育叶具白色膜质边，二型：侧叶阔卵形，偏斜，长约 2.5 mm，宽约 1.5 mm，尖头，基部近心形，中叶斜长卵形，先端长渐尖，基部圆楔形。孢子囊穗通常单生于小枝先端，长 5 ~ 10 mm；能育叶二型；侧叶较狭，椭圆状披针形，中叶长卵形；通常大孢子囊位于囊穗下部，小孢子囊位于囊穗上部。

| 生境分布 | 生于林下或石壁上。分布于广东连山、英德及江门（市区）、中山（市区）、深圳（市区）、东莞（市区）等。

| 资源情况 | 野生资源较少。药材来源于野生。

| 采收加工 | 夏、秋季采收，晒干或鲜用。

| 功能主治 | 微涩，凉。归肝经。清热解毒，凉血止血。用于蛇咬伤，外伤出血。

| 用法用量 | 内服煎汤，9 ~ 15 g。外用适量，研末敷。

| 凭证标本号 | 441823200708055LY。

卷柏科 Selaginellaceae 卷柏属 *Selaginella*

兖州卷柏 *Selaginella involvens* (Sw.) Spring

| 药 材 名 | 兖州卷柏（药用部位：全草。别名：石卷柏、鹿茸草）。

| 形态特征 | 植株高达 50 cm。主茎细长，直立，仅基部生根，下部不分枝，主茎不外露，上部数回分枝；分枝圆柱形，不具棱；羽片密生，长三角形、卵状披针形或线形，小羽片多回羽状分枝，末回小枝连叶宽 2 ~ 3 mm。小枝上的不育叶二型；侧叶卵状披针形，长 1.5 ~ 2.5 mm，中叶长为侧叶的 1/3，呈斜卵形。孢子囊穗四棱形，长 5 ~ 8 mm，单生于小枝先端；能育叶卵形，先端渐尖并有短芒，主脉明显，背部具龙骨状突起。

| 生境分布 | 生于山地林下潮湿处。分布于广东阳春、阳山、惠东、平远、连平、乐昌、始兴、仁化及肇庆（市区）等。

| 资源情况 | 野生资源丰富。药材来源于野生。

| 采收加工 | 全年均可采收，晒干或鲜用。

| 功能主治 | 淡、微苦，凉。归肺、肝、脾经。清热利湿，止咳，止血，解毒。用于湿热黄疸，痢疾，水肿，腹水，淋证，痰湿咳嗽，咯血，吐血，便血，崩漏，外伤出血，乳痈，瘰疬，痔疮，烫伤。

| 用法用量 | 内服煎汤，15 ~ 30 g，鲜品 30 ~ 60 g。外用适量，研末敷；或鲜品捣敷。

| 凭证标本号 | 441882181130006LY、441623180626032LY、441622200910014LY。

| 附　　注 | 本品在《本草图经》中被作为卷柏的一种，因其产于兖州，故名“兖州卷柏”。

卷柏科 Selaginellaceae 卷柏属 *Selaginella*

细叶卷柏 *Selaginella labordei* Hieron. ex Christ

| 药 材 名 | 细叶卷柏（药用部位：全草。别名：地柏枝、心基卷柏）。

| 形态特征 | 植株高 10 ～ 20 cm。主茎斜升，深禾秆色，节下生不定根，分枝向上生长。茎生叶疏生，一型，阔卵形，头钝，边缘有微齿；生于小枝的不育叶二型，侧叶长卵形，长约 2.5 mm，宽约 1 mm，先端急尖，中叶卵形，长约 1.5 mm，具芒刺头，基部深心形，偏斜。孢子囊穗生于小枝先端，扁平，长 3 ～ 10 mm；能育叶二型，侧叶较大，斜向上，卵状披针形，长约 1 mm，中叶三角状卵形，龙骨状；大孢子囊近球形，生于囊穗下部，小孢子囊圆肾形，生于囊穗上部。

| 生境分布 | 生于山谷溪边林下潮湿处。分布于广东紫金、乐昌、乳源等。

| 资源情况 | 野生资源较少。药材来源于野生。

| 采收加工 | 全年均可采收，晒干或鲜用。

| 功能主治 | 微苦，凉。归肺、肝、脾、大肠经。清热利湿，平喘，止血。用于小儿高热惊风，肝炎，胆囊炎，泄泻，疳积，哮喘，肺痨咯血，月经过多，外伤出血。

| 用法用量 | 内服煎汤，9 ~ 15 g，大剂量可用至 30 g。外用适量，捣敷。

| 凭证标本号 | 440224190609052LY。

卷柏科 Selaginellaceae 卷柏属 *Selaginella*

江南卷柏 *Selaginella moellendorffii* Hieron.

| 药 材 名 | 地柏枝（药用部位：全草。别名：石柏、岩柏草、百叶卷柏）。

| 形态特征 | 植株高约 50 cm。主茎直立，圆柱形，禾秆色，仅基部生根，下部不分枝，上部多回分枝；茎轴常外露。茎生叶卵形，疏生；生于小枝的不育叶二型，侧叶斜展，三角状卵形，长 2 ~ 3 mm，宽约 1 mm，先端短尖，基部圆截形，边缘具微齿并有白色膜质狭边，中叶斜卵形，长约 1 mm，宽约 0.7 mm，先端渐尖，指向上方。孢子囊穗单生于小枝先端，四棱形，长 4 ~ 10 mm；能育叶一型，宽卵形，长约 1.5 mm，先端长渐尖，背部具龙骨状突起。

| 生境分布 | 生于山地林下潮湿处。分布于广东阳春、封开、饶平、蕉岭及河源（市区）、韶关（市区）、云浮（市区）、肇庆（市区）、清远（市

区）、珠海（市区）、深圳（市区）等。

| 资源情况 | 野生资源丰富。药材来源于野生。

| 采收加工 | 7 月（大暑前后）拔取全草，抖净根部泥沙，洗净，鲜用或晒干。

| 药材性状 | 本品根茎灰棕色，屈曲，根自其左右发出，纤细，具根毛。茎禾秆色或基部稍带红色，高 10 ~ 40 cm，直径 1.5 ~ 2 mm，下部不分枝，疏生钻状三角形叶，叶贴伏于上，上部分枝羽状。叶多扭曲、皱缩，上表面淡绿色，下表面灰绿色，二型；枝两侧的叶为卵状披针形，大小近茎上叶，贴生于小枝中央的叶较小，卵圆形，先端尖。孢子囊穗少见。茎质柔韧，不易折断；叶质脆，易碎。气微，味淡。以体整、色绿、无杂质者为佳。

| 功能主治 | 辛、微甘，平。归肝、胆、肺经。止血，清热，利湿。用于肺热咯血，吐血，衄血，便血，痔疮出血，外伤出血，发热，小儿惊风，湿热黄疸，淋病，水肿，烫火伤。

| 用法用量 | 内服煎汤，15 ~ 30 g，大剂量可用至 60 g。外用适量，研末敷；或鲜品捣敷。

| 凭证标本号 | 440783200425002LY、441523190921055LY、441823200707008LY。

卷柏科 Selaginellaceae 卷柏属 *Selaginella*

伏地卷柏 *Selaginella nipponica* Franch. et Sav.

| 药 材 名 | 小地柏（药用部位：全草。别名：六角草、宽叶卷柏、接筋藤）。

| 形态特征 | 植株高 5 ~ 12 cm。茎纤细，匍匐蔓生，处处生根，植株呈苔藓状。叶二型，互生，在枝两侧及中间各有 2 行，排列稀疏；侧叶斜卵形，长 2 ~ 3 mm，宽 0.8 ~ 1 mm，先端渐尖，基部斜心形，边缘有细齿，中叶与侧叶相似而较狭，长 1.5 ~ 2 mm，宽 0.5 ~ 0.7 mm。生孢子的小枝直立，高 4 ~ 10 cm，孢子囊生在枝上部叶腋，不形成特化的孢子囊穗；孢子囊卵圆形，大孢子囊位于下部，小孢子囊位于上部；孢子二型。

| 生境分布 | 生于山地林下潮湿处。分布于广东乐昌。

| 资源情况 | 野生资源较少。药材来源于野生。

| 采收加工 | 夏、秋季采收，晒干。

| 功能主治 | 微苦，凉。止咳平喘，止血，清热解毒。用于咳嗽气喘，吐血，痔疮出血，外伤出血，淋证，烫火伤。

| 用法用量 | 内服煎汤，9 ~ 15 g。外用适量，研末撒。

| 凭证标本号 | HUST00001304。

卷柏科 Selaginellaceae 卷柏属 *Selaginella*

垫状卷柏 *Selaginella pulvinata* (Hook. et Grev.) Maxim.

| 药 材 名 | 卷柏（药用部位：全草。别名：还魂草、长生不死草、神仙一把抓）。

| 形态特征 | 植株主茎极短；侧枝多密集簇生而呈垫状，干时则内卷，呈球状，2 ~ 3 回羽状分枝。不育叶二型；茎背面的叶较大，向上斜展，阔卵形，两侧近对称，长达 2.5 mm，宽达 1.2 mm，茎腹面的叶呈斜卵形，长达 2 mm，宽达 0.8 mm，两侧不对称，外侧较宽，先端直指枝顶，两侧边缘均向下卷曲。孢子囊穗生于小枝先端，四棱形，长达 2 cm；能育叶一型，三角状长卵形，不具白边，边缘撕裂状，具睫毛。

| 生境分布 | 生于山地潮湿石上。分布于广东阳春、阳西等。

| 资源情况 | 野生资源较少。药材来源于野生。

| 采收加工 | 全年均可采收，除去须根和泥沙，晒干。

| 药材性状 | 本品须根多散生。腹叶 2 行，卵状披针形，直向上排列。叶片左右两侧不等大，内缘较平直，外缘常因内折而加厚，呈全缘状。质脆，易折断。气微，味淡。

| 功能主治 | 辛，平。归肝、心经。活血通经。用于经闭，痛经，癥瘕痞块，跌扑损伤。

| 凭证标本号 | 440783200312005LY。

| 附　　注 | 2020 年版《中国药典》记载本种为卷柏药材的基原之一。

卷柏科 Selaginellaceae 卷柏属 *Selaginella*

疏叶卷柏 *Selaginella remotifolia* Spring

| 药 材 名 | 蜂药（药用部位：全草。别名：翠云草、翠羽草、石打穿）。

| 形态特征 | 植株长 10 ~ 25 cm。主茎匍匐，多少斜升，禾秆色，节下常生不定根，无明显的支撑根，羽状分枝。不育叶二型：侧叶椭圆形，长 1.5 ~ 2 mm，具尖头，基部圆形，边缘具膜质白边和缘毛状小齿，中叶长卵形，先端渐尖，无芒，边缘有小齿，白边不明显。孢子囊穗单生于小枝先端，四棱形，长约 1 cm；能育叶长卵形，背部具龙骨状突起，先端长渐尖，边缘具小齿。

| 生境分布 | 生于山谷溪边林下、沟谷岩石上。分布于广东阳山。

| 资源情况 | 野生资源较少。药材来源于野生。

| 采收加工 | 全年均可采收，晒干或鲜用。

| 功能主治 | 淡，凉。归肺经。祛痰止咳，解毒消肿，凉血止血。用于肺热咳嗽，痔疮，疮毒，烧伤，蜂蜇伤，出血症。

| 用法用量 | 内服煎汤，10 ~ 30 g。外用适量，捣敷；或塞鼻。

| 凭证标本号 | 440783200312005LY。

卷柏科 Selaginellaceae 卷柏属 *Selaginella*

卷柏 *Selaginella tamariscina* (Beauv.) Spring

|药材名| 卷柏（药用部位：全草。别名：九死还魂草、回阳草、长生草）。

|形态特征| 植株高可达 20 cm，呈莲座状。主茎直立，粗壮，通常不分枝，基部生须根，顶部丛生小枝，小分枝 2 ~ 3 回扇形分叉。叶异形；小枝的不育叶二型；侧叶斜向上，长卵形，长 1 ~ 3 mm，先端长芒状，有白色膜质狭边并有微齿，中叶卵状披针形，长 1 ~ 2 mm，基部偏斜，极斜向上。孢子囊穗生于枝顶，四棱形，长约 1 cm；能育叶三角状卵形，具龙骨状突起，4 行交互排列；孢子囊圆肾形。

|生境分布| 生于山地潮湿岩石上。分布于广东阳春、连州、平远、紫金、仁化及茂名（市区）、深圳（市区）等。

| 资源情况 | 野生资源较少。药材来源于野生。

| 采收加工 | 全年均可采收，除去须根和泥沙，晒干。

| 药材性状 | 本品卷缩似拳，长 3 ~ 10 cm。枝丛生，扁而有分枝，绿色或棕黄色，向内卷曲，枝上密生鳞片状小叶。叶先端具长芒，中叶 2 行，卵状矩圆形，斜向上排列，叶缘膜质，有不整齐的细锯齿，侧叶背面的膜质边缘常呈棕黑色。基部残留棕色至棕褐色须根，须根散生或聚生成短干状。质脆，易折断。气微，味淡。

| 功能主治 | 辛，平。归肝、心经。活血通经。用于经闭，痛经，癥瘕痞块，跌扑损伤。

| 用法用量 | 内服煎汤，5 ~ 10 g。外用适量，研末敷。

| 凭证标本号 | 441523190403062LY、441823190927002LY。

| 附　　注 | 2020 年版《中国药典》记载本种为卷柏药材的基原之一。

卷柏科 Selaginellaceae 卷柏属 *Selaginella*

粗叶卷柏 *Selaginella trachyphylla* A. Br.

| 药材名 | 粗叶卷柏（药用部位：全草。别名：肺筋草、石上柏、凤尾草）。

| 形态特征 | 植株高 25 ~ 35 cm。主茎直立，基部生根，常在分枝处生出支撑根；侧枝密，多回分枝。不育叶二型：侧叶在茎上的接近，在小枝上的密接，通常呈覆瓦状，矩状椭圆形，长约 3 mm，两侧不对称，具急尖头，上面粗糙，具短刺状毛，斜展，中叶长椭圆形或长卵形，龙骨状，先端长刺状渐尖，指向上方。孢子囊穗生于小枝先端，四棱形，长约 2 cm；能育叶三角状卵形，具龙骨状突起，4 列，覆瓦状排列。

| 生境分布 | 生于山谷溪边林下。分布于广东阳春、惠阳、大埔及江门（市区）、汕头（市区）等。

| 资源情况 | 野生资源一般。药材来源于野生。

| 采收加工 | 全年均可采收，晒干。

| 功能主治 | 淡，凉。归肝、肺、心经。清热止咳，凉血止血。用于肺热咳嗽，肺痨，便血，痢疾，烫火伤，刀伤出血。

| 用法用量 | 内服煎汤，10 ~ 20 g。外用适量，研末敷。

| 凭证标本号 | SZG00109491、PE01871060。

卷柏科 Selaginellaceae 卷柏属 *Selaginella*

翠云草 *Selaginella uncinata* (Desv.) Spring

| 药 材 名 | 翠云草（药用部位：全草。别名：蓝地柏、伸脚草、绿绒草）。

| 形态特征 | 植株伏地蔓生，长 30 ~ 60 cm。主茎纤细，横走，节部生不定根，羽状分枝，分枝向上伸展。茎生叶较大，椭圆形，基部心形，偏斜，全缘并有透明白边。小枝上的不育叶排列成平面，在隐蔽的环境中常显浅蓝绿色的荧光光泽，二型：侧叶斜展，长卵形或矩圆形，长 2 ~ 3 mm，宽 1.2 ~ 3 mm，中叶长卵形，大小约为侧叶的 1/2。孢子囊穗单生于小枝先端，四棱形，长 6 ~ 10 mm；能育叶卵状披针形，长约 2 mm，具龙骨状突起；孢子囊圆肾形。

| 生境分布 | 生于山地林下潮湿处或阴湿的石灰岩上。分布于广东阳春、封开、龙门、大埔、平远、紫金、连平、和平及韶关（市区）、江门（市

区）、肇庆（市区）、清远（市区）、深圳（市区）等。

| 资源情况 | 野生资源丰富。药材来源于野生。

| 采收加工 | 全年均可采收，洗净，鲜用或晒干。

| 功能主治 | 淡、微苦，凉。清热利湿，解毒，止血。用于黄疸，痢疾，泄泻，水肿，淋病，筋骨疼痛，吐血，咯血，便血，外伤出血，痔漏，烫火伤，蛇咬伤。

| 用法用量 | 内服煎汤，10 ~ 30 g，鲜品可用至 60 g。外用适量，研末调敷；或鲜品捣敷。

| 凭证标本号 | 440281200708026LY、441284191005743LY、441823190615005LY。

木贼科 Equisetaceae 木贼属 *Equisetum*

节节草 *Equisetum ramosissimum* Desf.

| 药 材 名 | 笔筒草（药用部位：全草。别名：笔头草、通气草、木贼草）。

| 形态特征 | 植株高 20 ~ 60 cm。根茎横走，黑褐色。茎直立，中空，直径 1 ~ 3 mm，表面有纵棱 6 ~ 20，粗糙，中部以下多分枝，分枝常具 2 ~ 5 小枝。叶轮生，退化成漏斗状的鞘筒，长约为直径的 2 倍；鞘筒顶部裂为狭齿，鞘齿三角形，多为灰白色。孢子囊穗紧密，顶生，椭圆形，无柄，长 0.5 ~ 2 cm，有小尖头。

| 生境分布 | 生于路边、山坡草丛、溪边、池沼边等。分布于广东阳春、郁南、怀集、封开、龙门、大埔、丰顺、平远、连平、和平及韶关（市区）、清远（市区）、深圳（市区）、惠州（市区）、茂名（市区）、云浮（市区）等。

| 资源情况 | 野生资源丰富。药材来源于野生。

| 采收加工 | 夏、秋季采挖，洗净，鲜用或于通风处阴干。

| 药材性状 | 本品茎灰绿色，基部多分枝，长短不等，直径 1 ~ 2 mm，中部以下节处有 2 ~ 5 小枝，表面粗糙，有肋棱 6 ~ 20，棱上有 1 列小疣状突起。叶鞘筒漏斗状，长约为直径的 2 倍，先端有尖三角形裂齿，灰黑色，边缘膜质。质脆，易折断，断面中央有小孔洞。气微，味淡、微涩。

| 功能主治 | 甘、苦，微寒。归心、肝、胃、膀胱经。清热，明目，止血，利尿。用于风热感冒，咳嗽，目赤肿痛，云翳，鼻衄，尿血，肠风下血，淋证，黄疸，带下，骨折。

| 用法用量 | 内服煎汤，9 ~ 30 g，鲜品 30 ~ 60 g。外用适量，捣敷；或研末撒。

| 凭证标本号 | 440281190626006LY、440281200706015LY、441825190801079LY。

木贼科 Equisetaceae 木贼属 *Equisetum*

笔管草

Equisetum ramosissimum Desf. subsp. *debile* (Roxb. ex Vaucher) Hauke

| 药 材 名 | 驳骨草（药用部位：全草。别名：木贼、豆根草、笔塔草）。

| 形态特征 | 植株通常高 60 cm 以上。根茎横走，黑褐色。茎不分枝或具少数不规则分枝，直径 3 ~ 7 mm，中空，表面有纵棱 6 ~ 30，分枝常具 1 ~ 3 小枝，稀具 4 ~ 5 小枝；鞘筒长约与直径相等，略扩大，绿色，鞘齿狭三角形，上部膜质，淡棕色，脱落后留下截形基部而使鞘筒顶部近全缘。孢子囊穗顶生，椭圆形，长 1 ~ 2.5 cm，先端短尖或小凸尖。

| 生境分布 | 生于河边或山涧旁的卵石缝隙中或湿地。分布于广东信宜、阳春、罗定、新兴、怀集、龙门、丰顺、蕉岭、连平、和平及韶关（市区）、肇庆（市区）、清远（市区）、珠海（市区）等。

| 资源情况 | 野生资源丰富。药材来源于野生。

| 采收加工 | 秋季选择身老体大者采挖，洗净，鲜用或晒干。

| 药材性状 | 本品茎淡绿色至黄绿色，长约 50 cm，有细长分枝，表面粗糙，有纵沟，节间长 5 ~ 8 cm，中空。叶鞘呈短筒状，紧贴于茎，鞘肋背面平坦，鞘齿膜质，先端具钝头，基部平截，有一黑色细圈。气微，味淡。

| 功能主治 | 甘、微苦，凉。归肺、肝、脾、大肠经。明目，清热，利湿，止血。用于目赤胀痛，翳膜遮睛，淋病，黄疸性肝炎，尿血，崩漏。

| 用法用量 | 内服煎汤，9 ~ 15 g，鲜品 15 ~ 30 g。

| 凭证标本号 | 441324181106033LY、441823190928005LY、441623180627041LY。

七指蕨科 Helminthostachyaceae 七指蕨属 *Helminthostachys*

七指蕨 *Helminthostachys zeylanica* (Linn.) Hook.

| 药 材 名 | 入地蜈蚣（药用部位：全草或根茎。别名：倒地蜈蚣、假七叶一枝花、七叶一枝枪）。

| 形态特征 | 植株高 30 ~ 60 cm。托叶圆形，淡棕色，长约 7 mm；不育叶通常为掌状 3 裂，长、宽均为 12 ~ 25 cm，每裂片由 1 顶生羽片及 1 ~ 2 对侧生羽片组成，基部略具短柄；末回羽片披针形，长 7 ~ 15 cm，宽 2 ~ 4 cm，先端尖，基部楔形，全缘或略具齿；叶脉分离。孢子囊穗从不育叶的基部生出，圆柱形，长 7 ~ 20 cm，宽约 1 cm，柄与穗几等长；孢子囊球形，无柄，几枚聚生于囊托上。

| 生境分布 | 生于山地林下潮湿处。分布于广东鼎湖山。

| 资源情况 | 野生资源稀少。药材来源于野生。

| 采收加工 | 夏、秋季采挖，洗净，切段，晒干或鲜用。

| 药材性状 | 本品根茎外面紫红色，内面白色，具多数肉质粗根，形似蜈蚣。叶片由 3 裂的不育叶和 1 孢子囊穗组成，自柄端彼此分离，不育叶三等分。叶薄草质，无毛，干后呈绿色或褐绿色。

| 功能主治 | 苦、微甘，凉。归肺、肝经。清肺化痰，散瘀解毒。用于劳热咳嗽，咽痛，跌打肿痛，痈疮，毒蛇咬伤。

| 用法用量 | 内服煎汤，9 ~ 15 g。外用适量，捣敷。

阴地蕨科 Botrychiaceae 阴地蕨属 *Botrychium*

华东阴地蕨 *Botrychium japonicum* (Prantl) Underw

| 药 材 名 |

华东阴地蕨（药用部位：全草或根茎。别名：日本阴地蕨、满天云）。

| 形态特征 |

植株高 35 ~ 60 cm。根茎短粗，直立，有肉质粗根。叶 2 裂；不育叶有长柄，长 10 ~ 15 cm，叶片略呈五角形，草质，长 12 ~ 20 cm，宽 15 ~ 18 cm，先端短而渐尖，3 回羽状分裂，羽片约 6 对，最下面 1 对羽片最大，有柄，末回小羽片或裂片为椭圆形，边缘有整齐的尖锯齿，叶脉明显，直达锯齿；能育叶自总柄抽出，其柄常高出不育叶。孢子囊穗圆锥状，长可达 10 cm，二回羽状；孢子囊圆球形，无柄，横裂。

| 生境分布 |

生于山地林下阴湿处。分布于广东乳源、乐昌及罗浮山等。

| 资源情况 |

野生资源较少。药材来源于野生。

| 采收加工 |

全草，夏、秋季采收，洗净，晒干或鲜用。

根茎，秋季采挖，洗净，除去须根，晒干。

| 功能主治 | 甘、苦，微寒。归肝、肺经。清肝明目，化痰消肿。用于目赤肿痛，小儿高热抽搐，咳嗽，吐血，瘰疬，痈疮。

| 用法用量 | 内服煎汤，9 ~ 15 g。外用适量，捣敷。

| 附　　注 | 本种的拉丁学名已修订为 *Sceptridium japonicum* (Prantl) Y. X. Lin。

阴地蕨科 Botrychiaceae 阴地蕨属 *Botrychium*

阴地蕨 *Botrychium ternatum* (Thunb.) Sw.

|药 材 名|

阴地蕨（药用部位：全草。别名：黄连七、冬草、独脚蒿）。

|形态特征|

植株高 20 cm 以上。根茎粗壮，肉质，有多数纤维状肉质根。不育叶叶柄长 3 ~ 8 cm；叶片阔三角形，长 8 ~ 10 cm，宽 10 ~ 12 cm，3 回羽状分裂；侧生羽片 3 ~ 4 对，基部 1 对羽片最大，有长柄，呈长三角形，其上各羽片渐次无柄，呈披针形，裂片长卵形至卵形，宽 0.3 ~ 0.5 cm，有细锯齿；叶面无毛，质厚；能育叶有长柄，长 12 ~ 25 cm。孢子囊穗集成圆锥状，长 5 ~ 10 cm，3 ~ 4 回羽状分枝；孢子囊无柄，黄色，沿小穗内侧排列成 2 行，横裂。

|生境分布|

生于山地林下阴湿处。分布于广东信宜、英德、连州、连山、乐昌、新丰、乳源等。

|资源情况|

野生资源较少。药材来源于野生。

| 采收加工 | 冬季至翌年春季连根挖取，洗净，鲜用或晒干。

| 药材性状 | 本品根茎长 0.5 ~ 1 cm，直径 2 ~ 3.5 mm，表面灰褐色，下部簇生数条须根。根长约 5 cm，直径 2 ~ 3 mm，常弯曲，表面黄褐色，具横向皱纹；质脆易断，断面白色，粉性。总叶柄长 2 ~ 4 cm，表面棕黄色，基部有褐色的干缩鞘，不育叶叶柄直径 1 ~ 2 mm，三角状而扭曲，具纵条纹，淡红棕色；叶片卷缩，黄绿色或灰绿色，展开后呈阔三角形，3 回羽状分裂，叶脉不明显。能育叶柄黄绿色或淡红棕色；孢子囊穗棕黄色。气微，味微甘而微苦。以根多、叶绿者为佳。

| 功能主治 | 甘、苦，微寒。归肺、肝经。清热解毒，平肝息风，止咳，止血，明目去翳。用于小儿高热惊搐，肺热咳嗽，咯血，百日咳，癫狂，痫疾，疮疡肿毒，瘰疬，毒蛇咬伤，目赤火眼，目生翳障。

| 用法用量 | 内服煎汤，6 ~ 12 g，鲜品 15 ~ 30 g。外用适量，捣敷。

| 凭证标本号 | 440232160924009LY。

瓶尔小草科 Ophioglossaceae 瓶尔小草属 *Ophioglossum*

尖头瓶尔小草 *Ophioglossum pedunculosum* Desv.

| 药 材 名 |

一支箭（药用部位：全草。别名：青藤、蛇咬子、有梗瓶尔小草）。

| 形态特征 |

植株高 15 ~ 25 cm。根茎短而直立，簇生肉质粗根。常有叶 2 ~ 3；总叶柄长 4 ~ 10 cm，纤细；不育叶卵形，长 2 ~ 4 cm，宽 1 ~ 2.5 cm，具急尖头或近钝头，基部圆楔形，全缘，叶柄长 3 ~ 10 mm，两侧有狭翅，网脉明显；能育叶长 6 ~ 20 cm，自不育叶的基部生出，高出不育叶 1 倍以上。孢子囊穗长 2 ~ 4 cm，线形，直立，先端具突尖。

| 生境分布 |

生于开阔的山坡灌丛。分布于广东阳春、连州、博罗、乳源及广州（市区）等。

| 资源情况 |

野生资源较少。药材来源于野生。

| 采收加工 |

春、夏季采挖，除去泥土，洗净，阴干或鲜用。

| 药材性状 | 本品呈卷缩状。根茎短。根圆柱形，弯曲，黄棕色。叶 2 ~ 3；不育叶展开后呈卵圆形，草质，表面绿黄色，叶脉网状。孢子囊穗条形，先端尖，从总柄先端生出，有长 8 ~ 15 cm 的柄。质柔软，难折断。气微，味淡。

| 功能主治 | 苦、甘，微寒。归肝经。清热解毒，活血散瘀。用于痈肿疮毒，疥疮身痒，跌打损伤，瘀血肿痛，毒蛇咬伤，烫火伤，瘀滞腹痛。

| 用法用量 | 内服煎汤，15 ~ 30 g。外用适量，鲜品捣敷；或煎汤洗；或研末敷。

| 附　　注 | FOC 将本种归并至心叶瓶尔小草 *Ophioglossum reticulatum* Linn.。

瓶尔小草科 Ophioglossaceae 瓶尔小草属 *Ophioglossum*

心叶瓶尔小草 *Ophioglossum reticulatum* Linn.

|药材名|

一支箭（药用部位：全草）。

|形态特征|

植株高 10 ~ 35 cm。根茎短而直立，有少数粗长的肉质根。总叶柄长 3 ~ 17 cm；不育叶远离地面，卵形或卵圆形，长 2 ~ 4 cm，宽 1.8 ~ 3.5 cm，具圆头或钝头，基部深心形，有短柄，边缘多少呈波状，草质，网脉明显；能育叶自叶柄基部生出，细长，长 8 ~ 15 cm。孢子囊穗狭线形，长 1.5 ~ 3.5 cm，纤细。

|生境分布|

生于山谷溪边林下。分布于广东连州及梅州（市区）等。

|资源情况|

野生资源较少。药材来源于野生。

|采收加工|

春、夏季采挖，除去泥土，洗净，阴干或鲜用。

| 功能主治 | 苦、甘，微寒。归肝经。清热解毒，活血散瘀。用于痈肿疮毒，疥疮身痒，跌打损伤，瘀血肿痛，毒蛇咬伤，烫火伤，瘀滞腹痛。

| 用法用量 | 内服煎汤，15 ~ 30 g。外用适量，鲜品捣敷；或煎汤洗；或研末敷。

瓶尔小草科 Ophioglossaceae 瓶尔小草属 *Ophioglossum*

瓶尔小草 *Ophioglossum vulgatum* Linn.

| 药 材 名 | 瓶尔小草（药用部位：全草。别名：独叶一枝枪、一支箭、箭蕨）。

| 形态特征 | 植株高 7 ~ 20 cm，冬天无叶。根茎短而直立，具肉质粗根。叶通常单生，总叶柄长 6 ~ 9 cm，深埋于土中的下半部为灰白色，较粗大；不育叶长卵形，长 3.5 ~ 6 cm，宽 1.5 ~ 2.4 cm，先端钝或稍急尖，基部渐狭且下延，无柄，全缘，稍呈肉质，网脉明显；能育叶初夏从不育叶基部生出，长 7 ~ 18 cm。孢子囊穗长 2.5 ~ 3.5 cm，先端尖，其高度远超出不育叶。

| 生境分布 | 生于林下潮湿草地、灌木林中或田边。分布于广东阳春、连州、博罗及广州（市区）、深圳（市区）、惠州（市区），以及鼎湖山等。

| 资源情况 | 野生资源较少。药材来源于野生。

| 采收加工 | 夏、秋季采收，洗净，晒干或鲜用。

| 药材性状 | 本品呈卷缩状。根茎短。根多数，肉质，具纵沟，深棕色。叶通常为 1；不育叶从总柄基部以上 6 ~ 9 cm 处生出，皱缩，展开后呈卵状长圆形或狭卵形，微呈肉质，两面均为淡褐黄色，叶脉网状；能育叶线形。孢子囊穗长 2.5 ~ 3.5 cm；孢子囊排成 2 列，无柄。质地柔韧，不易折断。气微，味淡。

| 功能主治 | 甘，微寒。归肺、胃经。清热凉血，解毒镇痛。用于肺热咳嗽，劳伤吐血，肺痈，胃痛，淋浊，痈肿疮毒，蛇虫咬伤，跌打损伤，小儿高热惊风，目赤肿痛。

| 用法用量 | 内服煎汤，10 ~ 15 g；或研末，每次 3 g。外用适量，鲜品捣敷。

| 凭证标本号 | 441823210528018LY、445222180512007LY。

观音座莲科 Angiopteridaceae 观音座莲属 *Angiopteris*

福建观音座莲 *Angiopteris fokiensis* Hieron

药材名 马蹄蕨（药用部位：根茎。别名：福建莲座蕨、地莲花）。

形态特征 植株高 1.5 ~ 2 m。根茎短而直立，肥大，呈肉质，块状。叶柄粗壮，肉质而多汁，长约 50 cm，基部有托叶状肉质附属物；叶片宽卵形，长、宽均为 60 cm 以上，二回羽状；羽片 5 ~ 7 对，互生，椭圆形，长 50 ~ 60 cm，宽 14 ~ 18 cm，小羽片 30 ~ 40 对，披针形，长 7 ~ 13 cm，宽 1 ~ 2 cm，先端渐尖，基部圆截形，边缘具浅锯齿；叶脉在下面明显，通常分叉，无倒行假脉；羽轴下面无或仅有少数小刺头状突起。孢子囊群椭圆形，长约 1 mm，彼此接近。

生境分布 生于林下溪边、岩石上或阴湿的酸性土壤中。广东各地均有分布。

| 资源情况 | 野生资源丰富。药材来源于野生。

| 采收加工 | 全年均可采收，洗净，除去须根，切片，晒干或鲜用。

| 功能主治 | 微苦，凉。归心、肺经。清热凉血，祛瘀止血，镇痛安神。用于痄腮，痈肿疮毒，毒蛇咬伤，跌打肿痛，外伤出血，崩漏，乳痈，风湿痹痛，产后腹痛，心烦失眠。

| 用法用量 | 内服煎汤，10 ~ 30 g，鲜品 30 ~ 60 g；或研末，每次 3 g，每日 9 g；或磨酒。外用适量，鲜品捣敷；或干品磨汁涂；或研末敷。

| 凭证标本号 | 440783190715027LY、441825190713014LY、441284190816502LY。

| 附　　注 | 本种为国家二级重点保护野生植物。

紫萁科 Osmundaceae 紫萁属 *Osmunda*

分株紫萁 *Osmunda cinnamomea* Linn.

| 药 材 名 | 桂皮紫萁（药用部位：根茎。别名：紫萁、贯众）。

| 形态特征 | 植株高约 40 cm。根茎短粗或为圆柱状的粗肥主轴。叶簇生于主轴先端，二型；不育叶叶柄长 5 ~ 8 cm，叶片椭圆形，长 20 ~ 30 cm，宽 10 ~ 12 cm，渐尖头，2 回羽状深裂；羽片 12 ~ 20 对，线状披针形或披针形，长 5 ~ 6 cm，宽约 1.5 cm，裂片 12 ~ 14 对，长圆形，长约 5 mm，宽约 3 mm，具圆钝头，全缘，叶纸质，幼时有淡棕色绒毛；能育叶比不育叶短而瘦弱，紧缩，密被灰棕色绒毛，羽片长 2 ~ 3 cm，裂片缩成线形，背面满布暗棕色的孢子囊群。

| 生境分布 | 生于沼泽地或潮湿山谷。分布于广东广州（市区）等。

| 资源情况 | 野生资源较少。药材来源于野生。

| 采收加工 | 春、秋季采收，洗净，除去须根，晒干。

| 功能主治 | 苦，微寒。归肝经。清热解毒，止血，驱虫，利尿。用于痄腮，流行性感冒，痢疾，鼻衄，崩漏，外伤出血，钩虫病，蛲虫病，小便不利。

| 用法用量 | 内服煎汤，10 ~ 30 g；或研末，每次 3 g，每日 2 ~ 3 次。外用适量，研末调涂。

| 附　　注 | FOC将本种置于桂皮紫萁属*Osmundastrum*中，并将其拉丁学名修订为*Osmundastrum cinnamomeum* (Linnaeus) C. Presl。

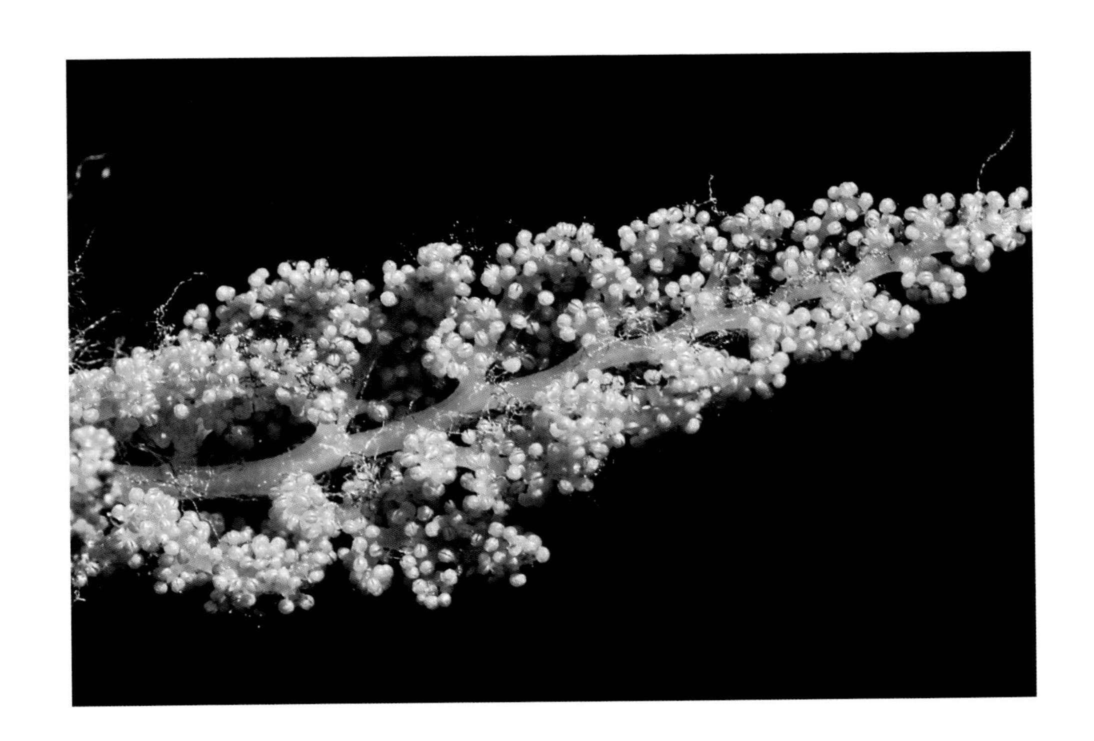

紫萁科 Osmundaceae 紫萁属 *Osmunda*

紫萁 *Osmunda japonica* Thunb.

| 药材名 | 紫萁贯众（药用部位：根茎及叶柄残基。别名：猫蕨、脚萁）。

| 形态特征 | 植株高 50 ~ 80 cm。根茎粗壮，横卧或斜升。叶二型，幼时密被绒毛；不育叶有长柄，长 20 ~ 30 cm，叶片三角状卵形，长 30 ~ 50 cm，宽 25 ~ 40 cm，二回羽状，羽片 3 ~ 5 对，对生，椭圆形，小羽片 5 ~ 9 对，长圆形或长圆状披针形，长 4 ~ 7 cm，宽 1.5 ~ 1.8 cm，先端钝或尖，基部圆形，边缘具均匀细锯齿；能育叶收缩，小羽片条形，长 1.5 ~ 2 cm，沿主脉两侧满布孢子囊群。

| 生境分布 | 生于林下、山脚或溪边的酸性土壤中。分布于广东阳春、龙门、平远、连平、和平及韶关（市区）、云浮（市区）、清远（市区）、深圳（市区）等。

| 资源情况 | 野生资源丰富。药材来源于野生。

| 采收加工 | 春、秋季采挖，洗净，除去须根，晒干或鲜用。

| 药材性状 | 本品略呈圆锥形或圆柱形，稍弯曲，长 10 ~ 20 cm，直径 3 ~ 6 cm。根茎横生或斜生，下侧着生黑色硬细根，上侧密生叶柄残基。叶柄基部呈扁圆形，斜向上，长 4 ~ 6 cm，直径 0.2 ~ 0.5 cm，表面棕色或棕黑色，切断面有“U”形筋脉纹（维管束），常与皮部分开。质硬，不易折断。气微，味甘、微涩。

| 功能主治 | 苦，微寒；有小毒。归肺、胃、肝经。清热解毒，止血，杀虫。用于感冒，热毒泻痢，痈疮肿毒，吐血，衄血，便血，崩漏，虫积腹痛。

| 用法用量 | 内服煎汤，5 ~ 9 g；或捣汁；或入丸、散剂。外用适量，鲜品捣敷；或研末敷。

| 凭证标本号 | 441823200723016LY、441882180412009LY、440281200711006LY。

| 附　　注 | 2020 年版《中国药典》记载本种为紫萁贯众药材的基原。

紫萁科 Osmundaceae 紫萁属 *Osmunda*

华南紫萁 *Osmunda vachellii* Hook.

| 药 材 名 | 华南紫萁（药用部位：根茎及叶柄髓部。别名：贯众、牛利草）、华南紫萁叶（药用部位：嫩苗或嫩叶）。

| 形态特征 | 植株高达 1 m。根茎直立，粗肥，为圆柱形的主轴。叶簇生于主轴顶部；叶柄长 20 ~ 40 cm，坚硬；叶片椭圆形，长 40 ~ 90 cm，宽 20 ~ 30 cm，革质，光滑，幼时有棕色绵毛，一回羽状；羽片 15 ~ 20 对，披针形或线状披针形，长 15 ~ 20 cm，宽 1 ~ 1.5 cm，长渐尖，基部狭楔形，全缘；叶脉明显，侧脉二叉分枝；能育叶羽片位于叶下部，紧缩成线形，宽约 4 mm，深羽裂，主脉两侧密生圆形而彼此分开的孢子囊穗。

| 生境分布 | 生于山地山谷、山坡的酸性土壤中。广东各地均有分布。

| 资源情况 | 野生资源丰富。药材来源于野生。

| 采收加工 | **华南紫萁：**全年均可采收，除去须根及绒毛，晒干或鲜用。

华南紫萁叶：春、夏季采收，洗净，鲜用或晒干。

| 药材性状 | **华南紫萁：**本品根茎呈圆柱形，一端钝圆，另一端较尖，稍弯曲。外表面黄棕色，其上密被叶柄残基及须根，无鳞片。气微，味微苦、涩。

| 功能主治 | **华南紫萁：**微苦、涩，平。归肺、肝、膀胱经。清热解毒，祛湿舒筋，驱虫。用于流行性感冒，痄腮，痈肿疮疖，带下，筋脉拘挛，胃痛，肠道寄生虫病。

华南紫萁叶：清热，止血。用于外伤出血，尿血，烫伤。

| 用法用量 | **华南紫萁：**内服煎汤，30 ~ 60 g。外用适量，捣敷；或研末敷。

华南紫萁叶：内服煎汤，30 ~ 60 g。外用适量，鲜品捣敷；或干品研末敷。

| 凭证标本号 | 440783200102032LY、441825190805004LY、441324181215018LY。

瘤足蕨科 Plagiogyriaceae 瘤足蕨属 *Plagiogyria*

镰叶瘤足蕨 *Plagiogyria distinctissima* Ching

| 药 材 名 | 镰叶瘤足蕨（药用部位：全草或根茎。别名：高山瘤足蕨、小贯众、斗鸡草）。

| 形态特征 | 植株高 40 ~ 60 cm。根茎直立或斜升。叶簇生，二型；不育叶叶柄长 7 ~ 18 cm，叶片椭圆形，长 15 ~ 20 cm，宽 7 ~ 11 cm，向顶部为羽裂的渐尖头，一回羽状，羽片 10 ~ 12 对，互生，披针形，长 4 ~ 5 cm，宽 1 ~ 1.3 cm，基部下侧分离，上侧合生并略上延，全缘或边缘偶有疏锯齿，顶部具较粗的钝锯齿，叶脉明显，小脉二叉；能育叶较高，叶柄长 15 ~ 35 cm，叶片长 18 ~ 25 cm，羽片长 5 ~ 10 cm，线形。孢子囊群生于小脉顶部，成熟时在羽片下面满布。

| 生境分布 | 生于山地林下潮湿处。分布于广东怀集、英德、连州、连山、连南、

龙门、和平、乐昌、新丰、乳源等。

| 资源情况 | 野生资源丰富。药材来源于野生。

| 采收加工 | 夏、秋季采收，洗净，晒干或鲜用。

| 功能主治 | 辛，凉。归膀胱、肺、肝经。散寒解表，透疹，止痒。用于流行性感冒，麻疹，皮肤瘙痒，血崩，扭伤。

| 用法用量 | 内服煎汤，9 ~ 15 g；或研末。外用适量，鲜品捣敷；或烧灰研末调敷。

| 凭证标本号 | 441421181024427LY。

| 附　　注 | FOC 将本种并入瘤足蕨 *Plagiogyria adnata* (Blume) Bedd. 中。

瘤足蕨科 Plagiogyriaceae 瘤足蕨属 *Plagiogyria*

华中瘤足蕨 *Plagiogyria euphlebia* (Kunze) Mett.

| 药 材 名 | 华中瘤足蕨（药用部位：全草或根茎）。

| 形态特征 | 根茎粗大，圆柱形，斜升。叶二型；不育叶叶柄长 20 ~ 30 cm，叶片椭圆形，长 32 ~ 45 cm，宽 13 ~ 18 cm，奇数一回羽状，顶生羽片和侧生羽片同形，羽片 14 ~ 16 对，斜向上，披针形，略呈镰刀状，长 9 ~ 11 cm，宽 1 ~ 1.3 cm，头渐尖，基部圆楔形，边缘下部几全缘，向上有疏齿牙，叶脉直达叶边，在两面均明显隆起；能育叶较高，叶柄长 50 cm，叶片长 30 ~ 40 cm，羽片线形。孢子囊群生于小脉顶部，成熟时在羽片下面满布。

| 生境分布 | 生于山地林下潮湿处。分布于广东乐昌及惠州（市区）等。

| 资源情况 | 野生资源丰富。药材来源于野生。

| 采收加工 | 夏、秋季采收，洗净，晒干或鲜用。

| 功能主治 | 微苦，凉。清热解毒。用于流行性感冒。

| 用法用量 | 内服煎汤，9 ~ 15 g。外用适量，鲜品捣敷。

瘤足蕨科 Plagiogyriaceae 瘤足蕨属 *Plagiogyria*

华东瘤足蕨 *Plagiogyria japonica* Nakai

| 药 材 名 | 华东瘤足蕨（药用部位：全草或根茎。别名：日本瘤足蕨）。

| 形态特征 | 植株高 30 ~ 60 cm。根茎短粗而直立，或为圆柱状的主轴。叶簇生，二型；不育叶叶柄长 12 ~ 20 cm，叶片椭圆形，长 20 ~ 35 cm，宽 12 ~ 16 cm，一回羽状，羽片 13 ~ 16 对，互生，无柄，斜展，披针形，通常近镰刀状，长 7 ~ 9 cm，宽约 1.5 cm，具渐尖短头，近全缘，近顶部有粗齿，顶生羽片较长，与其下的羽片合生，叶脉明显，小脉二叉；能育叶叶柄较长，叶片长 16 ~ 30 cm，羽片收缩成线形。孢子囊群生于小脉顶部，成熟时在羽片下面满布。

| 生境分布 | 生于山地常绿阔叶林林缘或沟谷中。分布于广东信宜、阳春、英德、连州、阳山、和平、乐昌、始兴、乳源及河源（市区）等。

| 资源情况 | 野生资源丰富。药材来源于野生。

| 采收加工 | 全草，全年均可采挖，洗净，除去须根与叶柄，晒干或鲜用。

| 功能主治 | 微苦，凉。归肺、肝经。清热解毒，消肿。用于外感风热，头痛，流行性感冒，跌打损伤。

| 用法用量 | 内服煎汤，9 ~ 15 g。外用适量，鲜品捣敷。

| 凭证标本号 | 441623181021006LY。

瘤足蕨科 Plagiogyriaceae 瘤足蕨属 *Plagiogyria*

耳形瘤足蕨 *Plagiogyria stenoptera* (Hance) Diels

| 药 材 名 | 小牛肋巴（药用部位：全草或根茎。别名：斗鸡草）。

| 形态特征 | 植株高 35 ~ 70 cm。具粗壮且直立的根茎。叶簇生，二型；不育叶叶柄长 6 ~ 12 cm，三棱形，叶片披针形，长 22 ~ 32 cm，宽 6 ~ 8 cm，向基部急缩成半圆形小耳片，1 回羽状深裂几达叶轴，羽片 25 ~ 35 对，几平展，彼此接近，披针形，先端渐尖或呈尾状，近全缘，顶部有细锯齿，长 5.5 ~ 8.5 cm，宽 1 ~ 1.2 cm，叶脉明显，叶轴下面为锐龙骨形，上面有一深阔沟；能育叶叶柄长 14 ~ 17 cm，羽片 12 ~ 16 对，收缩成线形，长约 2.5 cm，彼此远离。孢子囊群生于小脉顶部，成熟时在羽片下面满布。

| 生境分布 | 生于山坡林下。分布于广东内伶仃岛。

| 资源情况 | 野生资源稀少。药材来源于野生。

| 采收加工 | 全草，夏、秋季采收，洗净，切段，晒干。

| 功能主治 | 苦，平。清热利尿，消肿镇痛。用于跌打损伤，感冒头痛，咳嗽。

| 用法用量 | 内服煎汤，9 ~ 15 g。

里白科 Gleicheniaceae 芒萁属 *Dicranopteris*

铁芒萁 *Dicranopteris linearis* (Burm. f.) Underw.

| 药 材 名 | 狼萁草（药用部位：全草。别名：芒萁、山芒）。

| 形态特征 | 植株高 3 ～ 5 m，蔓延生长。根茎横走，被锈色毛。叶远生；叶柄深棕色；叶轴 5 ～ 8 回二叉分枝；各回腋芽密被锈色毛，叶轴第 1 回分叉处通常无侧生托叶状羽片，其余各回分叉处均有 1 对羽片，末回羽片长 5.5 ～ 15 cm，篦齿状深裂几达羽轴；裂片平展，15 ～ 40 对，披针形或线状披针形，通常长 10 ～ 19 mm，宽 2 ～ 3 mm，先端钝，全缘；叶片下面灰白色，两面无毛。孢子囊群由 5 ～ 7 孢子囊组成，圆形，在主脉两侧各排成 1 列。

| 生境分布 | 生于疏林下、火烧迹地或山野向阳地。分布于广东大埔及茂名（市区）、阳江（市区）、深圳（市区），以及鼎湖山等。

| 资源情况 | 野生资源丰富。药材来源于野生。

| 采收加工 | 全年均可采收，洗净，除去须根与叶柄，晒干或鲜用。

| 功能主治 | 苦、甘，平。止血，接骨，清热利湿，解毒消肿。用于血崩，鼻衄，咯血，外伤出血，骨折，热淋涩痛，带下，风疹瘙痒，疮肿，烫伤，痔漏，蛇虫咬伤，咳嗽。

| 用法用量 | 内服煎汤，9 ~ 15 g；或研末，每次 3 ~ 6 g。外用适量，鲜品捣敷。

| 凭证标本号 | 440882180407112LY、440783190715038LY、441823190929040LY。

里白科 Gleicheniaceae 芒萁属 *Dicranopteris*

芒萁 *Dicranopteris pedata* (Houtt.) Nakaike

| 药 材 名 | 芒萁骨（药用部位：地上部分。别名：草芒、山芒、山蕨）、芒萁骨根（药用部位：根茎）。

| 形态特征 | 植株高 0.5 ~ 2 m。根茎横走，密被暗锈色毛。叶远生；叶柄棕禾秆色，光滑；叶轴 1 ~ 2（~ 3）回二叉分枝；腋芽密被锈黄色毛；各回分叉处两侧均有 1 对托叶状的羽片，羽片平展，宽披针形，末回羽片长 16 ~ 24 cm，篦齿状深裂几达羽轴；裂片平展，35 ~ 50 对，线状披针形，长 1.5 ~ 3 cm，宽 3 ~ 4 mm，先端钝，全缘；叶片下面灰白色，沿中脉及侧脉疏被锈色毛。孢子囊群由 5 ~ 8 孢子囊组成，圆形，在主脉两侧各排成 1 列。

| 生境分布 | 生于丘陵、荒坡林缘或马尾松林下强酸性土壤中。广东各地均有

分布。

| 资源情况 | 野生资源丰富。药材来源于野生。

| 采收加工 | **芒萁骨：**全年均可采收，洗净，晒干或鲜用。

芒萁骨根：全年均可采挖，洗净，晒干或鲜用。

| 药材性状 | **芒萁骨：**本品叶卷缩；叶柄褐棕色，光滑，长 24 ~ 56 cm；叶轴 1 ~ 2（~ 3）回分叉，各回分叉的腋间有 1 休眠芽，密被绒毛，并有 1 对叶状苞片；末回羽片展开后呈披针形，长 16 ~ 23.5 cm，宽 4 ~ 5.5 cm，篦齿状羽裂；裂片线状披针形，侧脉每组有小脉 3 ~ 5；叶上表面黄绿色，下表面灰白色。气微，味淡。

芒萁骨根：本品细长，有分枝，直径 2.2 ~ 5 mm，褐棕色，被棕黄色毛，具短须根；坚硬，木质，易折断，断面明显分为 2 层，外层为棕色皮层，中央为淡黄色中柱。

| 功能主治 | **芒萁骨：**微苦、涩，凉。归肝、膀胱经。化瘀止血，清热利尿，解毒消肿。用于血崩，跌打伤肿，外伤出血，热淋涩痛，带下，小儿腹泻，痔漏，目赤肿痛，烫火伤，毒虫咬伤。

芒萁骨根：微苦，凉。归膀胱经。清热利湿，化瘀止血，止咳。用于湿热臌胀，小便涩痛，阴部湿痒，带下，跌打损伤，外伤出血，血崩，鼻衄，肺热咳嗽。

| 用法用量 | **芒萁骨：**内服煎汤，9 ~ 15 g；或研末。外用适量，研末敷；或鲜品捣敷。

芒萁骨根：内服煎汤，15 ~ 30 g；或研末。外用适量，鲜品捣敷。

| 凭证标本号 | 441423201025005LY、440308200829023LY、440781190517006LY。

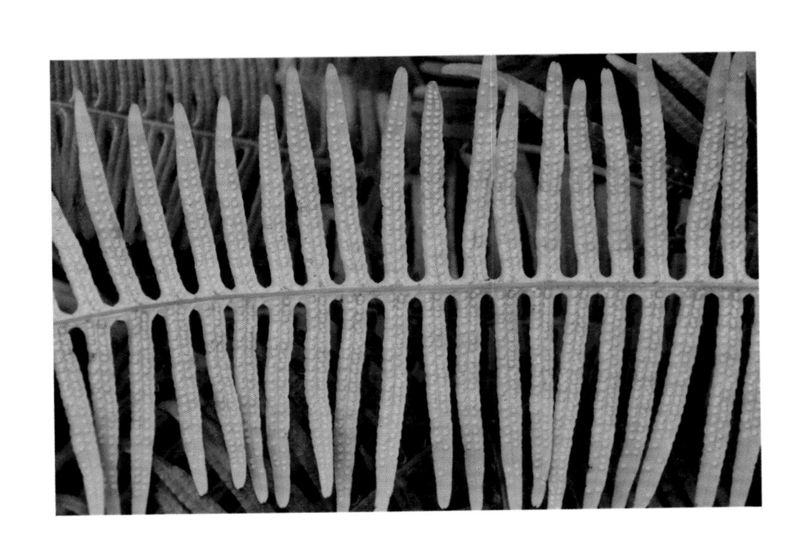

里白科 Gleicheniaceae 里白属 *Diplopterygium*

中华里白 *Diplopterygium chinense* (Ros.) Ching

| 药 材 名 | 中华里白（药用部位：根茎）。

| 形态特征 | 叶长 3 m 或更长。根茎横走，深棕色，密被棕色鳞片。叶片巨大，二回羽状；叶柄深棕色；羽片长圆形，长 1 ~ 1.5 m，宽 30 ~ 40 cm；小羽片互生，多数，披针形，羽状深裂；裂片互生，50 ~ 70 对，长 10 ~ 15 mm，宽 2 ~ 3 mm，披针形或狭披针形，全缘，基部会合；叶片上面绿色，沿小羽轴被分叉的毛，下面灰绿色，沿中脉、侧脉及边缘密被星状柔毛，后毛脱落。孢子囊群由 3 ~ 4 孢子囊组成，圆形，中生，在主脉两侧各排成 1 行。

| 生境分布 | 生于溪边或林下。分布于广东怀集、封开、阳山、连山、龙门、大埔、和平、仁化、乳源及广州（市区）、深圳（市区）等。

| 资源情况 | 野生资源丰富。药材来源于野生。

| 采收加工 | 全年均可采挖，洗净，晒干。

| 药材性状 | 本品略弯，直径 5 ~ 7 mm，表面深褐色，外皮较皱。叶柄基部及须根上被棕色鳞毛。质坚硬且脆，易折断，断面不整齐，深褐色，散有棕色纤维束和淡黄色分体中柱。气微，味先淡而后微辛。

| 功能主治 | 微苦、微涩，凉。止血，接骨。用于鼻衄，骨折。

| 用法用量 | 内服煎汤，9 ~ 15 g。外用适量，研末敷或塞鼻。

| 凭证标本号 | 441284191130285LY、441224180901004LY、441623180809036LY。

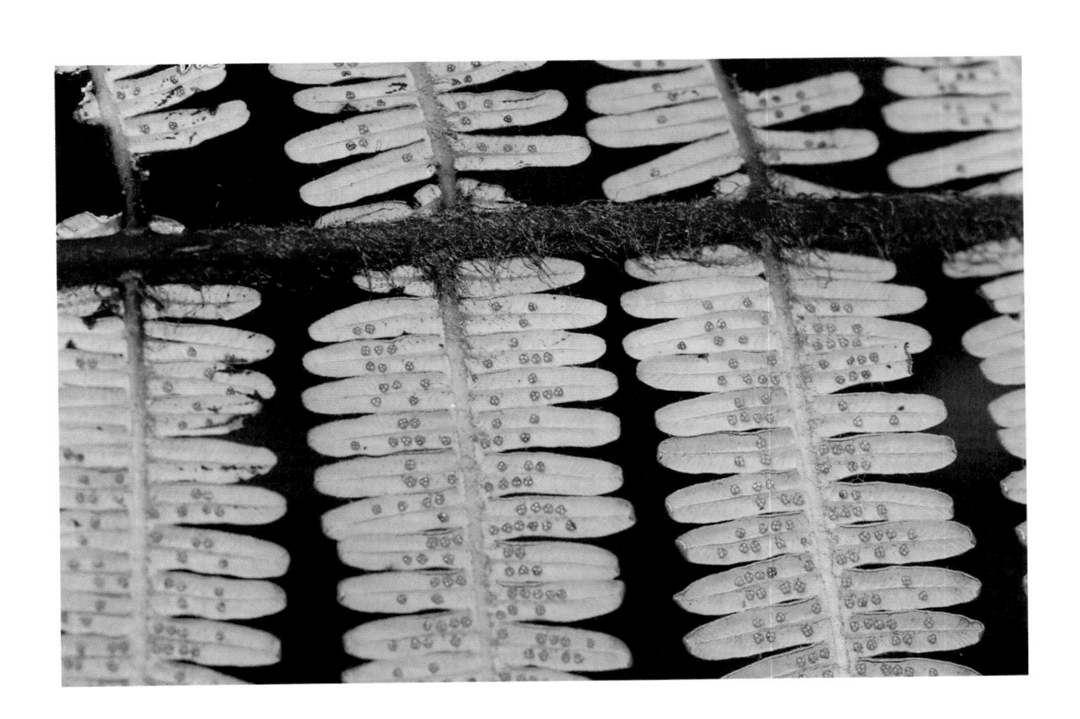

里白科 Gleicheniaceae 里白属 *Diplopterygium*

里白 *Diplopterygium glaucum* (Thunb. ex Houtt.) Nakai

| 药 材 名 | 里白（药用部位：根茎。别名：大蕨萁、蕨萁）。

| 形态特征 | 植株高约 1.5 m。根茎横走，被鳞片。叶柄暗棕色，光滑；叶片二回羽状；羽片对生，长 55 ~ 70 cm，长圆形，中部最宽处宽 18 ~ 24 cm，向先端渐尖；小羽片 22 ~ 35 对，平展，几无柄，长 11 ~ 14 cm，线状披针形，先端渐尖，羽状深裂；裂片 20 ~ 35 对，互生，长 7 ~ 10 mm，宽 2.2 ~ 3 mm，宽披针形，具钝头，全缘，基部会合；叶片下面灰白色，沿小羽轴及中脉疏被锈色短星状毛，后变无毛；叶轴两侧有边。孢子囊群由 3 ~ 4 孢子囊组成，圆形，中生，在主脉两侧各排成 1 行。

| 生境分布 | 生于常绿阔叶林下、林缘或溪边。分布于广东信宜、阳山、连南、

连州、博罗、平远、乳源及阳江（市区）等。

| 资源情况 | 野生资源丰富。药材来源于野生。

| 采收加工 | 秋、冬季采收，洗净，晒干。

| 药材性状 | 本品弯曲，直径 4 ~ 6 mm，表面褐色，被鳞片，并有弯曲的须根。质坚硬，易折断，断面外层为棕色皮层，中央为淡黄色中柱。气微，味先淡而后微辛。

| 功能主治 | 微苦、涩，凉。归肝经。行气止血，化瘀接骨。用于胃脘痛，鼻衄，跌打损伤，骨折。

| 用法用量 | 内服煎汤，9 ~ 15 g。外用适量，研末敷或塞鼻。

| 凭证标本号 | 440281190627040LY、441825190412049LY、441882190614008LY。

里白科 Gleicheniaceae 里白属 *Diplopterygium*

光里白 *Diplopterygium laevissimum* (Christ) Nakai

药材名

光里白（药用部位：根茎）。

形态特征

植株高 1 ~ 1.5 m。根茎横走，被暗棕色鳞片。叶柄绿色或暗棕色；叶片二回羽状；羽片对生，卵状长圆形，长 38 ~ 60 cm，中部宽达 26 cm，顶渐尖；小羽片 20 ~ 30 对，互生，几无柄，中部小羽片最长达 20 cm，狭披针形，具渐尖头，基部下侧明显变狭，羽状全裂；裂片 25 ~ 40 对，互生，向上斜展，披针形，长 7 ~ 13 mm，宽约 2 mm，基部裂片缩短，全缘，基部分离。孢子囊群由 4 ~ 5 孢子囊组成，圆形，中生，在主脉两侧各排成 1 行。

生境分布

生于山谷溪边林中。分布于广东阳春、连山、连南、乳源、乐昌及广州（市区）等。

资源情况

野生资源丰富。药材来源于野生。

采收加工

秋、冬季采收，洗净，除去须根，晒干。

| 药材性状 | 本品较平直，圆柱形，直径 4 ~ 6 mm，表面较光滑，暗褐色，有亮棕色大鳞片及多数黑色须根。质坚硬，易折断，断面不平，皮层棕色，中央为淡黄色中柱。气微，味先淡而后微辛。

| 功能主治 | 微苦、涩，凉。行气，止血，接骨。用于胃脘胀痛，骨折，鼻衄。

| 用法用量 | 内服煎汤，9 ~ 15 g。外用适量，研末敷或塞鼻。

| 凭证标本号 | 441823210204019LY、440232160921001LY。

莎草蕨科 Schizaeaceae 莎草蕨属 *Schizaea*

莎草蕨 *Schizaea digitata* (Linn.) Sw.

| 药 材 名 |

莎草蕨（药用部位：全草）。

| 形态特征 |

植株高 25 ~ 35 cm。根茎短，匍匐，被棕色短毛。叶簇生，禾草状，无毛；叶片狭线形，向基部渐狭细而呈三棱形，与叶柄不易分辨，叶片长 20 ~ 35 cm，宽 2 ~ 5 mm，全缘，有软骨质狭边，仅有主脉 1，主脉明显，在上面凹下，在下面凸出。能育羽片与不育羽片同型，先端紧缩，掌状深裂成 5 ~ 15 裂片；裂片长 2 ~ 4 cm，宽约 1 mm。孢子囊棕黄色，在裂片下面主脉的两侧排成 2 行，成熟时几乎覆盖整个裂片下面。

| 生境分布 |

生于低山、丘陵干燥、贫瘠的砂壤土中。分布于广东徐闻。

| 资源情况 |

野生资源稀少。药材来源于野生。

| 采收加工 |

全年均可采收，洗净，晒干。

| 功能主治 | 微苦，凉。归肺经。清热解毒。用于感冒发热，扁桃体炎，咽喉肿痛。

| 用法用量 | 内服煎汤，6 ~ 15 g。

海金沙科 Lygodiaceae 海金沙属 *Lygodium*

海南海金沙 *Lygodium conforme* C. Chr.

| 药材名 |

海南海金沙（药用部位：全草）。

| 形态特征 |

植株长 5 ~ 6 m。羽片多数，二型，对生于叶轴的短距上，距端有一丛红棕色短柔毛。不育羽片生于叶轴下部，羽柄长 4 ~ 4.5 cm，掌状深裂几达基部，裂片通常 6，披针形，先端渐尖，长 17 ~ 22 cm，宽 1.8 ~ 2.5 cm；能育羽片二叉，掌状深裂至近基部，每个掌状小羽片有长 5 ~ 17 mm 的柄；末回裂片通常 3，长 20 ~ 30 cm，宽 2 ~ 2.5 cm；叶两面光滑，全缘，有软骨质狭边；叶脉分离，二叉状分歧直达叶缘。孢子囊穗排列较紧密，长 2 ~ 5 mm，短条状，成熟时呈褐棕色。

| 生境分布 |

生于低海拔的山谷疏林或灌丛中。分布于广东高州、台山、博罗及阳江（市区）、广州（市区）等。

| 资源情况 |

野生资源丰富。药材来源于野生。

| 采收加工 | 秋季采收，晒干或鲜用。

| 功能主治 | 淡，寒。归膀胱经。清热利尿。用于砂淋，热淋，血淋，水肿，小便不利，痢疾，火眼，风湿痹痛。

| 用法用量 | 内服煎汤，15 ~ 30 g。外用适量，鲜品捣敷。

| 凭证标本号 | 440881180128013LY。

| 附　　注 | FOC 将本种的拉丁学名修订为 *Lygodium circinnatum* (N. L. Burman) Swartz。

海金沙科 Lygodiaceae 海金沙属 *Lygodium*

曲轴海金沙 *Lygodium flexuosum* (Linn.) Sw.

| 药 材 名 | 牛抄藤（药用部位：全草。别名：长叶海金沙、驳筋藤、缠藤）。

| 形态特征 | 植株长达 7 m。羽片多数，同型，一至二回羽状，三角状椭圆形，长 15 ~ 25 cm，宽 15 ~ 20 cm，羽柄长 1.5 ~ 2.5 cm；一回小羽片 3 ~ 5 对，基部 1 对小羽片最大，长达 10 cm，宽约 5 cm，上部小羽片不分裂，基部耳状扩大或具 1 对裂片，先端钝圆，基部浅心形，不育小羽片边缘具细锯齿，末回小羽片三角形；羽柄与小羽柄均无关节；小羽轴两侧有狭翅和棕色短毛；叶略被刚毛。孢子囊穗流苏状排列，短条状，较稀疏，棕褐色，小羽片先端通常不育。

| 生境分布 | 生于山谷、路旁林缘。分布于广东信宜、阳春、台山、新兴、肇庆（市区）、怀集、德庆、英德、连南、博罗、乐昌、翁源及茂名（市区）、

阳江（市区）、云浮（市区）、广州（市区）、深圳（市区）、河源（市区）等。

| 资源情况 | 野生资源丰富。药材来源于野生。

| 采收加工 | 夏、秋季采收，晒干或鲜用。

| 功能主治 | 甘、微苦，寒。归肾、肝、大肠经。舒筋活络，清热利湿，止血。用于风湿麻木，跌打损伤，尿路感染，尿路结石，水肿，痢疾，疮痈肿毒，小儿口疮，火眼，癣疾，外伤出血。

| 用法用量 | 内服煎汤，10 ~ 15 g。外用适量，捣敷；或煎汤洗；或制成软膏涂。

| 凭证标本号 | 440783190715005LY、441825190502041LY、441284191103289LY。

海金沙科 Lygodiaceae 海金沙属 *Lygodium*

海金沙 *Lygodium japonicum* (Thunb.) Sw.

| 药 材 名 | 海金沙草（药用部位：地上部分。别名：金沙藤、左转藤、蛤蟆藤）、海金沙根（药用部位：根及根茎。别名：铁蜈蚣、铁丝草）、海金沙（药用部位：孢子。别名：左转藤灰、海金砂）。

| 形态特征 | 植株长达 4 m。羽片多数，二回羽状，近二型，下部羽片不育，上部羽片能育；不育羽片羽轴左右弯曲，小羽柄反折，一回羽片 2 ~ 4 对，长 4 ~ 8 cm，宽 3 ~ 6 cm，末回小羽片较宽，卵状三角形，边缘不规则分裂，裂片边缘有尖的重锯齿；能育羽片末回小羽片浅裂，卵状三角形，长、宽几相等；叶两面沿中肋及脉略有短毛；羽轴及小羽轴两侧具狭翅。孢子囊穗长 3 ~ 5 mm，直径约 1.5 mm，稀疏排列于裂片边缘，暗棕色。

| 生境分布 | 生于山谷、灌丛、路旁或村边。广东各地均有分布。

| 资源情况 | 野生资源丰富。药材来源于野生。

| 采收加工 | **海金沙草：**夏、秋季采收，除去杂质，鲜用或晒干。

海金沙根：8 ~ 9 月采挖，洗净，晒干或鲜用。

海金沙：秋季孢子未脱落时采割藤叶，晒干，搓揉或打下孢子，除去藤叶。

| 药材性状 | **海金沙草：**本品茎纤细，缠绕扭曲，长 1 m 以上，禾秆色，多分枝，分枝长短不一。叶对生于短枝两侧，二型，草质，皱缩；羽片下面边缘有流苏状孢子囊穗。孢子囊穗黑褐色。体轻，质脆，易折断。气微，味淡。

海金沙根：本品根茎细长，不规则分枝，茶褐色，常残留有禾秆色细茎干。根须状，众多，黑褐色，细长且弯曲，具细密的纤维根。质硬而韧，略有弹性，较难折断，断面淡黄棕色。气微，味淡。

海金沙：本品呈粉末状，棕黄色或浅棕黄色。体轻，手捻有光滑感，置手中易由指缝滑落。气微，味淡。

| 功能主治 | **海金沙草：**甘，寒。归膀胱、小肠、肝经。清热解毒，利尿通淋，活血通络。用于热淋，石淋，血淋，小便不利，水肿，白浊，带下，肝炎，泄泻，痢疾，感冒发热，咳喘，咽喉肿痛，口疮，目赤肿痛，痄腮，乳痈，丹毒，带状疱疹，烫火伤，皮肤瘙痒，跌打伤肿，风湿痹痛，外伤出血。

海金沙根：甘、淡，寒。归肺、肝、膀胱经。清热解毒，利湿消肿。用于肺炎，感冒高热，流行性乙型脑炎，急性胃肠炎，痢疾，急性黄疸性肝炎，尿路感染，膀胱结石，风湿腰腿痛，乳腺炎，腮腺炎，睾丸炎，蛇咬伤，月经不调。

海金沙：甘、咸，寒。归膀胱、小肠经。清热利湿，通淋止痛。用于热淋，石淋，血淋，膏淋，尿道涩痛。

| 用法用量 | **海金沙草：**内服煎汤，9 ~ 30 g，鲜品 30 ~ 90 g；或研末。外用适量，煎汤洗；或鲜品捣敷。

海金沙根：内服煎汤，15 ~ 30 g，鲜品 30 ~ 60 g。外用适量，研末敷。

海金沙：内服煎汤，6 ~ 15 g；或研末，每次 2 ~ 3 g。

| 凭证标本号 | 440281200707035LY、441825190712010LY、440882180602378LY。

| 附　　注 | 2020 年版《中国药典》记载本种为海金沙药材的基原。

海金沙科 Lygodiaceae 海金沙属 *Lygodium*

小叶海金沙 *Lygodium scandens* (Linn.) Sw.

| 药 材 名 | 金沙草（药用部位：全草或孢子。别名：转转藤、左转藤、扫把藤）。

| 形态特征 | 植株长 5 ~ 7 m。叶轴纤细如铜丝；羽片多数，同型，一回羽状，距端密被红棕色毛；不育羽片生于叶轴下部，长圆形，长 8 ~ 9 cm，宽 5 ~ 6 cm，柄长约 15 mm，小羽片 4 对，互生，卵状三角形或阔披针形，基部心形至圆形，先端钝，边缘有浅钝齿，柄端有关节；能育羽片的小羽片卵状三角形，顶生小羽片常分 2 叉，基部心形至截形；小羽片的侧脉二歧分叉；叶纸质，上面黄绿色，下面灰白色，无毛。孢子囊穗流苏状排列于叶缘，长 3 ~ 5 mm，浅棕色。

| 生境分布 | 生于山谷、疏林、灌丛、路旁。广东各地均有分布。

| 资源情况 | 野生资源丰富。药材来源于野生。

| 采收加工 | 孢子，秋季采收，打下孢子，晒干。全草，夏、秋季采收，除去杂质，鲜用或晒干。

| 功能主治 | 甘、微苦，寒。清热利湿，舒筋活络，止血。用于尿路感染，尿路结石，肾炎性水肿，肝炎，痢疾，目赤肿痛，风湿痹痛，筋骨麻木，骨折，外伤出血。

| 用法用量 | 内服煎汤，9 ~ 15 g。外用适量，煎汤洗。

| 凭证标本号 | 440783190416010LY、441825190708049LY、441284190817226LY。

| 附　　注 | FOC 将本种的拉丁学名修订为 *Lygodium microphyllum* (Cavanilles) R. Brown。

膜蕨科 Hymenophyllaceae 膜蕨属 *Hymenophyllum*

华东膜蕨 *Hymenophyllum barbatum* (v. d. Bosch) Bak.

| 药 材 名 | 华东膜蕨（药用部位：全草。别名：膜蕨、膜叶蕨）。

| 形态特征 | 植株高 2 ~ 4 cm。根茎暗褐色。叶远生；叶柄长 0.5 ~ 2 cm，暗褐色，丝状，具狭翅，疏被柔毛；叶片薄膜质，半透明，卵形，长 1.5 ~ 2.5 cm，宽 1 ~ 2 cm，先端钝圆，2 回羽裂；羽片 3 ~ 5 对，长圆形，长 5 ~ 8 mm，宽 4 ~ 6 mm，互生，羽裂几达有宽翅的羽轴；末回裂片 4 ~ 6 对，线形，长 2 ~ 3 mm，具圆头，边缘有小尖齿；叶脉叉状分枝，暗褐色。孢子囊群生于叶片顶部，位于短裂片上；囊苞二瓣状，通常为长卵形，长约 1.5 mm，具圆头，先端有少数小尖齿；囊群托内藏。

| 生境分布 | 附生于树干上或阴湿岩石上。分布于广东博罗、乐昌及广州（市

区）等。

| 资源情况 | 野生资源较少。药材来源于野生。

| 采收加工 | 夏、秋季采收，晒干或鲜用。

| 药材性状 | 本品多卷缩成团。根茎纤细，丝状，黑色。叶柄丝状，被淡褐色柔毛；叶片展开后呈卵形，薄膜质，半透明，淡褐色或鲜绿色；叶轴暗褐色，有宽翅。气微，味淡。

| 功能主治 | 微涩，凉。归肝经。止血。用于外伤出血。

| 用法用量 | 外用适量，鲜品捣敷；或干品研末敷。

膜蕨科 Hymenophyllaceae 蕗蕨属 *Mecodium*

蕗蕨 *Mecodium badium* (Hook. et Grev.) Cop.

|药材名|

蕗蕨（药用部位：全草。别名：马尾草、栗色蕗蕨）。

|形态特征|

植株高 15 ~ 25 cm。根茎褐色，铁丝状，长而横走。叶远生；叶柄长 5 ~ 11 cm，两侧有宽翅；叶片披针形至长卵形，长 10 ~ 17 cm，宽 3 ~ 6 cm，3 回羽裂；羽片 8 ~ 12 对，互生，有短柄，卵形至三角状卵形，长 1.5 ~ 4 cm，宽 1 ~ 2.5 cm；小羽片 3 ~ 4 对，无柄，长圆形，基部下侧下延；末回裂片 2 ~ 6，斜向上，阔线形或椭圆形，具圆钝头，全缘；叶脉叉状分枝；叶薄膜质，干后呈褐色或褐棕色，叶轴及各回羽轴均有阔翅，无毛。孢子囊群位于全部羽片上，着生于向轴的短裂片先端；囊苞近圆形或扁圆形，宽大于高，唇瓣深裂至基部。

|生境分布|

附生于山地林下阴湿处石上或树干上。分布于广东信宜、阳春、连州、阳山、博罗、龙门、乐昌、仁化、新丰、乳源及广州（市区）、惠州（市区）、茂名（市区）、梅州（市区）等。

| 资源情况 | 野生资源丰富。药材来源于野生。

| 采收加工 | 全年均可采收，晒干或鲜用。

| 功能主治 | 微苦、涩，凉。归心、脾经。清热解毒，生肌止血。用于烫火伤，痈疖肿毒，外伤出血。

| 用法用量 | 内服煎汤，9 ~ 15 g。外用适量，鲜品捣敷；或干品研末敷。

| 凭证标本号 | 440224190609037LY。

膜蕨科 Hymenophyllaceae 瓶蕨属 *Vandenboschia*

瓶蕨 *Vandenboschia auriculata* (Bl.) Cop.

| 药 材 名 | 瓶蕨（药用部位：全草。别名：耳叶瓶蕨、青蛇斑、石上挡）。

| 形态特征 | 植株高 15 ～ 30 cm。根茎被黑褐色毛。叶远生；叶柄长 4 ～ 8mm；叶片披针形，长 15 ～ 30 cm，宽 3 ～ 5 cm，能育叶叶片与不育叶叶片相似，但较狭且分裂较细，一回羽状；羽片 18 ～ 25 对，互生，无柄，长卵形，长 2 ～ 3 cm，宽 1 ～ 1.5 cm，头圆钝，边缘不整齐羽裂深达 1/3；不育裂片狭长圆形，长 4 ～ 5 mm，先端有钝齿，每齿有小脉 1；能育叶裂片常缩狭或仅有 1 单脉。孢子囊群顶生于向轴的短裂片先端；囊苞狭管状，长 2 ～ 2.5 mm，口部截形，不膨大，具浅钝齿；囊群托突出于口外。

| 生境分布 | 附生于溪边树干上或阴湿岩石上。分布于广东阳春、怀集、英德、

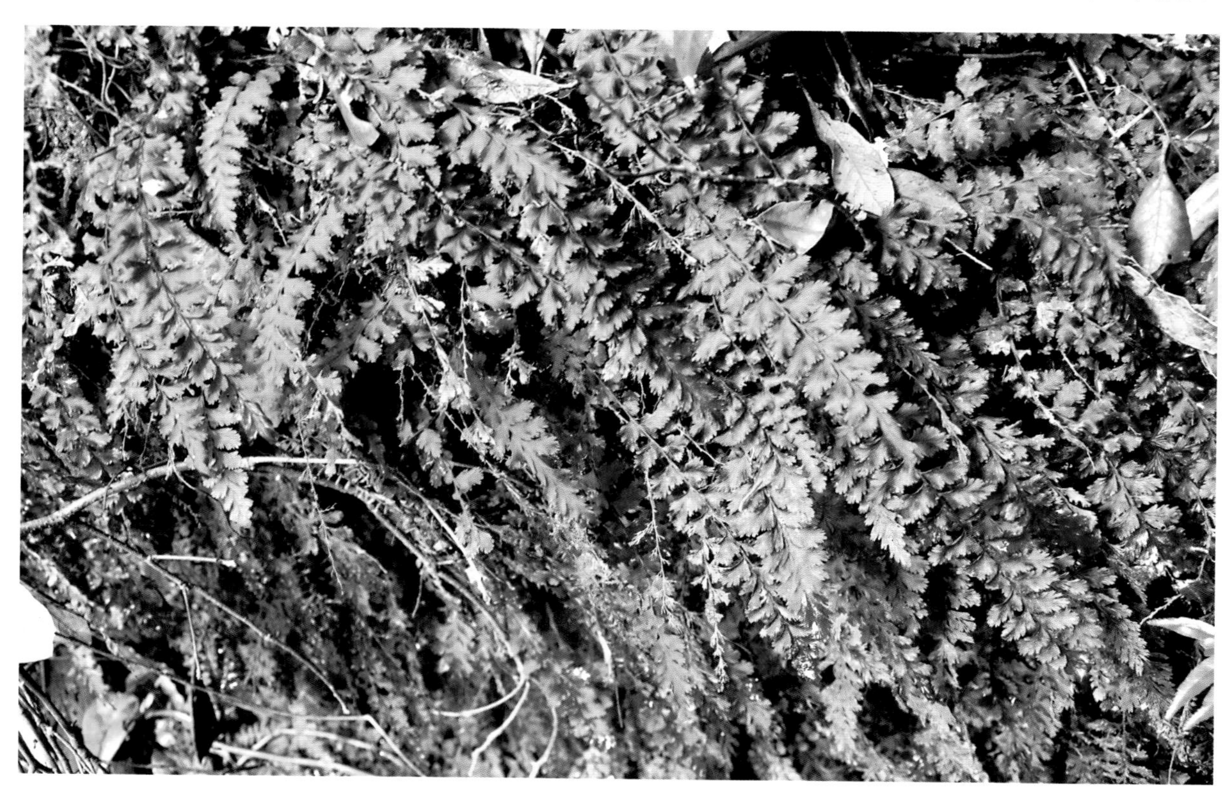

阳山、乐昌、翁源、新丰及广州（市区）等。

| 资源情况 | 野生资源较少。药材来源于野生。

| 采收加工 | 夏、秋季采收，晒干或鲜用。

| 药材性状 | 本品根茎坚硬，灰褐色，长而横走，被黑褐色且有光泽的多细胞节状毛。叶厚膜质，干后呈深褐色，无毛；叶轴灰褐色；叶柄基部被节状毛。

| 功能主治 | 微苦，平。归肝经。止血生肌。用于外伤出血。

| 用法用量 | 外用适量，干品研末敷；或鲜品捣敷。

膜蕨科 Hymenophyllaceae 瓶蕨属 *Vandenboschia*

华东瓶蕨 *Vandenboschia orientalis* (C. Chr.) Ching

| 药 材 名 | 华东瓶蕨（药用部位：全草。别名：地枝莲）。

| 形态特征 | 植株高 10 ~ 15 cm。根茎长而横走，密被黑褐色毛。叶远生；叶柄长 3 ~ 5 cm，淡褐色，具狭翅；叶片椭圆形或长卵形，长 6 ~ 8 cm，宽 2 ~ 3 cm，3 回羽裂；羽片 7 ~ 8 对，互生，具短柄，下部羽片最大，三角状卵形，长约 1.5 cm，宽约 1 cm，具急尖头；小羽片约 3 对，斜卵形，长约 6 mm，具钝头；末回裂片线形，长约 2 mm，具圆头，全缘；叶脉明显；叶薄膜质，干后呈绿褐色；叶轴有翅，无毛。孢子囊群通常生于小羽片下半部向轴的短裂片先端；囊苞管状，两侧有狭翅，口部稍膨大；囊群托丝状，伸于囊苞外。

| 生境分布 | 附生于山谷林下阴湿处岩石上。分布于广东连州、阳山、博罗、乳

源及广州（市区）等。

|**资源情况**| 野生资源较少。药材来源于野生。

|**采收加工**| 全年均可采收，晒干或鲜用。

|**功能主治**| 微涩、微苦，凉。归肝、肺、脾、胃经。止血生肌，健脾消食，清热解毒。用于痈疖肿毒，消化不良，肺热咳嗽，外伤出血。

|**用法用量**| 内服煎汤，9 ~ 15 g。外用适量，鲜品捣敷；或干品研末敷。

|**附　　注**| *Trichomanes orientalis* C. Chr. 为本种的异名。

膜蕨科 Hymenophyllaceae 瓶蕨属 *Vandenboschia*

漏斗瓶蕨 *Vandenboschia striata* (D. Don) Ebihara

| 药 材 名 | 漏斗瓶蕨（药用部位：全草。别名：热水莲）。

| 形态特征 | 植株高 25 ~ 40 cm。根茎黑褐色。叶远生；叶柄长 5 ~ 12 cm；叶片阔披针形至卵状披针形，长 18 ~ 25 cm，宽 5 ~ 7 cm，头渐尖，3 回深羽裂；羽片约 20 对，有短柄，卵状披针形，长 2 ~ 5 cm，宽 1.5 ~ 2 cm；一回羽片 6 ~ 10 对，长卵形，基部上侧 1 羽片最大；二回羽片 3 ~ 6 对，椭圆形；末回裂片短，圆线形，全缘；叶脉多回分叉。孢子囊群着生于向轴的较短裂片上，位于小脉先端；囊苞管状，呈狭漏斗形，两侧有狭翅，口部略膨大；囊群托丝状，伸于囊苞外。

| 生境分布 | 生于常绿阔叶林树干上或山谷溪边阴湿岩石上。分布于广东英德、

平远、乐昌、乳源等。

｜资源情况｜ 野生资源较少。药材来源于野生。

｜采收加工｜ 全年均可采收，洗净，晒干。

｜药材性状｜ 本品根茎坚硬，横走，黑褐色，密生褐色节状毛，下面疏生纤维状根。叶厚膜质，干后呈绿褐色，无毛；叶轴及羽轴两侧均有狭翅，疏被节状毛；叶柄两侧有狭翅下延至基部，基部被有扁平节状毛。

｜功能主治｜ 淡、涩，平。归脾、胃经。健脾开胃，止血。用于消化不良，外伤出血。

｜用法用量｜ 内服煎汤，9 ~ 15 g。外用适量，研末敷。

｜附　　注｜ *Trichormanes striatum* Don 为本种的异名。

蚌壳蕨科 Dicksoniaceae 金毛狗属 *Cibotium*

金毛狗 *Cibotium barometz* (Linn.) J. Sm.

| 药 材 名 | 狗脊（药用部位：根茎。别名：金狗脊、黄狗头）。

| 形态特征 | 根茎横卧，粗壮，密生具金黄色光泽的长柔毛，先端生出一丛大叶。叶柄长达 1.2 m；叶片大，长可超过 2 m，广卵状三角形，3 回羽状分裂；下部羽片长圆形，长达 80 cm，宽 20 ~ 30 cm，上部羽片逐渐变短小，至顶部呈狭羽尾状；小羽片线状披针形，渐尖，羽状深裂至全裂，裂片密接，狭矩圆形或近镰刀形，长 0.5 ~ 1 cm，宽 2 ~ 4 mm。孢子囊群着生于侧脉顶上，略呈矩圆形，每裂片 2 ~ 12；囊群盖坚硬，两瓣状，成熟时张开如蚌壳，露出孢子囊群。

| 生境分布 | 生于山脚沟边及林下阴处酸性土壤中。广东各地均有分布。

| 资源情况 | 野生资源丰富。药材来源于野生。

| 采收加工 | 秋、冬季采挖，除去泥沙，干燥或鲜用。

| 药材性状 | 本品呈不规则长块状，长 10 ～ 30 cm，直径 2 ～ 10 cm。表面深棕色，残留金黄色绒毛，上面有数个红棕色木质叶柄，下面残存黑色细根。质坚硬，不易折断。无臭，味淡、微涩。

| 功能主治 | 苦、甘，温。归肝、肾经。祛风湿，补肝肾，强腰膝。用于风湿痹痛，腰膝酸软，下肢无力。

| 用法用量 | 内服煎汤，6 ～ 12 g；或浸酒。外用适量，鲜品捣敷。

| 凭证标本号 | 441284190816466LY、441324180728004LY、440781190708016LY。

| 附　　注 | （1）本种为国家二级重点保护野生植物。

（2）2020 年版《中国药典》记载本种为狗脊药材的基原。

桫椤科 Cyatheaceae 桫椤属 *Alsophila*

大叶黑桫椤 *Alsophila gigantea* Wall. ex Hook.

| 药 材 名 | 大桫椤（药用部位：叶。别名：大黑桫椤、黑狗脊、黑狗头）。

| 形态特征 | 植株高 2 ~ 5 m，有主干。叶柄乌木色，粗糙；叶片大，3 回羽裂，羽片平展，有短柄，长圆形，长 50 ~ 60 cm 或更长，中部宽约 20 cm，先端渐尖并有浅锯齿；小羽片约 25 对，互生，条状披针形，长约 10 cm，宽 1.5 ~ 2 cm，基部截形，羽裂达 1/2 ~ 3/4；末回裂片 12 ~ 15 对，阔三角形，长 5 ~ 6 mm，基部宽 4 ~ 5 mm，边缘有浅钝齿。叶脉在下面明显，小脉 6 ~ 7 对，单一；叶轴及羽轴黑色，叶轴、羽轴及小羽轴上均被暗棕色短毛。孢子囊群位于主脉与叶缘之间，排列成“V”字形，无囊群盖。

| 生境分布 | 生于低海拔的山谷疏林中。分布于广东高州、信宜、阳春、罗定、

云安、英德及佛山（市区）、肇庆（市区）等。

|资源情况| 野生资源较少。药材来源于野生。

|采收加工| 全年均可采收，鲜用或晒干。

|药材性状| 本品厚纸质，干后上面呈深褐色，下面呈灰褐色，两面均无毛。

|功能主治| 涩，平。祛风除湿，活血止痛。用于风湿关节痛，腰痛，跌打损伤。

|用法用量| 内服煎汤，9 ~ 15 g。外用适量，捣敷。

|凭证标本号| 440232141222016LY。

|附　　注| 本种为国家二级重点保护野生植物。

桫椤科 Cyatheaceae 桫椤属 *Alsophila*

桫椤

Alsophila spinulosa (Wall. ex Hook.) R. M. Tryon

| 药 材 名 | 龙骨风（药用部位：茎。别名：刺桫椤、树蕨、大贯众）。

| 形态特征 | 茎干高 3 ~ 5 m，上部有残存的叶柄，向下密被交织的不定根。叶螺旋状排列于茎先端；叶柄长 30 ~ 50 cm，基部密被鳞片，连同叶轴和羽轴有刺状突起；叶片长圆形，长达 3 m，3 回深羽裂；羽片多数，互生，椭圆形，长 30 ~ 50 cm，宽 12 ~ 20 cm；小羽片多数，线状披针形，先端渐尖而有长尾，羽状深裂；裂片椭圆形，斜展，长 8 ~ 10 mm，具短尖头，边缘有锯齿；叶脉分离，小脉二叉。孢子囊群圆球形，紧靠中脉；囊群盖圆球形，外侧开裂，成熟时常反折且覆盖中脉。

| 生境分布 | 生于低海拔的山谷、溪边林下。分布于广东高州、信宜、阳春、罗定、

新兴、郁南、怀集、封开、英德、连山、博罗、惠东、龙门、五华、蕉岭、乐昌、新丰及广州（市区），以及鼎湖山等。

| 资源情况 | 野生资源较少。药材来源于野生。

| 采收加工 | 全年均可采收，削去坚硬的外皮，晒干。

| 药材性状 | 本品圆柱形或扁圆柱形，直径 6 ~ 12 cm。表面棕褐色或黑褐色，常附有密集的不定根断痕和大型叶柄痕，叶柄痕近圆形或椭圆形，直径约 4 cm，下方有凹陷，边缘有多数排列紧密的叶迹维管束，中间亦有叶迹维管束散在。质坚硬，断面常中空，周围的维管束排列成折叠状，形成隆起的脊和纵沟。气微，味苦、涩。

| 功能主治 | 微苦，平。归肾、胃、肺经。祛风除湿，活血通络，止咳平喘，清热解毒，杀虫。用于风湿痹痛，肾虚腰痛，跌打损伤，小肠气痛，风火牙痛，咳嗽，哮喘，疥癣，蛔虫病，蛲虫病。

| 用法用量 | 内服煎汤，15 ~ 30 g；或炖肉。外用适量，煎汤洗；或捣汁涂搽。

| 凭证标本号 | 440783200102034LY、441825190805017LY、441523190403022LY。

| 附　　注 | 本种为国家二级重点保护野生植物。

碗蕨科 Dennstaedtiaceae 碗蕨属 *Dennstaedtia*

碗蕨 *Dennstaedtia scabra* (Wall.) Moore

| 药 材 名 | 碗蕨（药用部位：全草）。

| 形态特征 | 植株高 70 ~ 120 cm。根茎、叶柄、叶轴密被毛。叶远生；叶柄长 20 ~ 35 cm，棕色；叶片椭圆形，长 20 ~ 50 cm，宽 10 ~ 20 cm，4 回深羽裂；羽片 15 ~ 20 对，互生，有柄，椭圆形或椭圆状披针形，下部羽片较大，长 10 ~ 14 cm，宽 4.5 ~ 6 cm；末回小羽片全缘或 1 ~ 2 裂，小裂片钝头，全缘；叶脉明显，每裂片有小脉 1，先端膨大成水囊。孢子囊群生于小脉先端；囊群盖碗形，黄绿色，边缘有齿。

| 生境分布 | 生于溪边潮湿处。分布于广东信宜、博罗、始兴、乳源及广州（市

区）等。

| 资源情况 | 野生资源丰富。药材来源于野生。

| 采收加工 | 夏、秋季采收，除去杂质，洗净，鲜用或晒干。

| 药材性状 | 本品根茎圆柱形，粗长，表面红棕色，密被棕色节状毛，其下着生众多灰黑色的须根。叶片纸质，干后呈棕绿色，叶两面、羽轴及叶脉均具褐色的节状长毛。孢子囊群生于小脉先端；囊群盖碗形，灰绿色，略有毛。质脆。气微，味淡。

| 功能主治 | 辛，凉。归膀胱经。祛风，清热解表。用于感冒头痛，风湿痹痛。

| 用法用量 | 内服煎汤，9 ~ 15 g。

| 凭证标本号 | 440785180326164LY。

碗蕨科 Dennstaedtiaceae 姬蕨属 *Hypolepis*

姬蕨 *Hypolepis punctata* (Thunb.) Mett.

| 药材名 | 姬蕨（药用部位：全草。别名：岩姬蕨、冷水蕨）。

| 形态特征 | 植株高达 1 m。根茎横走，密被毛。叶疏生；叶柄长 22 ~ 25 cm，棕禾秆色；叶片三角状卵形，长 35 ~ 70 cm，宽 20 ~ 28 cm，顶部为一回羽状，向下为 3 ~ 4 回羽状深裂；羽片 8 ~ 16 对，下部羽片较大，卵状披针形，长 20 ~ 30 cm，宽 8 ~ 18 cm，具渐尖头；末回裂片椭圆形，长约 5 mm，具钝头，边缘有钝锯齿；叶脉羽状。孢子囊群圆形，在主脉两侧有 1 ~ 4 对，无囊群盖，常被略反折的裂片边缘遮盖。

| 生境分布 | 生于山谷林下阴湿处。分布于广东阳春、罗定、连山、大埔、乐昌、始兴等。

| 资源情况 | 野生资源较少。药材来源于野生。

| 采收加工 | 夏、秋季采收，洗净，鲜用或晒干。

| 药材性状 | 本品根茎密被棕色刚毛。叶柄略粗，下部直径约3mm，表面棕褐色。叶片坚草质或纸质，干后呈草绿色或黄绿色，常皱缩，两面沿叶脉有短刚毛，叶轴及各回羽轴被灰色节状毛。有时在末回裂片基部两侧或上侧的近缺刻处可见孢子囊群。气微，味苦、辛。

| 功能主治 | 苦、辛，凉。归肺、肝经。清热解毒，收敛止血。用于烫火伤，外伤出血。

| 用法用量 | 外用适量，鲜品捣敷；或干品研末敷。

| 凭证标本号 | 441622200922004LY、441823200710015LY、440785180709052LY。

碗蕨科 Dennstaedtiaceae 鳞盖蕨属 *Microlepia*

华南鳞盖蕨 *Microlepia hancei* Prantl

| 药 材 名 | 华南鳞盖蕨（药用部位：全草。别名：凤尾千金草、青蕨、鳞盖蕨）。

| 形态特征 | 植株高达 1.5 m。根茎横走，密被毛。叶远生；叶柄长 30 ~ 40 cm；叶片长卵形，长 30 ~ 60 cm，中部宽 25 ~ 30 cm，3 回羽裂；一回羽片 10 ~ 15 对，三角状披针形，基部 1 对羽片略短缩；二回羽片 10 ~ 14 对，阔披针形，渐尖头；末回裂片 5 ~ 7 对，基部上侧裂片长圆形，长约 7 mm，宽 4 ~ 5 mm，下侧裂片略小，近卵形；侧脉纤细，羽状分枝；沿叶脉疏生刚毛，叶轴、羽轴均略被灰色细毛。孢子囊群小，圆形，每末回裂片 1；囊群盖圆形，被疏毛。

| 生境分布 | 生于林下、溪边潮湿处。分布于广东阳春、罗定、新兴、郁南、大埔、和平及广州（市区）、茂名（市区）等。

| 资源情况 | 野生资源丰富。药材来源于野生。

| 采收加工 | 夏、秋季采收，除去杂质，洗净，鲜用或晒干。

| 药材性状 | 本品根茎圆柱形，表面密生有节的长茸毛。叶柄棕黄色，其上密生有节的长茸毛；叶片草质，干后呈绿色或黄绿色，两面沿叶脉有刚毛；叶轴及各羽轴均略被灰色细毛。孢子囊群位于裂片基部上侧近缺刻处；囊群盖圆形，稍有毛。气微，味微苦。

| 功能主治 | 微苦，寒。归肝经。清热，利湿。用于黄疸性肝炎，流行性感冒，风湿骨痛。

| 用法用量 | 内服煎汤，9 ~ 15 g。

| 凭证标本号 | 440281190425002LY、441825190708025LY、440882180331243LY。

碗蕨科 Dennstaedtiaceae 鳞盖蕨属 *Microlepia*

边缘鳞盖蕨 *Microlepia marginata* (Houtt.) C. Chr.

| 药 材 名 | 边缘鳞盖蕨（药用部位：嫩叶。别名：边缘鳞蕨、小叶山鸡尾巴、黑鸡婆）。

| 形态特征 | 植株高 60 ~ 100 cm。根茎长而横走，密被锈色长毛。叶远生；叶柄长 20 ~ 30 cm；叶片三角状椭圆形，长 55 cm，宽 13 ~ 25 cm，一回羽状；羽片 20 ~ 25 对，基部羽片对生，上部羽片互生，有短柄，披针形，长 10 ~ 15 cm，宽 1 ~ 1.8 cm，基部不等，上侧钝耳形，下侧楔形，边缘缺刻状或浅裂；裂片三角形，全缘或有少数齿牙；叶脉羽状。孢子囊群生于羽片边缘的小脉先端；囊群盖半杯状，被毛。

| 生境分布 | 生于林下、溪边潮湿处。分布于广东连州、饶平、大埔、平远、蕉岭、

和平、乐昌、始兴、翁源、乳源等。

| 资源情况 | 野生资源丰富。药材来源于野生。

| 采收加工 | 夏、秋季采收，洗净，鲜用或晒干。

| 药材性状 | 本品叶柄深禾秆色，有纵沟，几光滑；叶片纸质，干后上面呈绿色，下面呈灰绿色；叶轴密被锈棕色刚毛，叶上面多少被毛，但毛较稀疏。每小裂片有孢子囊群 1 ~ 6，孢子囊群近边缘着生；囊群盖浅杯形，棕色，有短硬毛。气微，味淡。

| 功能主治 | 苦，寒。归肝经。清热解毒，祛风活络。用于痈疮疖肿，风湿痹痛，跌打损伤。

| 用法用量 | 内服煎汤，9 ~ 15 g。外用适量，捣敷。

| 凭证标本号 | 441825190709006LY、441324180801053LY、441827180809037LY。

碗蕨科 Dennstaedtiaceae 鳞盖蕨属 *Microlepia*

粗毛鳞盖蕨 *Microlepia strigosa* (Thunb.) Presl

| 药 材 名 | 粗毛鳞盖蕨（药用部位：全草。别名：粗毛鳞蕨）。

| 形态特征 | 植株高达 1 m。根茎长而横走，与叶柄基部均密被刚毛。叶远生；叶柄长 20 ~ 30 cm；叶片长圆形，长 40 ~ 60 cm，宽 15 ~ 30 cm，中部最宽，先端长渐尖并为一回羽状，向下为二回羽状；羽片 12 ~ 25 对，线状披针形，长 12 ~ 20 cm，宽 2.5 ~ 3.5 cm，先端长渐尖，基部不对称；小羽片 20 ~ 30 对，菱形，长 1.5 ~ 2 cm，宽 6 ~ 10 mm，全缘或有浅锯齿；叶脉羽状；叶轴、羽轴、主脉及小脉两面均被淡黄色毛。孢子囊群小，生于小脉先端；囊群盖圆肾形或浅杯形。

| 生境分布 | 生于林下石灰岩上。分布于广东阳春、郁南、英德、连州、平远、

和平、乐昌、乳源等。

| 资源情况 | 野生资源丰富。药材来源于野生。

| 采收加工 | 夏、秋季采收，除去杂质，洗净，鲜用或晒干。

| 药材性状 | 本品根茎圆柱形，直径约 4 mm，表面密生灰棕色长针状毛。叶柄褐棕色，有粗糙的斑痕；叶片厚纸质，干后呈棕绿色；叶轴、羽轴及叶脉均有短硬毛。孢子囊群生于小脉先端，每小羽片有孢子囊群 3 ～ 6 对；囊群盖有棕色短毛。气微，味微苦。

| 功能主治 | 微苦，寒。归肺、肝经。清热利湿。用于流行性感冒，肝炎。

| 用法用量 | 内服煎汤，9 ～ 15 g。

| 凭证标本号 | 440224190609024LY。

鳞始蕨科 Lindsaeaceae 鳞始蕨属 *Lindsaea*

鳞始蕨 *Lindsaea cultrata* (Willd.) Sw.

| 药 材 名 | 鳞始蕨（药用部位：全草。别名：土黄连、还魂草、猪毛七）。

| 形态特征 | 植株通常高 20 ~ 30 cm。根茎横走，密被红棕色鳞片。叶柄长 4 ~ 7 cm，下部栗黑色，基部被鳞片，上部禾秆色，光滑无毛；叶片线状披针形，光滑无毛，一回羽状，长 10 ~ 18 cm，宽 1.5 ~ 2 cm，基部常略变狭，先端羽裂渐尖；羽片 20 ~ 30 对，互生或近对生，斜三角形，长 8 ~ 10 mm，宽 5 ~ 6 mm，基部楔形，下缘直，上缘有缺刻；叶脉二叉分枝。孢子囊群沿羽片上缘着生，生于 2 ~ 3 小脉先端，不连续；囊群盖横线形，边缘啮蚀状，向叶缘开口。

| 生境分布 | 生于沟谷、溪边阴湿处。分布于广东阳春、罗定、怀集、阳山、博罗、龙门、乐昌、仁化、新丰、乳源及广州（市区）、惠州（市区）、

茂名（市区）等。

|资源情况| 野生资源丰富。药材来源于野生。

|采收加工| 夏、秋季采收，洗净，鲜用或晒干。

|药材性状| 本品根茎圆柱形，表面密生条状钻形鳞片，上方生多数叶，下方有众多须根。叶柄禾秆色，长 4 ～ 7 cm；叶片线状披针形，羽片有短柄，半圆状斜三角形，叶片草质，干后呈灰绿色，两面光滑无毛。孢子囊生于两缺刻之间，横跨 2 ～ 3 小脉先端；囊群盖边缘略呈啮蚀状。气微，味淡。

|功能主治| 淡，凉。归肺、胃、膀胱经。止血，利尿。用于小便不畅，尿血，吐血。

|用法用量| 内服煎汤，9 ～ 15 g。

|凭证标本号| 441823191019029LY。

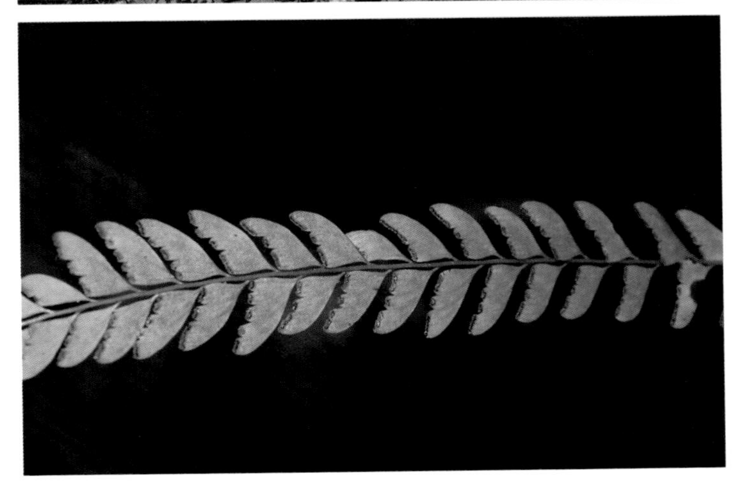

鳞始蕨科 Lindsaeaceae 鳞始蕨属 *Lindsaea*

异叶鳞始蕨 *Lindsaea heterophylla* Dry.

| 药 材 名 | 异叶鳞始蕨（药用部位：全草。别名：异叶双唇蕨、异叶林蕨、月影草）。

| 形态特征 | 植株高约 35 cm。根茎横走，密被棕褐色披针形鳞片。叶近生；叶柄长 12 ~ 22 cm，暗栗色，光滑无毛；叶片卵状披针形，长 15 ~ 30 cm，宽 5 ~ 15 cm，一回羽状或下部为二回羽状；羽片约 11 对，披针形，长 3 ~ 5 cm，宽约 1 cm，边缘具啮蚀状锯齿，下部 1 ~ 2 对羽片多少为一回羽状，长达 7 cm，有 2 ~ 5 对小羽片；侧脉在中脉两侧各联结成 1 行网眼；叶轴禾秆色；具 4 棱。孢子囊群沿羽片或小羽片的边缘着生，线形，连续；囊群盖膜质，线形，全缘，向叶缘开口。

| 生境分布 | 生于山谷溪边林下。分布于广东阳春、翁源及广州（市区），以及鼎湖山、罗浮山等。

| 资源情况 | 野生资源丰富。药材来源于野生。

| 采收加工 | 夏、秋季采收，除去杂质，洗净，鲜用或晒干。

| 药材性状 | 本品根茎圆柱形，直径约 2 mm，表面密生赤褐色钻形鳞片，上方生多数叶，下方有众多褐色的须根。叶柄四棱形，暗栗色，光滑；叶片阔披针形或矩圆状三角形，一至二回羽状，草质，淡灰绿色；叶轴有 4 棱，禾秆色，光滑；羽片披针形。孢子囊群线形，生于小脉先端的联结脉上；囊群盖线形，棕灰色，全缘。气微，味淡。

| 功能主治 | 淡、苦，平。归肝经。利水，活血止痛。用于小便不畅，瘀滞疼痛。

| 用法用量 | 内服煎汤，9 ~ 15 g。

鳞始蕨科 Lindsaeaceae 鳞始蕨属 *Lindsaea*

团叶鳞始蕨 *Lindsaea orbiculata* (Lam.) Mett.

| 药 材 名 |

团叶鳞始蕨（药用部位：全草。别名：鱼眼蕨、七星剑、月影草）。

| 形态特征 |

植株通常高 30 ~ 40 cm。根茎短而横卧，密被棕色钻形鳞片。叶柄长 5 ~ 20 cm；叶片线状披针形或披针形，长 10 ~ 20 cm，宽约 2 cm，一回羽状，有时下部二回羽状，光滑无毛；羽片 20 ~ 28 对，下部羽片对生并远离，向上互生且接近，斜展，对开式，扇形或半圆形，长约 1 cm，宽 5 ~ 8 mm，先端圆形，下缘平直或内弯，上缘有不整齐的齿；叶脉二叉分枝。孢子囊群沿羽片边缘着生，常连续；囊群盖线形，膜质，边缘有细齿，向叶缘开口。

| 生境分布 |

生于山地林下。分布于广东徐闻、阳春、罗定、新兴、怀集、封开、英德、深圳（市区）、博罗、惠东、龙门、大埔、平远、龙川、和平、乐昌、始兴、翁源及阳江（市区）、云浮（市区）、肇庆（市区）、河源（市区）等。

| 资源情况 | 野生资源丰富。药材来源于野生。

| 采收加工 | 夏、秋季采收，洗净，鲜用或晒干。

| 药材性状 | 本品根茎圆柱形，表面密生狭小的红棕色鳞片，下面着生众多灰褐色须根。叶柄栗褐色，上面有沟，下面稍圆，光滑；叶片线状披针形，一至二回羽状，草质，干后呈灰绿色，两面光滑无毛。叶轴禾秆色，有 4 棱；羽片有短柄，团扇形，叶脉多回二叉，扇形。孢子囊群生于小脉先端的连接脉上，靠近叶缘，连续分布；囊群盖线形，棕色，有细齿牙。质韧。气微，味淡、微苦。

| 功能主治 | 苦，凉。归肝经。清热解毒，止血。用于痢疾，疮疥，枪弹伤。

| 用法用量 | 内服煎汤，9 ~ 15 g。外用适量，鲜品捣敷。

| 凭证标本号 | 440281190814014LY、440783190812005LY、441825190712014LY。

蝶始蕨科 Lindsaeaceae 乌蕨属 *Stenoloma*

乌蕨 *Stenoloma chusanum* Ching

| 药 材 名 | 大叶金花草（药用部位：全草。别名：乌韭、金花草）。

| 形态特征 | 植株高 30 ~ 50 cm。根茎短，密被鳞片。叶近生；叶柄长 15 ~ 25 cm，无毛；叶片卵状披针形，长 20 ~ 40 cm，宽 5 ~ 12 cm，四回羽状；羽片 15 ~ 20 对，互生，密接，斜展，卵状披针形，长 5 ~ 10 cm，宽 2 ~ 5 cm，先端羽裂渐尖；一回小羽片 10 ~ 15 对，近菱形，基部小羽片上先出；二回小羽片倒披针形，先端截形，下部的二回小羽片常再分裂成同形的裂片；叶脉二叉分枝。孢子囊群沿裂片边缘着生，每裂片具孢子囊群 1 ~ 2；囊群盖灰棕色，半杯形，向外开裂。

| 生境分布 | 生于山谷、路旁。分布于广东除西南部雷州半岛以外的地区。

| 资源情况 | 野生资源丰富。药材来源于野生。

| 采收加工 | 夏、秋季采挖，除去杂质，洗净，鲜用或晒干。

| 药材性状 | 本品根茎粗壮，长 2 ~ 7 cm，表面密被赤褐色钻状鳞片，上方生多数叶，下方有众多紫褐色须根。叶柄呈不规则细圆柱形，直径约 2 mm，表面光滑，禾秆色或基部红棕色，有数条角棱及 1 凹沟；叶片披针形，4 回羽状分裂，坚草质，干后呈黄绿色，两面光滑无毛，略具皱褶，棕褐色至深褐色，小裂片楔形，先端平截或 1 ~ 2 浅裂。孢子囊群 1 ~ 2 着生于每个小裂片边缘。气微，味苦。

| 功能主治 | 微苦，寒。归肝、肺、大肠经。清热解毒，利湿，止血。用于感冒发热，咳嗽，咽喉肿痛，肠炎，痢疾，肝炎，湿热带下，痈疮肿毒，痄腮，口疮，烫火伤，毒蛇、狂犬咬伤，湿疹，吐血，尿血，便血，外伤出血。

| 用法用量 | 内服煎汤，15 ~ 30 g；或绞汁。外用适量，捣敷；或研末敷；或煎汤洗。

| 凭证标本号 | 441303190504009LY、440902201111052LY、440308200903040LY。

蕨科 Pteridiaceae 蕨属 *Pteridium*

蕨 *Pteridium aquilinum* var. *latiusculum* (Desv.) Underw. ex Heller

| 药材名 | 蕨（药用部位：嫩叶。别名：蕨萁、蕨菜、如意菜）、蕨根（药用部位：根茎。别名：蕨鸡根、蕨粉、乌角）。

| 形态特征 | 植株高达 1 m。根茎长，粗壮，被茸毛。叶柄长 20 ~ 80 cm，光滑，褐棕色或秆黄色；叶片阔三角形或椭圆状三角形，长 30 ~ 60 cm，宽 20 ~ 45 cm，先端渐尖，基部圆楔形，三回羽状；羽片 4 ~ 6 对，基部 1 对羽片长 15 ~ 25 cm，宽 14 ~ 18 cm，柄长 3 ~ 5 cm，二回羽状；小羽片约 10 对，互生，披针形，先端尾状渐尖；裂片 10 ~ 15 对，椭圆形或阔披针形，全缘；中部以上的羽片渐变为一回羽状；仅下面叶脉明显，侧脉二叉。孢子囊群沿叶边缘呈线形分布，膜质叶缘反折成假囊群盖。

| 生境分布 | 生于山坡及林缘阳光充足的地方。分布于广东信宜、英德、连州、阳山、饶平、乐昌、翁源、乳源及广州（市区）、深圳（市区）、肇庆（市区）等。

| 资源情况 | 野生资源丰富。药材来源于野生。

| 采收加工 | **蕨：**秋、冬季采收，晒干或鲜用。

蕨根：秋、冬季挖取，洗净，晒干。

| 功能主治 | **蕨：**甘，寒。归肝、胃、脾、大肠经。清热利湿，止血，降气化痰。用于感冒发热，黄疸，痢疾，带下，噎膈，肺结核咯血，肠风便血，风湿痹痛。

蕨根：甘，寒；有毒。归肺、肝、脾、大肠经。清热利湿，平肝安神，解毒消肿。用于发热，咽喉肿痛，腹泻，痢疾，黄疸，带下，高血压，头昏失眠，风湿痹痛，痔疮，脱肛，湿疹，烫伤，蛇虫咬伤。

| 用法用量 | **蕨：**内服煎汤，9 ~ 15 g。外用适量，捣敷；或研末撒。

蕨根：内服煎汤，9 ~ 15 g。外用适量，研末或炙灰敷。

| 凭证标本号 | 441882190615005LY、441827180408002LY、440783200328011LY。

蕨科 Pteridiaceae 蕨属 *Pteridium*

毛轴蕨 *Pteridium revolutum* (Bl.) Nakai.

| 药 材 名 | 龙爪菜（药用部位：根茎。别名：蕨菜、饭蕨、苦蕨）。

| 形态特征 | 植株高达 1 m。根茎长而横走，被卷曲的锈色节状毛。叶远生；叶柄长 35 ~ 50 cm，叶柄基部及叶轴、羽轴、裂片下面均被灰白色或淡棕色柔毛；叶片阔三角形或卵状三角形，长 30 ~ 80 cm，宽 30 ~ 50 cm，具渐尖头，三回羽状；羽片 4 ~ 6 对，对生，有柄，基部 1 对羽片长 20 ~ 30 cm，宽 10 ~ 15 cm；小羽片 12 ~ 18 对，几无柄，披针形；裂片约 20 对，镰状披针形，彼此连接，通常全缘；中部以上的羽片渐变为一回羽状。孢子囊群沿叶边缘呈线形分布，膜质叶缘反折成假囊群盖。

| 生境分布 | 生于山坡阳处或山谷疏林下。分布于广东信宜、阳春、罗定、郁南、

阳山、乐昌、翁源及肇庆（市区）等。

| **资源情况** | 野生资源丰富。药材来源于野生。

| **采收加工** | 夏、秋季采挖，洗净，鲜用或晒干。

| **功能主治** | 微涩、甘，凉。清热解毒，祛风除湿，利水通淋，驱虫。用于热毒疮疡，烫伤，脱肛，风湿痹痛，小便淋痛，诸虫症。

| **用法用量** | 内服煎汤，6 ~ 15 g；或浸酒。外用适量，捣敷；或研末敷。

| **凭证标本号** | 441827180813116LY。

凤尾蕨科 Pteridaceae 凤尾蕨属 *Pteris*

狭眼凤尾蕨 *Pteris biaurita* Linn.

药材名

狭眼凤尾蕨（药用部位：全草）。

形态特征

植株高 70 ~ 120 cm。根茎直立，先端密被鳞片。叶簇生；叶柄长 40 ~ 60 cm，基部淡褐色，上部禾秆色至淡绿色；叶片长卵形，长 40 ~ 55 cm，宽 20 ~ 30 cm，2 回深羽裂或基部 3 回深羽裂；羽片 8 ~ 10 对，对生，斜展，阔披针形，长 15 ~ 20 cm，宽 3 ~ 5 cm，先端具长尾尖，篦齿状深羽裂达羽轴两侧的宽翅，基部 1 对羽片基部分叉；裂片 20 ~ 25 对，镰刀状阔披针形，长 1.8 ~ 3 cm，全缘；叶脉明显，在羽轴两侧形成 1 行狭长的网眼。孢子囊群线形，沿裂片边缘延伸，裂片先端不育，具有由叶缘反卷形成的膜质假囊群盖。

生境分布

生于稍干燥的疏林下。分布于广东英德、汕头（市区）及珠江口岛屿等。

资源情况

野生资源较少。药材来源于野生。

| 采收加工 | 全年均可采挖，洗净，晒干。

| 功能主治 | 苦，寒。归胃、大肠经。收敛止血，止痢。用于泄泻，痢疾，外伤出血。

| 用法用量 | 内服煎汤，6 ~ 15 g。外用适量，研末敷。

| 凭证标本号 | 441422190928620LY。

凤尾蕨科 Pteridaceae 凤尾蕨属 *Pteris*

粗糙凤尾蕨 *Pteris cretica* var. *laeta* (Wall. ex Ettingsh.) C. Chr. et Tard.-Blot

| 药 材 名 | 井边草（药用部位：全草或根茎。别名：凤尾草、井口边草）。

| 形态特征 | 植株高 50 ～ 80 cm。根茎短而直立或斜生，密被鳞片。叶簇生，二型；叶柄长 30 ～ 45 cm，多为红棕色或褐棕色，表面粗糙；叶片卵形或卵状披针形，长 30 ～ 60 cm，宽 20 ～ 40 cm，一至二回羽状；羽片 5 ～ 7 对，披针形，斜向上，长 20 ～ 30 cm，宽 1 ～ 2 cm，基部羽片分叉，上部羽片无柄，边缘具尖锯齿；能育叶的羽片较狭，先端不育部分有锯齿，全缘；叶脉分离。孢子囊群线形，沿羽片边缘着生，具有由叶缘反卷形成的膜质假囊群盖。

| 生境分布 | 生于山谷酸性土壤中。分布于广东乳源。

| 资源情况 | 野生资源较少。药材来源于野生。

| 采收加工 | 全年均可采收，洗净，鲜用或晒干。

| 功能主治 | 辛、微苦，凉。归肝、大肠、膀胱经。清热利湿，活血消肿。用于痢疾，腹泻，水肿，肝炎，胆囊炎，喉痹，尿路感染，痈肿疮毒，风湿痹痛，跌打肿痛，骨折。

| 用法用量 | 内服煎汤，6 ~ 15 g。外用适量，捣敷。

凤尾蕨科 Pteridaceae 凤尾蕨属 *Pteris*

凤尾蕨 *Pteris cretica* var. *nervosa* (Thunb.) Ching et S. H. Wu

| 药 材 名 | 井口边草（药用部位：全草。别名：线鸡尾、凤尾草、玉龙草）。

| 形态特征 | 植株高 30 ~ 50 cm。根茎直立或斜升，先端被鳞片。叶簇生，二型或近二型；叶柄长 25 ~ 45 cm，禾秆色或浅棕色，光滑无毛；叶片卵形或卵状披针形，长 25 ~ 35 cm，宽 15 ~ 25 cm，一至二回羽状；侧生羽片 3 ~ 6 对，长 10 ~ 20 cm，宽 1 ~ 2 cm，斜向上，披针形，基部羽片分叉，上部羽片无柄，边缘具尖锯齿；能育叶的羽片较狭，先端不育部分有锯齿，全缘；叶脉分离。孢子囊群线形，沿羽片边缘着生，具膜质假囊群盖。

| 生境分布 | 生于石灰岩地区的灌丛中。分布于广东阳春、连州等。

| 资源情况 | 野生资源较少。药材来源于野生。

| 采收加工 | 全年均可采收，鲜用或洗净切段，晒干。

| 功能主治 | 甘、淡，凉。归肝、大肠经。清热利湿，止血生肌，解毒消肿。用于泄泻，痢疾，黄疸，淋证，水肿，咯血，尿血，便血，刀伤出血，跌打肿痛，疮痈，烫火伤。

| 用法用量 | 内服煎汤，10 ~ 30 g。外用适量，研末撒；或煎汤洗；或鲜品捣敷。

| 凭证标本号 | 445222180414011LY、441827180420038LY。

凤尾蕨科 Pteridaceae 凤尾蕨属 *Pteris*

岩凤尾蕨 *Pteris deltodon* Baker

| 药 材 名 | 岩凤尾蕨（药用部位：全草。别名：凤尾草、粗金鸡尾、楚箭草）。

| 形态特征 | 植株高 15 ～ 30 cm。根茎短而直立，先端密被鳞片。叶簇生，一型；叶柄长 10 ～ 20 cm，基部棕色，上部呈禾秆色或浅黄色，光滑无毛；叶片卵形或三角状卵形，长 10 ～ 20 cm，宽 10 ～ 15 cm，一回羽状；羽片 1 ～ 3 对，近对生，卵状披针形，长 5 ～ 15 cm，宽 15 ～ 25 mm，先端渐尖，基部阔楔形，几无柄，边缘能育部分全缘，不育部分有粗锯齿；叶脉羽状。孢子囊群线形，沿叶缘的边脉着生，具膜质假囊群盖。

| 生境分布 | 生于石灰岩壁上。分布于广东珠江口岛屿。

| 资源情况 | 野生资源较少。药材来源于野生。

| 采收加工 | 全年均可采收，鲜用或晒干。

| 功能主治 | 甘、苦，凉。归大肠、肺、肝经。清热利湿，敛肺止咳，定惊，解毒。用于泄泻，痢疾，淋证，久咳不止，小儿惊风，疮疖，蛇虫咬伤。

| 用法用量 | 内服煎汤，9 ~ 15 g。

| 凭证标本号 | 441283170606056LY。

凤尾蕨科 Pteridaceae 凤尾蕨属 *Pteris*

刺齿半边旗 *Pteris dispar* Kze.

| 药 材 名 | 刺齿凤尾蕨（药用部位：全草。别名：半边双、半边旗）。

| 形态特征 | 植株高 30 ~ 80 cm。根茎短而直立，与叶柄基部同被鳞片。叶簇生，二型；叶柄长 15 ~ 40 cm，与叶轴均为栗色，有光泽；叶片长卵形，长 25 ~ 40 cm，宽 15 ~ 20 cm，2 回深羽裂或 3 回半边深羽裂；顶生羽片披针形，篦齿状羽裂几达叶轴，侧生羽片 5 ~ 8 对，披针形，长 6 ~ 12 cm，基部宽 2.5 ~ 4 cm，先端尾状渐尖，两侧或仅下侧深羽裂几达羽轴；下侧裂片略长；不育叶边缘有尖锯齿；侧脉明显。孢子囊群线形，于边缘处着生，仅顶部不育，具膜质假囊群盖。

| 生境分布 | 生于山谷疏林中。分布于广东信宜、阳春、怀集、德庆、连州、阳山、连山、博罗、龙门、梅县、大埔、乐昌、仁化、翁源、乳源及广州（市

区）、深圳（市区）、河源（市区）等。

| 资源情况 | 野生资源丰富。药材来源于野生。

| 采收加工 | 全年均可采收，鲜用或晒干。

| 功能主治 | 苦、涩，凉。归肝、大肠经。清热解毒，凉血祛瘀。用于痢疾，泄泻，痄腮，风湿痹痛，跌打损伤，痈疮肿毒，毒蛇咬伤。

| 用法用量 | 内服煎汤，15 ~ 30 g。外用适量，捣敷。

| 凭证标本号 | 441825190808001LY、440523190522005LY、441882180508015LY。

凤尾蕨科 Pteridaceae 凤尾蕨属 *Pteris*

剑叶凤尾蕨 *Pteris ensiformis* Burm. f.

|药 材 名|

凤冠草（药用部位：全草或根茎。别名：凤凰草、凤尾草、井边茜）。

|形态特征|

植株高 30 ~ 50 cm。根茎短，先端被鳞片。叶簇生，二型；叶柄长 10 ~ 30 cm，与叶轴同为禾秆色；叶片长卵形，长 10 ~ 30 cm，宽 5 ~ 15 cm，二回羽状；羽片 3 ~ 6 对，卵形，长 5 ~ 10 cm，宽 2 ~ 5 cm；不育小羽片卵形或长圆形，边缘具尖锯齿，基部下延并贴生于羽轴；能育小羽片明显比不育小羽片狭窄，长条形，先端小羽片明显伸长，呈剑形。孢子囊群线形，沿羽片边缘处着生，具假囊群盖。

|生境分布|

生于林下、灌丛中。广东各地均有分布。

|资源情况|

野生资源丰富。药材来源于野生。

|采收加工|

全年均可采收，洗净，鲜用或晒干。

| 功能主治 | 苦、微涩，微寒。归肝、大肠、膀胱经。清热利湿，凉血止血，解毒消肿。用于痢疾，泄泻，疟疾，黄疸，淋病，带下，咽喉肿痛，痄腮，痈疽，瘰疬，崩漏，痔疮出血，外伤出血，跌打肿痛，疥疮，湿疹。

| 用法用量 | 内服煎汤，15 ~ 30 g，大剂量可用 60 ~ 120 g。外用适量，煎汤洗；或捣敷。

| 凭证标本号 | 440281190627020LY、440882180406697LY、440523190729008LY。

凤尾蕨科 Pteridaceae 凤尾蕨属 *Pteris*

傅氏凤尾蕨 *Pteris fauriei* Hieron.

| 药 材 名 | 金钗凤尾蕨（药用部位：叶。别名：南方凤尾蕨、青丫蕨、冷蕨草）。

| 形态特征 | 植株高 50 ~ 90 cm。根茎先端与叶柄基部被鳞片。叶簇生，一型；叶柄长 30 ~ 50 cm；叶片卵形至三角状卵形，长 25 ~ 45 cm，宽 17 ~ 24 cm，2 回深羽裂或基部 3 回深羽裂；侧生羽片 3 ~ 6 对，镰状披针形，长 13 ~ 23 cm，宽 3 ~ 4 cm，先端长渐尖；裂片 20 ~ 30 对，镰状阔披针形，长 1.5 ~ 2.2 cm，宽 4 ~ 6 mm，通常下侧裂片较长，先端钝，全缘；叶脉分离，主脉上面有少数小刺，侧脉二叉。孢子囊群着生于裂片两侧边缘；膜质假囊群盖灰白色，全缘。

| 生境分布 | 生于林下沟边酸性土壤中。分布于广东阳春、英德、阳山、博罗、

大埔、蕉岭及广州（市区）、惠州（市区）、肇庆（市区）等。

| 资源情况 | 野生资源丰富。药材来源于野生。

| 采收加工 | 全年均可采收，洗净，鲜用或晒干。

| 功能主治 | 苦，凉。归心经。清热利湿，祛风定惊，敛疮止血。用于痢疾，泄泻，黄疸，小儿惊风，外伤出血，烫火伤。

| 用法用量 | 内服煎汤，6 ~ 15 g。外用适量，研末撒；或捣敷。

| 凭证标本号 | 441825190707019LY、441523200105001LY、445222180616005LY。

凤尾蕨科 Pteridaceae 凤尾蕨属 *Pteris*

全缘凤尾蕨 *Pteris insignis* Mett. et Kuhn

| 药 材 名 | 全缘凤尾蕨（药用部位：全草。别名：鸡脚莲、井口边草、巴墙草）。

| 形态特征 | 植株高 1 ~ 1.5 cm。根茎短，先端被鳞片。叶簇生，一型；叶柄长 60 ~ 90 cm，深禾秆色，无毛；叶片长卵形，长 50 ~ 80 cm，宽 20 ~ 30 cm，一回羽状；羽片 6 ~ 14 对，线状披针形，长约 20 cm，先端渐尖，基部楔形，向上斜升，上部的能育羽片宽 1 ~ 1.5 cm，下部的不育羽片宽 2 ~ 2.6 cm，全缘，具软骨质狭边；叶脉明显。孢子囊群狭线形，着生于小羽片边缘中上部，羽片的基部和先端不育；囊群盖线形，灰白色。

| 生境分布 | 生于山谷林下或溪边。分布于广东信宜、罗定、郁南、怀集、封开、英德、连州、阳山、连山、大埔、和平、乐昌、始兴、翁源、乳源、

新丰等。

| 资源情况 | 野生资源丰富。药材来源于野生。

| 采收加工 | 全年均可采收，洗净，鲜用或晒干。

| 功能主治 | 微苦，凉。归肝经。清热利湿，活血消肿。用于痢疾，咽喉肿痛，瘰疬，黄疸，血淋，热淋，风湿骨痛，跌打损伤。

| 用法用量 | 内服煎汤，10 ～ 15 g。外用适量，捣敷。

| 凭证标本号 | 441823191019004LY、441422190725106LY。

凤尾蕨科 Pteridaceae 凤尾蕨属 *Pteris*

井栏边草 *Pteris multifida* Poir.

| 药材名 | 凤尾草（药用部位：全草。别名：井口边草、山鸡尾）。

| 形态特征 | 植株高 30 ~ 45 cm。根茎短而直立，被鳞片。叶簇生，二型；不育叶柄长 15 ~ 25 cm，能育叶柄较长，光滑；叶片长卵形，长 20 ~ 40 cm，宽 15 ~ 20 cm，二回羽状；羽片 4 ~ 7 对，近对生，下部羽片具短柄，二叉分裂或羽状分裂，上部羽片无柄，披针形，基部下延，在叶轴两侧形成狭翅；能育叶的羽片和小羽片条形，长 10 ~ 15 cm，宽 4 ~ 7 mm；不育叶的羽片和小羽片宽 1 ~ 2 cm，翅更宽，具尖锯齿；叶脉分离。孢子囊群线形，沿羽片或小羽片的边缘着生，具假囊群盖。

| 生境分布 | 生于墙壁、井边、石灰岩缝隙或灌丛下。分布于广东信宜、阳春、

新会、阳山、连山、连南、乐昌、乳源及广州（市区）、梅州（市区）、茂名（市区）等。

| 资源情况 | 野生资源丰富。药材来源于野生。

| 采收加工 | 全年或夏、秋季采收，洗净，晒干或鲜用。

| 药材性状 | 本品根茎短，棕褐色，下面丛生须根，上面有簇生叶。叶柄细，有棱，棕黄色或黄绿色，易折断；叶片草质，干后呈灰绿色或黄绿色。孢子囊群生于羽片下面边缘。气微，味淡或微涩。

| 功能主治 | 淡、微苦，寒。归大肠、肝、心经。清热利湿，消肿解毒，凉血止血。用于痢疾，泄泻，淋浊，带下，黄疸，疔疮肿毒，喉痹乳蛾，淋巴结结核，腮腺炎，乳腺炎，高热抽搐，蛇虫咬伤，吐血，衄血，尿血，便血，外伤出血。

| 用法用量 | 内服煎汤，9 ~ 15 g，鲜品 30 ~ 60 g；或捣汁。外用适量，捣敷。

| 凭证标本号 | 440882180430380LY、441622190528053LY、441823190612011LY。

凤尾蕨科 Pteridaceae 凤尾蕨属 *Pteris*

栗柄凤尾蕨 *Pteris plumbea* Christ

| 药 材 名 | 五齿剑（药用部位：全草）。

| 形态特征 | 植株高 25 ~ 35 cm。根茎先端被鳞片。叶簇生；叶柄长 10 ~ 20 cm，具 4 棱，与叶轴同为栗色（幼时或为禾秆色），光滑；叶片近一型，椭圆形或长卵形，长 20 ~ 25 cm，宽 10 ~ 15 cm，一回羽状；羽片通常 2 对，对生，斜向上，基部羽片通常二至三叉，顶生小羽片线状披针形，长 10 ~ 15 cm，宽 8 ~ 10 mm，基部多少下延，两侧小羽片远短于顶生小羽片；叶缘有软骨质边，不育部分具锐锯齿；叶脉明显。孢子囊群线形，边缘着生，具膜质假囊群盖。

| 生境分布 | 生于石灰岩地区的疏林下。分布于广东英德、连州、乐昌及广州（市区）、汕头（市区）、肇庆（市区）等。

| 资源情况 | 野生资源丰富。药材来源于野生。

| 采收加工 | 全年均可采收，洗净，晒干。

| 功能主治 | 微苦，凉。清热利湿，活血止血。用于痢疾，跌打损伤，刀伤出血。

| 用法用量 | 内服煎汤，9 ~ 15 g。外用适量，捣敷。

| 凭证标本号 | 441823191114001LY、441422210224736LY。

凤尾蕨科 Pteridaceae 凤尾蕨属 *Pteris*

半边旗 *Pteris semipinnata* Linn.

| 药 材 名 | 半边旗（药用部位：全草或根茎。别名：半边蕨、单片锯、甘草蕨）。

| 形态特征 | 植株高 30 ~ 100 cm。根茎横卧，被鳞片。叶簇生；叶柄长 20 ~ 55 cm，与叶轴均为栗色，有光泽；叶片卵状长圆形，长 15 ~ 50 cm，宽 10 ~ 25 cm，一回羽状；羽片 6 ~ 8 对，对生，长 8 ~ 10 cm，宽 2 ~ 4 cm，通常羽片上侧全缘且无裂片，下侧具篦齿状分裂的裂片，弯向叶尖；叶片顶部羽状深裂，先端具长尾尖；裂片条形，长 2 ~ 5 cm，宽 8 ~ 10 mm，先端短渐尖，不育羽片和裂片边缘有密尖锯齿；叶脉明显。孢子囊群线形，沿能育裂片的边缘着生；假囊群盖灰白色，全缘。

| 生境分布 | 生于疏林下、溪边或岩石旁酸性土壤中。广东各地均有分布。

| 资源情况 | 野生资源丰富。药材来源于野生。

| 采收加工 | 全草，全年均可采收，洗净，鲜用或晒干。根茎，采挖后除去须根，洗净，趁鲜切片，干燥。

| 功能主治 | 苦、辛，凉。归肝、大肠经。清热利湿，凉血止血，解毒消肿。用于泄泻，痢疾，黄疸，目赤肿痛，牙痛，吐血，痔疮出血，外伤出血，跌打损伤，皮肤瘙痒，毒蛇咬伤。

| 用法用量 | 内服煎汤，9 ~ 15 g。外用适量，捣敷；研末撒；或煎汤熏洗。

| 凭证标本号 | 440281190424010LY、440281200707038LY、441825190712007LY。

凤尾蕨科 Pteridaceae 凤尾蕨属 *Pteris*

蜈蚣凤尾蕨 *Pteris vittata* Linn.

| 药 材 名 | 蜈蚣草（药用部位：全草。别名：蜈蚣蕨、肺筋草、牛肋巴）。

| 形态特征 | 植株高可达 1 m。根茎短而直立，木质，先端被鳞片。叶簇生；叶柄通常长 10 ~ 20 cm，与叶轴、羽轴均被鳞片；叶片披针形，长 20 ~ 90 cm，宽 5 ~ 25 cm，一回羽状；羽片多数，无柄，下部羽片渐缩短，中部羽片最长，条形，长 6 ~ 15 cm，宽 0.5 ~ 1 cm，先端渐尖，基部浅心形，两侧稍呈耳状，边缘有细锯齿；叶脉明显。孢子囊群线形，沿叶缘着生，具有由羽片边缘反卷而形成的膜质假囊群盖。

| 生境分布 | 生于钙质土或石灰岩上，也常生于石隙或墙壁。广东各地均有分布。

| 资源情况 | 野生资源丰富。药材来源于野生。

| 采收加工 | 全年可采收，洗净，鲜用或晒干。

| 功能主治 | 淡、苦，凉。归肝、大肠、膀胱经。祛风除湿，舒筋活络，解毒杀虫。用于风湿筋骨疼痛，腰痛，肢麻屈伸不利，半身不遂，跌打损伤，感冒，痢疾，乳痈，疮毒，疥疮，蛔虫病，蛇虫咬伤。

| 用法用量 | 内服煎汤，6 ~ 12 g。外用适量，捣敷；或煎汤熏洗。

| 凭证标本号 | 440281190814008LY、441284190718530LY、441823200105007LY。

中国蕨科 Sinopteridaceae 粉背蕨属 *Aleuritopteris*

银粉背蕨 *Aleuritopteris argentea* (Gmél.) Fée

| 药 材 名 | 通经草（药用部位：全草。别名：铁骨草、铁丝蕨、止惊草）。

| 形态特征 | 植株高 15 ~ 30 cm。根茎直立，密被棕色鳞片。叶簇生；叶柄长 7 ~ 20 cm，红棕色，有光泽；叶片五角形，长 5 ~ 7 cm，宽与长几相等，先端渐尖；羽片 3 ~ 5 对，基部 3 回羽裂，向上渐变为 1 回羽裂；基部 1 对羽片斜三角形，长 3 ~ 5 cm，宽 2 ~ 4 cm，基部上侧羽片与叶轴合生，小羽片 3 ~ 4 对，基部下侧 1 小羽片最大，椭圆状披针形，长 2 ~ 2.5 cm，有裂片 3 ~ 4 对，裂片边缘具整齐细齿；叶背面具乳白色或淡黄色蜡质粉末。孢子囊群圆形，成熟后会合成线形；囊群盖连续，内缘呈疏圆齿状。

| 生境分布 | 生于石灰岩缝隙或墙缝中。分布于广东英德、阳山、连南、乐昌、

乳源等。

| 资源情况 | 野生资源丰富。药材来源于野生。

| 采收加工 | 夏、秋季采收，去净泥土，捆成小把，晒干。

| 药材性状 | 本品根茎短小，密被红棕色鳞片。叶数枚簇生；叶柄细长，栗棕色，有光泽；叶片卷缩，展开后近五角形，掌状羽裂，细裂片宽窄不一，上表面呈绿色，干后呈褐色，下表面被银白色或淡黄色粉粒，草质。孢子囊群集生于叶缘，呈条形。质脆，易折断。气微，味淡。

| 功能主治 | 辛、甘，平。归肝、肺经。活血通经，祛痰止咳，利湿，解毒消肿。用于咳嗽，月经不调，经闭腹痛，赤白带下，肺痨咯血，泄泻，小便涩痛，肺痈，乳痈，风湿关节痛，跌打损伤，肋间神经痛，暴发火眼，疮肿。

| 用法用量 | 内服煎汤，9 ~ 15 g。外用适量，煎汤熏洗；或捣敷。

中国蕨科 Sinopteridaceae 粉背蕨属 *Aleuritopteris*

粉背蕨 *Aleuritopteris pseudofarinosa* Ching et S. K. Wu

| 药 材 名 | 粉背蕨（药用部位：全草。别名：鸡脚草、铁脚凤尾草、卷叶凤尾）。

| 形态特征 | 植株高 20 ~ 45 cm。根茎短而直立，先端密被鳞片。叶簇生；叶柄长 12 ~ 28 cm，栗褐色，有光泽；叶片卵状披针形，长 10 ~ 25 cm，宽 5 ~ 10 cm，基部最宽，3 回羽状分裂；侧生羽片 5 ~ 10 对，基部 1 对羽片斜长三角形，2 回羽裂，小羽片 5 ~ 8 对，羽轴下侧的小羽片远较上侧的小羽片长，基部下侧的 1 小羽片长达 2 cm，披针形，头钝尖，具裂片 5 ~ 6 对；叶背面被乳白色蜡质粉粒；叶轴及羽轴光滑。孢子囊群成熟时会合成线形；囊群盖断裂，膜质，棕色，边缘撕裂成睫毛状。

| 生境分布 | 生于林缘石缝中或岩石上。分布于广东怀集、英德、乐昌、乳源及

潮州（市区）等。

| 资源情况 | 野生资源丰富。药材来源于野生。

| 采收加工 | 秋后采收，洗净，晒干。

| 功能主治 | 淡，平。归肺、脾、肝经。祛痰止咳，健脾利湿，活血止血。用于咳嗽，泄泻，痢疾，消化不良，月经不调，吐血，便血，带下，淋证，跌打损伤，瘰疬。

| 用法用量 | 内服煎汤，15 ~ 30 g，大剂量可用至 60 g。

| 凭证标本号 | 441781140716007LY。

中国蕨科 Sinopteridaceae 碎米蕨属 *Cheilosoria*

毛轴碎米蕨 *Cheilosoria chusana* (Hook.) Ching & K. H. Shing

| 药 材 名 | 川层草（药用部位：全草。别名：细凤尾草、献鸡尾）。

| 形态特征 | 植株高 15 ~ 30 cm。根茎短，直立，被栗黑色鳞片。叶簇生；叶柄长 2 ~ 5 cm，与叶轴同为亮栗色，被小鳞片及短毛；叶片披针形，长 8 ~ 25 cm，中部宽 2 ~ 6 cm，先端短渐尖，向基部变狭，2 回羽裂；羽片 10 ~ 20 对，基部羽片三角形，中部羽片较大，三角状披针形，长 1.5 ~ 3.5 cm，宽 1 ~ 1.5 cm，深羽裂；裂片椭圆形或舌形，具钝头，基部下延，边缘有圆齿。孢子囊群圆形，生于小脉先端，每圆齿上有孢子囊群 1 ~ 2；囊群盖膜质，断裂，肾形。

| 生境分布 | 生于林下。分布于广东连州、连平、乐昌、南雄、翁源、乳源及肇庆（市区）、惠州（市区）、汕头（市区）等。

| 资源情况 | 野生资源丰富。药材来源于野生。

| 采收加工 | 全年均可采收，鲜用或晒干。

| 功能主治 | 微苦，寒。归胃、肺、肝经。清热利湿，解毒。用于湿热黄疸，泄泻，痢疾，小便涩痛，咽喉肿痛，痈肿疮疖，毒蛇咬伤。

| 用法用量 | 内服煎汤，15 ~ 30 g。

| 凭证标本号 | 441823190612019LY、441622200910015LY、441422190316591LY。

中国蕨科 Sinopteridaceae 碎米蕨属 *Cheilosoria*

碎米蕨 *Cheilosoria mysurensis* (Wall.) Ching & K. H. Shing

| 药材名 | 碎米蕨（药用部位：全草）。

| 形态特征 | 植株高 10 ～ 25 cm。根茎短，与叶柄基部均密被栗色或栗黑色钻形鳞片。叶簇生；叶柄长 2 ～ 7 cm，与叶轴同为栗色或栗黑色，上面有浅纵沟；叶片狭披针形，长 8 ～ 18 cm，宽 1 ～ 2 cm，先端渐尖，向基部变狭，二回羽状；羽片 12 ～ 20 对，长 1 ～ 1.5 cm，宽 5 ～ 8 mm，三角形或三角状披针形，羽状或羽裂，小羽片具 3 ～ 4 对圆裂片，下部羽片逐渐短缩，三角形，基部 1 对小羽片呈耳形，裂片多少卷曲。每裂片有孢子囊群 1 ～ 2；囊群盖肾形，边缘淡棕色。

| 生境分布 | 生于灌丛或溪边石上。分布于广东大埔、丰顺及广州（市区）等。

| 资源情况 | 野生资源较少。药材来源于野生。

| 采收加工 | 夏、秋季采收，晒干或鲜用。

| 功能主治 | 微苦，凉。清热解毒。用于咽喉肿痛，痢疾，毒蛇咬伤。

| 用法用量 | 内服煎汤，10 ~ 15 g。外用适量，捣敷。

| 凭证标本号 | 441422190222079LY。

中国蕨科 Sinopteridaceae 碎米蕨属 *Cheilosoria*

薄叶碎米蕨 *Cheilosoria tenuifolia* (Burm.) Trev.

| 药 材 名 | 黑骨蕨（药用部位：全草。别名：狭叶蕨、山兰根）。

| 形态特征 | 植株高 30 ～ 40 cm。根茎短而直立，与叶柄基部均密被鳞片。叶簇生；叶柄长 6 ～ 25 cm，栗色，上面有浅纵沟；叶片远较叶柄为短，长 4 ～ 18 cm，宽 4 ～ 12 cm，五角状卵形或阔卵状披针形，头渐尖，三回羽状；羽片 6 ～ 8 对，有柄，基部 1 对羽片最大，三角形或卵状披针形，长 3 ～ 9 cm，宽 3 ～ 5 cm，先端渐尖，二回羽状；末回小羽片以极狭翅相连，羽状半裂，裂片椭圆形。孢子囊群生于裂片上半部的侧脉先端，圆形或矩圆形；囊群盖连续或断裂，全缘。

| 生境分布 | 生于向阳的河岸、岩石旁或旧墙边。分布于广东阳春、恩平及广州（市区）、汕头（市区），以及沿海岛屿、罗浮山等。

| **资源情况** | 野生资源丰富。药材来源于野生。

| **采收加工** | 夏、秋季采收，洗净，晒干或鲜用。

| **功能主治** | 苦，凉。清热解毒，活血散瘀。用于痢疾，跌打损伤。

| **用法用量** | 内服煎汤，15 ~ 30 g。外用适量，捣敷。

| **凭证标本号** | 440781190826012LY、440781190515021LY、441422190715108LY。

中国蕨科 Sinopteridaceae 黑心蕨属 *Doryopteris*

黑心蕨 *Doryopteris concolor* (Langsd. et Fisch.) Kuhn

| 药 材 名 | 黑心蕨（药用部位：全草。别名：乌轴蕨、同色黑心蕨）。

| 形态特征 | 植株高 20 ~ 30 cm。根茎短而直立，先端和叶柄中部以下被鳞片。叶簇生；叶柄长 6 ~ 24 cm，亮栗黑色；叶片五角形，长、宽均为 4 ~ 8 cm，头渐尖，基部阔心形或戟形，近掌状 3 裂；中央羽片阔菱形，长 3.5 ~ 5 cm，宽 2 ~ 4 cm，羽状深裂，基部 1 对小羽片最长，羽状半裂或浅裂，其他小羽片全缘；侧生羽片三角形，基部下延且与中央羽片下延的阔翅相连，上侧为 1 回深羽裂，下侧为 2 回深羽裂；叶两面无毛，叶轴、羽轴及小羽轴下面均为栗黑色。孢子囊群沿裂片两侧边缘分布，先端及缺刻不育；囊群盖全缘。

| 生境分布 | 生于海拔 230 ~ 800 m 的林下溪旁或田埂边。分布于广东广州（市区）

及罗浮山等。

| 资源情况 | 野生资源较少。药材来源于野生。

| 采收加工 | 夏、秋季采收，洗净，晒干。

| 功能主治 | 微苦、涩，凉。清热利尿，止血。用于淋证，外伤出血。

| 用法用量 | 内服煎汤，9 ~ 15 g。外用适量，研末敷。

中国蕨科 Sinopteridaceae 金粉蕨属 *Onychium*

野雉尾金粉蕨 *Onychium japonicum* (Thunb.) Kze.

| 药 材 名 | 小野鸡尾（药用部位：全草。别名：小鸡尾草、海风丝、草莲）。

| 形态特征 | 植株高 25 ~ 60 cm。根茎长而横走，被鳞片。叶近簇生；叶柄禾秆色，基部棕褐色，长 10 ~ 35 cm；叶片长卵形至卵状披针形，长 20 ~ 30 cm，宽 6 ~ 15 cm，4 ~ 5 回羽状深裂；羽片 8 ~ 15 对，有柄，互生；基部 1 对羽片最大，长 10 ~ 15 cm，宽约 5 cm；各回小羽片彼此接近，均为上先出；末回裂片短披针形，长 5 ~ 7 mm，不育裂片略短且较狭，仅有 1 脉，能育裂片上斜上的侧脉与边脉会合。孢子囊群生于叶边；囊群盖线形，膜质，全缘，白色。

| 生境分布 | 生于林下、溪边石旁。分布于广东信宜、阳春、英德、连州、阳山、连山、龙门、平远、蕉岭、乐昌、南雄、仁化、乳源及清远（市区）等。

| 资源情况 | 野生资源丰富。药材来源于野生。

| 采收加工 | 夏、秋季采收，鲜用或晒干。

| 药材性状 | 本品根茎细长，略弯曲，直径 2 ~ 4 mm，黄棕色或棕黑色，两侧着生向上弯的叶柄残基和细根。叶柄细长，略呈方柱形，表面浅棕黄色，具纵沟。叶片卷缩，展开后呈卵状披针形或三角状披针形，干后呈绿色或灰绿色。能育叶末回裂片短线形，下面边缘生有孢子囊群。囊群盖膜质，与中脉平行，向内开口。质脆，较易折断。气微，味苦。

| 功能主治 | 苦，寒。归心、肝、肺、胃经。清热解毒，利湿，止血。用于风热感冒，咳嗽，咽痛，泄泻，痢疾，小便淋痛，湿热黄疸，吐血，咯血，便血，痔疮出血，尿血，疮毒，跌打损伤，毒蛇咬伤，烫火伤。

| 用法用量 | 内服煎汤，15 ~ 30 g，鲜品用量加倍。外用适量，研末敷；或鲜品捣敷。

| 凭证标本号 | 440281190701019LY、440281200708008LY、441882180505006LY。

中国蕨科 Sinopteridaceae 金粉蕨属 *Onychium*

栗柄金粉蕨 *Onychium japonicum* (Thunb.) Kze. var. *lucidum* (Don) Christ

| 药 材 名 | 小野鸡尾（药用部位：全草。别名：亮叶乌蕨、孔雀尾）。

| 形态特征 | 植株高约 1 m。根茎横走，疏被鳞片。叶近簇生；叶柄长 20 ~ 30 cm，全部或下部为栗棕色，光滑；叶片卵状披针形或三角状卵形，长与叶柄相等，宽 10 ~ 15 cm，4 回羽状细裂；羽片 12 ~ 15 对，互生，有短柄，基部 1 对羽片最大，长 9 ~ 17 cm，宽 5 ~ 6 cm，椭圆状披针形或三角状披针形，各回小羽片彼此接近，均为上先出；末回裂片线状披针形，不育裂片较短而狭，仅有 1 脉。孢子囊群生于叶边；囊群盖线形，膜质，全缘，白色。

| 生境分布 | 生于林下沟边石上。分布于广东阳山、乐昌及广州（市区）等。

| 资源情况 | 野生资源较少。药材来源于野生。

| 采收加工 | 夏、秋季采收，鲜用或晒干。

| 功能主治 | 苦，凉。清热解毒，利湿，止血。用于风热感冒，咳嗽，咽痛，泄泻，痢疾，小便淋痛，湿热黄疸，吐血，咯血，便血，痔疮出血，尿血，疮毒，跌打损伤，毒蛇咬伤，烫火伤。

| 用法用量 | 内服煎汤，15 ~ 30 g，鲜品用量加倍。外用适量，研末敷；或鲜品捣敷。

| 附　　注 | 本种与原变种的不同之处在于本种体较高大且粗壮，叶柄栗色或棕色，叶较厚，裂片较狭长。